Polarität   1.5 pp.
Die Natur   4   pp.
Symbolik   3   pp
Über granit   4.5

Johann Wolfgang Goethe, geboren am 28. August 1749 in Frankfurt am Main, ist am 22. März 1832 in Weimar gestorben.

Einen bedeutenden Raum in Goethes Schaffen nimmt seine Beschäftigung mit der Natur, den Naturwissenschaften ein. Um die Art seiner wissenschaftlichen Beschäftigung mit der Natur zu umreißen, sei an drei bedeutende Ereignisse erinnert: seine Idee von der Urpflanze, die sich in der Abhandlung *Metamorphose der Pflanzen* (1790) niederschlug, und die Entdeckung des *os intermaxillare* im menschlichen Schädel aus dem Jahre 1784 sowie seine lebenslange Beschäftigung mit der Farbenlehre.

Der amerikanische Literaturwissenschaftler Erich Heller schreibt in seinen *Essays über Goethe*: »Es war Goethes Ehrgeiz, in der Geschichte des Denkens die Rolle eines Francis Bacon zu spielen, eines Geistes aber, der nicht nur auf dem pragmatischen, sondern dem in seinem Sinne objektiven Umgang mit der Natur besteht; oder aber auch diejenige eines Immanuel Kant der objektiven Vernunft. In der Besprechung eines wissenschaftlichen Werkes sagte er: ›So wird ein Mann, zu den sogenannten exakten Wissenschaften geboren und gebildet, auf der Höhe seiner Verstandesvernunft nicht leicht begreifen, daß es auch eine exakte sinnliche Phantasie geben könne...‹. Diese exakte sinnliche Phantasie ist. der Ruhm von Goethes Dichtungen; er wußte, daß sie oft das Werkzeug der Wahrheit ist. Denn ›das Schöne ist eine Manifestation geheimer Naturgesetze, die uns ohne dessen Erscheinung ewig wären verborgen geblieben‹.«

insel taschenbuch 550
Goethe
Schriften zur
Naturwissenschaft

GOETHE
SCHRIFTEN
ZUR
NATURWISSEN-
SCHAFT

In einer Auswahl herausgegeben
von Horst Günther
Mit Zeichnungen von Goethe
Insel Verlag

Das insel taschenbuch 550 erschien erstmals 1981
unter dem Titel »Anschauendes Denken«

insel taschenbuch 550
Erste Auflage dieser Ausgabe 1981
© Insel Verlag Frankfurt am Main 1981
Vertrieb durch den Suhrkamp Taschenbuch Verlag
Umschlag nach Entwürfen von Willy Fleckhaus
Satz: Fotosatz Otto Gutfreund, Darmstadt
Druck: Nomos Verlagsgesellschaft, Baden-Baden
Printed in Germany

2 3 4 5 6 7 – 90 89 88 87 86 85

INHALT

Anschauendes Denken

... das bloße Anblicken einer Sache kann uns nicht fördern. Jedes Ansehen geht über in ein Betrachten, jedes Betrachten in ein Sinnen, jedes Sinnen in ein Verknüpfen, und so kann man sagen, daß wir schon bei jedem aufmerksamen Blick in die Welt theoretisieren. Dieses aber mit Bewußtsein, mit Selbstkenntnis, mit Freiheit, und um uns eines gewagten Wortes zu bedienen, mit Ironie zu tun und vorzunehmen, eine solche Gewandtheit ist nötig, wenn die Abstraktion, vor der wir uns fürchten, unschädlich, und das Erfahrungsresultat, das wir hoffen, recht lebendig und nützlich werden soll.

Aus dem Vorwort zur Farbenlehre

BEITRÄGE GOETHES ZU LAVATERS PHYSIOGNOMISCHEN FRAGMENTEN

Von der Physiognomik überhaupt
Zugabe

Man wird sich öfters nicht enthalten können, die Worte Physiognomie, Physiognomik in einem ganz weiten Sinne zu brauchen. Diese Wissenschaft schließt vom Äußern aufs Innere. Aber was ist das Äußere am Menschen? Wahrlich nicht seine nackte Gestalt, unbedachte Gebärden, die seine innern Kräfte und deren Spiel bezeichnen! Stand, Gewohnheit, Besitztümer, Kleider, alles modifiziert, alles verhüllt ihn. Durch alle diese Hüllen bis auf sein Innerstes zu dringen, selbst in diesen fremden Bestimmungen feste Punkte zu finden, von denen sich auf sein Wesen sicher schließen läßt, scheint äußerst schwer, ja unmöglich zu sein. Nur getrost! Was den Menschen umgibt, wirkt nicht allein auf ihn, er wirkt auch wieder zurück auf selbiges, und indem er sich modifizieren läßt, modifiziert er wieder rings um sich her. So lassen Kleider und Hausrat eines Mannes sicher auf dessen Charakter schließen. Die Natur bildet den Menschen, er bildet sich um, und diese Umbildung ist doch wieder natürlich; er, der sich in die große weite Welt gesetzt sieht, umzäunt, ummauert sich eine kleine drein, und staffiert sie aus nach seinem Bilde.

Stand und Umstände mögen immer das, was den Menschen umgeben muß, bestimmen, aber die Art, womit er sich bestimmen läßt, ist höchst bedeutend. Er kann sich gleichgültig einrichten wie andere seinesgleichen, weil es sich nun einmal so schickt; diese Gleichgültigkeit kann bis zur Nachlässigkeit gehen. Ebenso kann man Pünktlichkeit und Eifer darinnen bemerken, auch ob er vorgreift, und sich der nächsten Stufe über ihm gleichzustellen sucht, oder ob er, welches freilich höchst selten ist, eine Stufe zurückzuweichen scheint. Ich hoffe, es wird niemand sein, der mir verdenken wird, daß

Minerva aus dem Haupte Jupiters hervortretend
Bleistift, Feder mit Tusche

ich das Gebiet des Physiognomisten also erweitere. Teils geht ihn jedes Verhältnis des Menschen an, teils ist auch sein Unternehmen so schwer, daß man ihm nicht verargen muß, wenn er alles ergreift, was ihn schneller und leichter zu seinem großen Zwecke führen kann.

Einige Gründe der Verachtung und Verspottung
der Physiognomik.
Zugabe

Nun noch einige Worte von der Gleichgültigkeit gegen die Physiognomik, denn diese und nicht so wohl Verachtung und Haß werden wir bei den meisten Menschen antreffen. Es ist ein

Glück für die Welt, daß die wenigsten Menschen zu Beobachtern geboren sind. Die gütige Vorsehung hat jedem einen gewissen Trieb gegeben, so oder anders zu handeln, der denn auch einem jeden durch die Welt hilft. Eben dieser innere Trieb kombiniert auch mehr oder weniger die Erfahrungen, die der Mensch macht, ohne daß er sich dessen gewissermaßen selbst bewußt ist. Jeder hat seinen eigenen Kreis von Wirksamkeit, jeder seine eigene Freude und Leid, da er denn durch eine gewisse Anzahl von Erfahrungen bemerkt, was ihm analog ist, und so wird er nach und nach im Lieben und Hassen auf das festeste bestätigt. Und so ist sein Bedürfnis erfüllt, er empfindet auf das deutlichste, was die Dinge für ein Verhältnis zu ihm haben, und daher kann es ihm einerlei sein, was für ein Verhältnis sie untereinander haben mögen. Er fühlt, daß dies und jenes so oder so auf ihn wirkt, und er fragt nicht, warum es so auf ihn wirkt, vielmehr läßt er sich dadurch auf ein oder die andre Weise bestimmen. Und so begierig der Mensch zu sein scheint, die wahre Beschaffenheit eines Dings, und die Ursachen seiner Wirkungen zu erkennen, so selten wird's doch bei ihm unüberwindliches Bedürfnis. Wie viel tausend Menschen, selbst die sich einbilden, zu denken und zu untersuchen, beruhigen sich mit einem qui pro quo auf einem ganz beschränkten Gemeinplatze. Also wie der Mensch ißt und trinkt und verdaut, ohne zu denken, daß er einen Magen hat, also sieht er, vernimmt er, handelt, und verbindet seine Erfahrungen, ohne sich dessen eigentlich bewußt zu sein. Ebenso wirken auch die Züge und das Betragen anderer auf ihn, er fühlt, wo er sich nähern oder entfernen soll, oder vielmehr, es zieht ihn an, oder stößt ihn weg, und so bedarf er keiner Untersuchung, keiner Erklärung.

Auch hat ein großer Teil Menschen vor der Physiognomik als einer geheimnisvollen Wissenschaft eine tiefe Ehrfurcht. Sie hören von einem wunderbaren Physiognomisten mit ebensoviel Vergnügen erzählen, als von einem Zauberer oder Tausendkünstler, und obgleich mancher an der Untrüglichkeit seiner Kenntnisse zweifeln mag, so ist doch nicht leicht einer, der nicht was dran wendete, um sich von so einem moralischen Zigeuner die gute Wahrheit sagen zu lassen.

Lassen wir nun Hässer, Verächter und Gleichgültige, jeden in seiner Art und Wesen, wie viele sind nicht wieder, denen dieses Buch als das was es ist, willkommen sein wird. Es wäre ein törichtes Beginnen, alle Menschen auf einen Punkt, und wenn dieser Punkt die Menschheit selbst wäre, aufmerksam machen zu wollen. Wem es ein Bedürfnis ist, täglich an der menschlichen Natur nähern und innigern Anteil zu nehmen, wer nicht Not hat, sich in eine kalte Beschränktheit zu verstecken, nicht durch eine anhaltende Verachtung anderer sich empor zu halten nötig hat, der wird mit viel Freude seinen eigenen Gesinnungen begegnen und seine innern Gefühle manchmal in Worte ausgebildet sehen.

Von den oft nur scheinbaren Fehlschlüssen
des Physiognomisten.
Zugabe

Mit physiognomischen Gefühlen und Urteilen geht es wie mit allen Gefühlen und Urteilen. Wenn man Mißverstand verhüten, keinen Widerspruch dulden wollte, müßte man damit sich gar nicht an Laden legen.

Keinem Menschen kann die Allgemeinheit zugestanden werden, sie wird keinem zugestanden. Das, was ein Teil Menschen als göttlich, herrlich, überschwenglich anbeten, wird von andern als kalt, als abgeschmackt verworfen. Nicht aber, daß ich dadurch wieder in die alte Nacht mich schlafen legen, und so eindämmernd hinlallen wollte: also hält einer das vor schön und gut, der andere das; also ist alles unbestimmt, also packt ein mit eurer Physiognomik. Nicht so! Wie die Sachen eine Physiognomie haben, so haben auch die Urteile die ihrige, und eben daß die Urteile verschieden sind, beweist noch nicht, daß ein Ding bald so, bald so ist. Nehmen wir zum

Übungen zu Idealformen
Bleistift, schwarze Tinte

Beispiel ein Buch, das die Freuden und das Elend der Liebe mit den lebhaftesten Farben schildert. Alle junge Leute fallen drüber her, erheben, verzehren, verschlingen es; und ein Alter, dem's unter die Hände kommt, macht's gelassen oder unwillig zu, und sagt: »Das verliebte Zeug! Leider, daß es in der Welt so ist, was braucht man's noch zu schreiben?«

Lassen Sie nun von jeder Seite einen Kämpfer auftreten! Der eine wird beweisen, daß das Buch vortrefflich ist, der andere, daß es elend ist! Und welcher hat recht? Wer soll's entscheiden? Niemand denn der Physiognomist. Der tritt dazwischen und sagt: Begebt euch zur Ruh, euer ganzer Streit nährt sich mit den Worten fürtrefflich und elend. Das Buch ist weder für-trefflich noch elend. Es hat nur deine ganze Gestalt, guter Jüngling, es enthält alles, was sie bezeichnet: diese blühende Wange, diesen hoffenden Blick, diese vordringende Stirn; und weil dir's gleich sieht, weil es vor dir steht, wie du vor dir selbst oder deinem Spiegel, so nennst du's deinesgleichen, oder welches eins ist, deinen Freund, oder welches eins ist, fürtreff-lich. Du Alter hingegen würdest ein Gleiches tun, wenn diese Blätter so viel Erfahrung, Klugheit, praktischen Sinn ent-hielten.

Sind Sie nun wohl überzeugt, daß, wie das Buch seine Physiognomie hatte, also haben auch die Urteile die ihrige, und daß hier nur durch den dritten Ruhigen jedem sein Platz angewiesen werden konnte.

Nun aber ist der Dritte immer ruhig? Neigt er sich nicht auch oft nach seinesgleichen? Gut! dafür ist auch er Mensch, und darum geben wir hier nur Beiträge, nur Fragmente, die auch ihre Physiognomie haben, und wenn die, so darüber urteilen werden, sich auch treu bleiben, so wird jedes Urteil ein Beitrag zu unsern Fragmenten sein.

Alles wirkt verhältnismäßig in der Welt, das werden wir noch oft zu wiederholen haben. Das allgemeine Verhältnis erkennet nur Gott; deswegen alles menschliche, philosophi-sche und so auch physiognomische Sinnen und Trachten am Ende auf ein bloßes Stottern hinausläuft. Und wenn zugestan-den ist: daß in der Dinge Reihe viel mißlingt, warum sollte man von einer Reihe dargestellter Beobachtungen viel harmo-nische Konsistenz erwarten?

*

Ich halte die Nase für die Widerlage des Gehirns. Wer die Lehre der gotischen Gewölbe halbweg einsieht, wird das Gleichnis-wort Widerlage verstehen. Denn auf ihr scheint eigentlich alle die Kraft des Stirngewölbes zu ruhen, das sonst in Mund und Wange elend zusammenstürzen würde...

Da wohnen fürchterliche Leiden, verschlungen in die Riesen-
kraft, die sie trägt und überwindet – eingewurzelte Festigkeit
und Fülle des Geistes.

*

Homer nach einem in Konstantinopel
gefundnen Bruchstück

... Also in beiden nicht Homer! Drum sei mir erlaubt, die
Gefühle über dessen Büste, die in Gipsabguß vor mir steht,
und die jeder Liebhaber so oft zu sehen Gelegenheit hat, hier
niederzulegen, bis etwa in folgenden Teilen eine glückliche
Nachbildung desselben aufgestellt werden kann.

Tret ich unbelehrt vor diese Gestalt, so sag ich: Der Mann
sieht nicht, hört nicht, fragt nicht, strebt nicht, wirkt nicht.

Der Mittelpunkt aller Sinne dieses Haupts ist in der obern,
flach gewölbten Höhlung der Stirne, dem Sitz des Gedächtnis-
ses. In ihr ist alles Bild geblieben, und alle ihre Muskeln ziehen
sich hinauf, um die lebendigen Gestalten zur sprechenden
Wange herabzuleiten. Niemals haben sich diese Augbraunen
niedergedrängt, um Verhältnisse zu durchforschen, sie von

17

ihren Gestalten abgesondert zu fassen, hier wohnt alles Leben willig mit- und nebeneinander.

Es ist Homer!

Dies ist der Schädel, in dem die ungeheuren Götter und Helden so viel Raum haben als im weiten Himmel und der grenzlosen Erde. Hier ist's, wo Achill

$$\mu\varepsilon\gamma\alpha\varsigma\ \mu\varepsilon\gamma\alpha\lambda\omega\sigma\tau\iota\ \tau\alpha\nu\upsilon\sigma\vartheta\varepsilon\iota\varsigma$$

Κειτο! ⋆

Dies ist der Olymp, den diese rein erhabne Nase wie ein andrer Atlas trägt, und über das ganze Gesicht solche Festigkeit, solch eine sichere Ruhe verbreitet.

Diese eingesunkne Blindheit, die einwärts gekehrte Sehkraft, strengt das innere Leben immer stärker und stärker an, und vollendet den Vater der Dichter.

Vom ewigen Sprechen durchgearbeitet sind diese Wangen, diese Redemuskeln, die betretnen Wege, auf denen Götter und Heroen zu den Sterblichen herabsteigen; der willige Mund, der nur die Pforte solcher Erscheinungen ist, scheint kindisch zu lallen, hat alle Naivetät der ersten Unschuld; und die Hülle der

[Klopstock]

18

Haare und des Barts verbirgt und verehrwürdiget den Umfang des Haupts.

Zwecklos, leidenschaftslos ruht dieser Mann dahin, er ist um sein selbst willen da, und die Welt, die ihn erfüllt, ist ihm Beschäftigung und Belohnung.

... Diese sanftabgehende Stirne bezeichnet reinen Menschenverstand; ihre Höhe über dem Auge Eigenheit und Feinheit; es ist die Nase eines Bemerkers; in dem Munde liegt Lieblichkeit, Präzision, und in der Verbindung mit dem Kinne, Gewißheit. Über dem Ganzen ruht ein unbeschreiblicher Friede, Reinheit und Mäßigkeit ...

Ein Kopf nach Raffael

... Aber dann wiederum, die Stellung, wie seelevoll! wie harmonierend mit dem Blicke! –

Mir scheint es am meisten einen gefühlvollen Denker zu bezeichnen, dessen Herz lange schon einer Wahrheit ahndend entgegen schlug, und worüber sich in seiner Stirne Glauben und Zweifel wechselweise bewegten – und auf einmal steht vor ihm die sinnliche Gewißheit dessen, was er ahndete, hoffte. Sein Aug und Augbraunen heben sich in freudig schauendem Triumph, in seiner Stirne gründet sich ewige Bestätigung, und sein nun ganz frei schlagendes Herz drängt sich auf der liebenden Lippe dem ersehnten Gegenstande zu. Kurz, mir ist es der Mann, der durch ein sinnliches Wunder für viele Lieben, Sinnen und Drang belohnt wird ...

Ein zweiter Kopf nach Raffael

... Freilich ist auch das Auge zu graß. Doch ist die gepackte Stirne, der parallele Rücken der Nase, die Fülle der Wange ganz trefflich; und die übermäßig vorstehende Oberlippe ein Beispiel zur Bemerkung, wie Raffael, um Wahrheit, Bedeutung und Wirkung hervorzubringen, selbst die Wahrheit geopfert. Schau einen Augenblick hinweg und dann wieder hin! scheint sie nicht zu sprechen? Zwar spricht die ganze Stellung, in ihrer kleinsten Linie. Aber wo konzentriert sich alles? – Auf der Oberlippe! Indem dein Aug eine wahre proportionierte Lippe erwartet, wird es hervorgeführt, die verlängerte Lippe scheint sich zu bewegen, und indem du dich bemühst, sie in Gedanken zurückzubringen, bewegt sie sich immer aufs neue vorwärts; auch ruht wirklich die ganze Kraft der Gestalt auf dieser Oberlippe ...

... Nun die männlichen Köpfe im untern Oval. Orest in der Mitte. Hier ist der Ausdruck selbstgelassener fester Wehmut um einen Wink verfehlt. Aber auch so, noch immer edel, groß, und gut. Wie wahr das Ganze, die absinkende Lippe, das geneigte Haupt, die leise abwallenden Locken; und wie kontrastierend dagegen der duldende Nacken des kraushaarigen, frischbärtigen Freundes, dessen angedrängtes Kinn, geschlossener Mund, aufgezogenes Nasläppchen, alles, Festigkeit, Selbstgelassenheit, ruhige Erwartung des Schicksals bezeichnet. Das Auge sagt zu wenig, wie war aber auch so ein Blick zu kopieren?

Der grimmige Soldat ist nichts mehr und weniger als eine akademische theatralische Flickgestalt, doch ist Trutz und Härte ganz gut ausgedrückt, ob mir gleich bei Erblickung eines solchen Kopfes immer ist, als wenn ich eine wohl ausgesprochene alltägliche Sentenz läse.

Judas und Compagnie nach Rembrandt

Nach dem Thomas von Raffaels Schöpfung, ist höchst merkwürdig zu sehn, wie Rembrandt den gerad entgegengesetzten Vorwurf in seiner Laune behandelt hat... Wie lebhaft ist dieses Stück, und besonders die drei Hauptfiguren empfunden. Der vörderste gekrümmtstehende ist der Urheber und Ausführer der ganzen Tat. Nicht widrig sind an ihm Mund und Auge, aber dieses Verhältnis von Stirn und Nase, das tückische Beugen, das durch die überstrebenden Falten noch vermehrt wird, bezeichnen ihn hinlänglich. Er winkt dem gegen ihm über Sitzenden die Hoffnung der wohl zu vollendenden Tat zu, der ihm mit innigfreudigem Blicke antwortet. Stirn und Nase dieses Sitzenden sind edel, aber in dem Auge liegt Tücke und Kleinmut, aus der Wange lächelt niedrige Gefälligkeit, und eine kindische Hoffnung schwebt auf der Unterlippe.

Judas bemerkt nicht, daß diese beide sich über ihn beschäftigen. Der Ausdruck der niedrigsten Habsucht ist seinem Gesichte eingeprägt. Vergangene Niederträchtigkeit und zukünftige macht ihm bange, und der Anblick des Geldes ist ihm nur ein Moment ängstlicher Erholung ...

Rameau

Sieh diesen reinen Verstand! – ich möchte nicht das Wort Verstand brauchen – Sieh diesen reinen, richtigen, gefühlvollen Sinn, der's ist, ohne Anstrengung, ohne mühseliges Forschen; Und sieh dabei diese himmlische Güte!

Die vollkommenste, liebevollste Harmonie hat diese Gestalt ausgebildet. Nichts Scharfes, nichts Eckigtes an dem ganzen Umrisse, alles wallt, alles schwebt ohne zu schwanken, ohne unbestimmt zu sein. Diese Gegenwart wirkt auf die Seele wie ein genialisches Tonstück, unser Herz wird dahingerissen, ausgefüllt durch dessen Liebenswürdigkeit, und wird zugleich festgehalten, in sich selbst gekräftigt, und weiß nicht warum? – Es ist die Wahrheit, die Richtigkeit, das ewige Gesetz der stimmenden Natur, die unter der Annehmlichkeit verborgen liegt.

Sieh diese Stirne! diese Schläfe! in ihnen wohnen die reinsten Tonverhältnisse. Sieh dieses Auge! es schaut nicht, bemerkt nicht, es ist ganz Ohr, ganz Aufmerksamkeit auf innres Gefühl. Diese Nase! Wie frei! wie fest! ohne starr zu sein – und dann, wie die Wange von einem genüglichen Gefallen an sich selbst belebt wird, und den lieben Mund nach sich zieht! und wie die freundlichste Bestimmtheit sich in dem Kinne rundet! Dieses Wohlbefinden in sich selbst, von umherblickender Eitelkeit, und von versinkender Albernheit gleichweit entfernt, zeugt von dem innern Leben dieses trefflichen Menschen.

Scipio

Hohe, gewaltige, immer gegenwärtige Heldenkraft, Widerstand, Adel, und Güte. Der Knochenbau des Kopfs und die Bildung des Ganzen höchst gewaltig und fest. Daß aber die Muskeln etwas Schlaffes und Schwammichtes haben, ist wahrscheinlich Fehler der Zeichnung: dadurch schwebt eine Schattierung von moralischer Schwäche, Beschränktheit und Langsamkeit über der Gestalt. Unbeweglich in seinen Verhältnissen ist der Mann, stets den Augenblick ergreifend, immer Taten und Handlungen und Schicksale vergleichend, und mit sich verbindend. Kein Zug von unteilnehmendem, allgemeinem Forschen. Befestiger seiner Stadt und selbst Bollwerk ...

Titus

... Gewißheit seiner selbst, Beständigkeit, reine Erkenntnis dessen, was ihn umgibt. Die Stirn und Augenknochen auf dem Bilde hier teils unbestimmt, teils verzogen, doch noch immer Festigkeit, Scharfsinn, Hochsinn. In dem fast ganz vernachlässigten Auge noch immer Feinheit. Höchst edel und trefflich die Nase. Der Mund von bestimmter Weisheit und Güte träufelnd, Behaglichkeit der Wangen, und Säulenkraft des Nackens ...

... Ein böser Geist vom Herrn ist über ihm, sein Herz ist gedrängt, schwarze Bilder schweben vor seiner Stirne, er zieht sie widerstrebend zusammen, will mit dem unmutigen Herrscherblicke die Geisterscharen vertreiben, es gelingt ihm nicht. Unmutiges Nachdenken quält ihn. Vergebens, daß über seinen Augen reiner Verstand wohnen, in lichten Verhältnissen sich weiden könnte! Sein Blut, schwarz wie sein Haar, färbt ihm alle Vorstellungen nächtlich. Halb grimmig hebt sich die Nase; leiser, ängstlicher Trutz ist im gehobenen Munde; scheu und doch fest ist das ganze Wesen. Man bringe in Gedanken alle Züge zur Ruhe, gieße in seine Adern wenige Züge besänftigender, belebender, schaffender Frühlingsluft, verdünne sein Blut, und spüle die Zerstörungsbegier, die von ihm selbst beginnt, ihm aus den Sinnen; so habt ihr ihn zum großen, edeln, guten Manne wiedergeboren ...

Brutus

Welche Kraft ergreift dich mit diesem Anblicke! Schau die unerschütterliche Gestalt! Diesen ausgebildeten Mann, und diesen zusammen geknoteten Drang. Sieh das ewige Bleiben und Ruhen auf sich selbst. Welche Gewalt und welche Lieblichkeit! Nur der mächtigste und reinste Geist hat diese Bildung ausgewürkt.

Eherner Sinn ist hinter der steilen Stirne befestigt, er packt sich zusammen, und arbeitet vorwärts in ihren Höckern, jeder, wie die Buckeln auf Fingals Schild von heischendem Schlacht- und Tatengeiste schwanger. Nur Erinnerung von Verhältnissen großer Taten ruht in den Augenknochen, wo sie durch die Naturgestalt der Wölbungen zu anhaltendem mächtig würksamen Anteil zusammen gestrengt wird. Doch ist für Liebe und Freundschaft in der Fülle der Schläfe ein gefälliger Sitz überblieben – Und die Augen! dahin blickend. Als des Edlen, der vergebens die Welt außer sich sucht, deren Bild in ihm wohnt, zürnend und teilnehmend. Wie scharf und klug das obere Augenlid; wie voll, wie sanft das untere! Welche gelinde kraftvolle Erhabenheit der Nase! Wie bestimmt die Kuppe, ohne fein zu sein, und die Größe des Nasenloches und des Nasenläppchens, wie lindert sie das Angespannte des übrigen! Und eben in diesen untern Teilen des Gesichts wohnt eine Ahndung, daß dieser Mann auch Sammlung gelassener Eindrücke fähig sei. In der Ableitung des Muskels zum Munde herab schwebt Geduld, in dem Munde ruht Schweigen, natürliche liebliche Selbstgelassenheit, die feinste Art des Trutzes. Wie ruhig das Kinn ist, und wie kräftig ohne Gierigkeit und Gewaltsamkeit sich so das Ganze schließt!

Betrachte nun den äußern Umriß! Wie gedrängt markig! und wiederholt die Ehernheit der Stirne, die Würksamkeit des Augenknochens, den gefällig festen Raum an der Seite des Auges, die Stärke der Wangen, die Fülle des Mundes, und des Kinns anschließende Kraft.

Ich habe geendigt, und schaue wieder, und fange wieder von vornen an!

Mann verschlossener Tat! langsam reifender, aus tausend Eindrücken zusammen auf Einen Punkt gewürkter, auf Einen

Punkt gedrängter Tat! In dieser Stirne ist nichts Gedächtnis, nichts Urteil, es ist ewig gegenwärtiges, ewig würkendes, nie ruhendes Leben, Drang und Weben! Welche Fülle in den Wölbungen aller Teile! wie angespannt das Ganze! Dieses Auge faßt den Baum bei der Wurzel.

Über allen Ausdruck ist die reine Selbstigkeit dieses Mannes. Beim ersten Anblicke scheint was Verderbendes dir entgegen zu streben. Aber die treuherzige Verschlossenheit der Lippen, die Wangen, das Auge selbst! – Groß ist der Mensch, in einer Welt von Großen. Er hat nicht die hinlässige Verachtung des Tyrannen, er hat die Anstrengung dessen, der Widerstand findet, dessen, der sich im Widerstande bildet; der nicht dem Schicksale, sondern großen Menschen widerstrebt; der unter großen Menschen geworden ist. Nur ein Jahrhundert von Trefflichen konnte den trefflichsten durch Stufen hervorbringen.

Er kann keinen Herrn haben, kann nicht Herr sein. Er hat nie seine Lust an Knechten gehabt. Unter Gesellen mußt' er leben, unter Gleichen und Freien. In einer Welt voll Freiheit edler Geschöpfe würd' er in seiner Fülle sein. Und daß das nun nicht so ist, schlägt im Herzen, drängt zur Stirne, schließt den Mund, bohrt im Blicke! Schaut hier den gordischen Knoten, den der Herr der Welt nicht lösen konnte.

Cäsar

Ich bin nicht in der Stimmung von Cäsarn zu reden; und wer kennt nicht Cäsarn ohne mein Stammeln? Nur also die beiden Kupfer.

Das Schattierte! Welche verzerrte Reste des Ersten unter den Menschen! Schatten von Hoheit, Festigkeit, Leichtigkeit, Unvergleichbarkeit sind übrig geblieben. Aber die gekräuselte, unbestimmte, und fatal zurückgehende Stirne! das verzogene, abgeschlappte untere Augenlid! der schwankende abziehende Mund! – Vom Halse sag ich nichts – Im Ganzen eine eherne, übertyrannische Selbstigkeit.

Der Umriß! wie wahrhaft groß, rein und gut! Mächtig und gewaltig ohne Trutz. Unbeweglich und unwiderstehlich. Weise, tätig, erhaben über alles, sich fühlend Sohn des Glücks, bedächtig, schnell – Inbegriff aller menschlichen Größe.

Isaac Newton. Vier schattierte Köpfe

1. ... Voll innerer Kraft die Augen, den Gegenstand zu fassen; ihn zu ergreifen, nicht bloß zu beleuchten; nicht ihn ins Gedächtnis aufzuhäufen, sondern ihn zu verschlingen, und in das große All, das im Haupte ist, immanieren zu lassen. – Augen voll Schöpfungskraft – und Augenbraunen voll der lichtvollsten, solidesten Fruchtbarkeit.

... Mehr hohes, gewaltiges Denken als abstraktes scheint sie [die Stirn] auszudrücken. Mächtiger Drang, Drang der Zuversicht und der Gewißheit schwebt drauf.

... Auffallend ist die Reinheit, die Ruhe des Ganzen, bei der sichtbaren innern Anstrengung ...

2. ... Ein Republikaner ist's, der, ohne zu befehlen, herrscht, immer widerstehen muß, viele Geschäfte geordnet, eingerichtet, gebaut hat. Wie fest ergreift er sinnlichen Eindruck, – macht prüfenden Entwurf, nicht ohne Zutrauen zu sich und seiner übermannenden Kraft ...

3. . . . .

4. ... Die Stirn, wie gedrängt in Erinnerung von Würkungen! Ahndung künftiger Seelennot in gegenwärtiger Kraft!

... Die Lippe Widerhalt – innerer Kraft ...

(1775/76)

[ÜBER DEN GRANIT]

Der Granit war in den ältesten Zeiten schon eine merkwürdige Steinart und ist es zu den unsrigen noch mehr geworden. Die Alten kannten ihn nicht unter diesem Namen. Sie nannten ihn Syenit, von Syene, einem Orte an den Grenzen von Äthiopien. Die ungeheuren Massen dieses Steines flößten Gedanken zu ungeheuren Werken den Ägyptiern ein. Ihre Könige errichteten der Sonne zu Ehren Spitzsäulen aus ihm, und von seiner rotgesprengten Farbe erhielt er in der Folge den Namen des Feuerigbunten. Noch sind die Sphinxe, die Memnonsbilder, die ungeheuren Säulen die Bewunderung der Reisenden, und noch am heutigen Tage hebt der ohnmächtige Herr von Rom die Trümmer eines alten Obelisken in die Höhe, die seine allgewaltigen Vorfahren aus einem fremden Weltteile ganz herüberbrachten.

Die Neuern gaben dieser Gesteinsart den Namen, den sie jetzt trägt, von ihrem körnigen Ansehen, und sie mußte in unsern Tagen erst einige Augenblicke der Erniedrigung dulden, ehe sie sich zu dem Ansehen, in dem sie nun bei allen Naturkündigern steht, emporhob. Die ungeheuren Massen jener Spitzsäulen und die wunderbare Abwechslung ihres Kornes verleiten einen italienischen Naturforscher zu glauben, daß sie von den Ägyptiern durch Kunst aus einer flüssigen Masse zusammengehäuft seien.

Aber diese Meinung verwehte geschwind, und die Würde dieses Gesteins wurde von vielen trefflich beobachtenden Reisenden endlich befestigt. Jeder Weg in unbekannte Gebirge bestätigte die alte Erfahrung, daß das Höchste und das Tiefste Granit sei, daß diese Steinart, die man nun näher kennen und von andern unterscheiden lernte, die Grundfeste unserer Erde sei, worauf sich alle übrigen mannigfaltigen Gebirge hinauf gebildet. In den innersten Eingeweiden der Erde ruht sie unerschüttert, ihre hohen Rücken steigen empor, deren Gipfel nie das alles umgebende Wasser erreichte. So viel wissen wir von diesem Gesteine und wenig mehr. Aus bekannten Bestandteilen, auf eine geheimnisreiche Weise zusammengesetzt, erlaubt es ebensowenig seinen Ursprung aus Feuer wie aus Wasser herzuleiten. Höchst mannigfaltig in der größten Einfalt, wechselte seine Mischung ins Unzählige ab. Die Lage und das Verhältnis seiner Teile, seine Dauer, seine Farbe ändert sich mit jedem Gebirge, und die Massen eines jeden Gebirges sind oft von Schritt zu Schritte wieder in sich unterschieden, und im ganzen doch wieder immer einander gleich. Und so wird jeder, der den Reiz kennt, den natürliche Geheimnisse für den Menschen haben, sich nicht wundern, daß ich den Kreis der Beobachtungen, den ich sonst betreten, verlassen und mich mit einer recht leidenschaftlichen Neigung in diesen gewandt habe. Ich fürchte den Vorwurf nicht, daß es ein Geist des Widerspruches sein müsse, der mich von Betrachtung und Schilderung des menschlichen Herzens, des jüngsten, mannigfaltigsten, beweglichsten, veränderlichsten, erschütterlichsten Teiles der Schöpfung zu der Beobachtung des ältesten, festesten, tiefsten, unerschütterlichsten Sohnes der Natur geführt hat. Denn man wird mir gerne zugeben, daß alle natürlichen Dinge in einem genauen Zusammenhang stehen, daß der forschende Geist sich nicht gerne von etwas Erreichbarem ausschließen läßt. Ja man gönne mir, der ich durch die Abwechslungen der menschlichen Gesinnungen, durch die schnellen Bewegungen derselben in mir selbst und in andern manches gelitten habe und leide, die erhabene Ruhe, die jene einsame stumme Nähe der großen, leise sprechenden Natur gewährt, und wer davon eine Ahnung hat, folge mir.

Mit diesen Gesinnungen nähere ich mich euch, ihr ältesten würdigsten Denkmäler der Zeit. Auf einem hohen nackten Gipfel sitzend und eine weite Gegend überschauend kann ich mir sagen: Hier ruhst du unmittelbar auf einem Grunde, der bis zu den tiefsten Orten der Erde hinreicht, keine neuere Schicht, keine aufgehäuften zusammengeschwemmten Trümmer haben sich zwischen dich und den festen Boden der

Urwelt gelegt, du gehst nicht wie in jenen fruchtbaren schönen Tälern über ein anhaltendes Grab, diese Gipfel haben nichts Lebendiges erzeugt und nichts Lebendiges verschlungen, sie sind vor allem Leben und über alles Leben. In diesem Augenblicke, da die innern abziehenden und bewegenden Kräfte der Erde gleichsam unmittelbar auf mich wirken, da die Einflüsse des Himmels mich näher umschweben, werde ich zu höheren Betrachtungen der Natur hinaufgestimmt, und wie der Menschengeist alles belebt, so wird auch ein Gleichnis in mir rege, dessen Erhabenheit ich nicht widerstehen kann. So einsam, sage ich zu mir selber, indem ich diesen ganz nackten Gipfel hinabsehe und kaum in der Ferne am Fuße ein geringwachsendes Moos erblicke, so einsam sage ich, wird es dem Menschen zumute, der nur den ältesten, ersten, tiefsten Gefühlen der Wahrheit seine Seele eröffnen will. Ja, er kann zu sich sagen: hier auf dem ältesten ewigen Altare, der unmittelbar auf die Tiefe der Schöpfung gebaut ist, bring ich dem Wesen aller Wesen ein Opfer. Ich fühle die ersten festesten Anfänge unseres Daseins; ich überschaue die Welt, ihre schrofferen und gelinderen Täler und ihre fernen fruchtbaren Weiden, meine Seele wird über sich selbst und alles erhaben und sehnt sich nach dem nähern Himmel. Aber bald ruft die brennende Sonne Durst und Hunger, seine menschlichen Bedürfnisse, zurück. Er sieht sich nach jenen Tälern um, über die sich sein Geist schon hinausschwang, er beneidet die Bewohner jener fruchtbareren quellreichen Ebnen, die auf dem Schutte und Trümmern von Irrtümern und Meinungen ihre glücklichen Wohnungen aufgeschlagen haben, den Staub ihrer Voreltern aufkratzen und das geringe Bedürfnis ihrer Tage in einem engen Kreise ruhig befriedigen. Vorbereitet durch diese Gedanken, dringt die Seele in die vergangenen Jahrhunderte hinauf, sie vergegenwärtigt sich alle Erfahrungen sorgfältiger Beobachter, alle Vermutungen feuriger Geister. Diese Klippe, sage ich zu mir selber, stand schroffer, zackiger, höher in die Wolken, da dieser Gipfel noch als eine meerumfloßne Insel in den alten

Wassern dastand; um sie sauste der Geist, der über den Wogen brütete, und in ihrem weiten Schoße die höheren Berge aus den Trümmern des Urgebirges und aus ihren Trümmern und den Resten der eigenen Bewohner die späteren und ferneren Berge sich bildeten. Schon fängt das Moos zuerst sich zu erzeugen an, schon bewegen sich seltner die schaligen Bewohner des Meeres, es senkt sich das Wasser, die höhern Berge werden grün, es fängt alles an, von Leben zu wimmeln.

Aber bald setzen sich diesem Leben neue Szenen der Zerstörungen entgegen. In der Ferne heben sich tobende Vulkane in die Höhe; sie scheinen der Welt den Untergang zu drohen, jedoch unerschüttert bleibt die Grundfeste, auf der ich noch sicher ruhe, indes die Bewohner der fernen Ufer und Inseln unter dem untreuen Boden begraben werden. Ich kehre von jeder schweifenden Betrachtung zurück und sehe die Felsen selbst an, deren Gegenwart meine Seele erhebt und sicher macht. Ich sehe ihre Masse von verworrenen Rissen durchschnitten, hier gerade, dort gelehnt in die Höhe stehen, bald scharf übereinander gebaut, bald in unförmlichen Klumpen wie übereinander geworfen, und fast möchte ich bei dem ersten Anblicke ausrufen: hier ist nichts in seiner ersten alten Lage, hier ist alles Trümmer, Unordnung und Zerstörung. Ebendiese Meinung werden wir finden, wenn wir von dem lebendigen Anschauen dieser Gebirge uns in die Studierstube zurückziehen und die Bücher unserer Vorfahren aufschlagen. Hier heißt es bald, das Urgebirge sei durchaus ganz, als wenn es aus einem Stücke gegossen wäre, bald, es sei durch Flözklüfte in Lager und Bänke getrennt, die durch eine große Anzahl Gänge nach allen Richtungen durchschnitten werden, bald, es sei dieses Gestein keine Schichten, sondern in ganzen Massen, die ohne das geringste Regelmäßige abwechselnd getrennt seien; ein anderer Beobachter will dagegen bald starke Schichten, bald wieder Verwirrung angetroffen haben. Wie vereinigen wir alle diese Widersprüche und finden einen Leitfaden zu ferneren Beobachtungen?

Dies ist es, was ich zu tun mir gegenwärtig vorsetze; und sollte ich auch nicht so glücklich sein, wie ich wünsche und hoffe, so werden doch meine Bemühungen andern Gelegenheit geben weiter zu gehen; denn bei Beobachtungen sind selbst die Irrtümer nützlich, indem sie aufmerksam machen und dem Scharfsichtigen Gelegenheit geben sich zu üben. Nur möchte eine Warnung hier nicht überflüssig sein, mehr für Ausländer, wenn diese Schrift bis zu ihnen kommen sollte, als für Deutsche: diese Gesteinsart von andern wohl unterscheiden zu lernen. Noch verwechseln die Italiener eine Lava mit dem kleinkörnigen Granit und die Franzosen den Gneis, den sie blättrigen Granit oder Granit der zweiten Ordnung nennen; ja, sogar wir Deutsche, die wir sonst in dergleichen Dingen so gewissenhaft sind, haben noch vor kurzem das Totliegende, eine zusammengebackene Steinart aus Quarz und Hornsteinarten und meist unter den Schieferflözen, ferner die graue Wacke des Harzes, ein jüngeres Gemisch von Quarz und Schieferteilen, mit dem Granit verwechselt.

(handschriftl. Fragment, 1784)

Der Granit als Unterlage aller geologischen Bildung

Da wir von den Gebirgslagen reden wollen, in der Ordnung, wie wir solche auf- und nebeneinander finden, so ist es natürlich, daß wir von dem Granit den Anfang machen.

Denn es stimmen alle Beobachtungen, deren neuerdings so viele angestellt worden, darin überein, daß er die tiefste Gebirgsart unseres Erdbodens ist, daß alle übrigen auf und neben ihm gefunden werden, er hingegen auf keiner andern aufliegt, so daß er, wenn er auch nicht den ganzen Kern der Erde ausmacht, doch wenigstens die tiefste Schale ist, die uns bekannt geworden.

Es unterscheidet sich diese merkwürdige Gesteinsart dadurch von allen andern, daß sie zwar nicht einfach ist, sondern aus sichtbaren Teilen besteht; jedoch zeigt der erste

Anblick, daß diese Teile durch kein drittes Mittel verbunden sind, sondern nur an- und nebeneinander bestehn und sich selbst untereinander festhalten. Wir nennen diese voneinander wohl zu unterscheidenden Teile: Quarz, Feldspat, Glimmer, wozu noch manchmal einige als Schörl hinzukommen.

Wenn wir diese Teile genau betrachten, so kommt uns vor, als ob sie nicht, wie man es sonst von Teilen denken muß, vor dem Ganzen gewesen seien, sie scheinen nicht zusammengesetzt oder aneinander gebracht, sondern zugleich mit ihrem Ganzen, das sie ausmachen, entstanden. Und obgleich nur der Glimmer öfters in seiner sechsseitigen, tafelartigen Kristallisation erscheint, und Quarz und Feldspat, weil es ihnen an Raum gebrach, die ihnen eigenen Gestalten nicht annehmen konnten, so sieht man doch offenbar, daß der Granit durch eine lebendige, bei ihrem Ursprung innerlich sehr zusammengedrängte Kristallisation entstanden ist. – Es sei uns erlaubt, auf die Entstehung desselben und auf die Materie, woraus er entstanden, einige Schlüsse zu machen.

Da dem Menschen nur solche Wirkungen in die Augen fallen, welche durch eine große Bewegung und Gewaltsamkeit der Kräfte entstehen, so ist er jederzeit geneigt zu glauben, daß die Natur heftige Mittel gebraucht, um große Dinge hervorzubringen, ob er sich gleich täglich an derselben eines anderen belehren könnte. So haben uns die Poeten ein streitendes, uneinig tobendes Chaos vorgebildet.

Man hat von dem Körper der Sonne ungeheure Massen abschöpfen, ins Unendliche schleudern und so unser Sonnensystem erschaffen lassen.

Mein Geist hat keine Flügel, um sich in jene Uranfänge hervorzuschwingen. Ich stehe auf dem Granit fest und frage ihn, ob er uns einigen Anlaß geben wolle zu denken, wie die Masse, woraus er entstanden, beschaffen gewesen.

Mehrere wollten unsere Erdgestaltung aus einer nach und nach sich senkend abnehmenden Wasserbedeckung herleiten; sie führten die Trümmer organischer Meeresbewohner auf den höchsten Bergen sowie auf flachen Hügeln zu ihrem Vorteil an. Andere heftiger dagegen ließen erst glühen und schmelzen, auch durchaus ein Feuer obwalten, das, nachdem es auf der Oberfläche genugsam gewirkt, zuletzt ins Tiefste zurückgezogen, sich noch immer durch die ungestüm sowohl im Meer, als auf der Erde wütenden Vulkane bestätigte und durch sukzessiven Auswurf und gleichfalls nach und nach überströmende Laven die höchsten Berge bildete; wie sie denn überhaupt den Andersdenkenden zu Gemüte führten, daß ja ohne Feuer nichts heiß werden könne, auch ein tätiges Feuer immer einen Herd voraussetze. So erfahrungsgemäß auch dieses scheinen mochte, so waren manche doch nicht damit zufrieden; sie behaupteten: mächtige in dem Schoß der Erde schon völlig fertig gewordene Gebilde seien, mittelst unwiderstehlich elastischer Gewalten, durch die Erdrinde hindurch in die Höhe getrieben und zugleich in diesem Tumulte manche Teile derselben weit über Nachbarschaft und Ferne umhergestreut und zersplittert worden; sie beriefen sich auf manche Vorkommnisse, welche ohne eine solche Voraussetzung nicht zu erklären seien.

Eine vierte, wenn auch vielleicht nicht zahlreiche Partie lächelte über diese vergeblichen Bemühungen und beteuerte: gar manche Zustände dieser Erdoberfläche würden nie zu erklären sein, wofern man nicht größere und kleinere Gebirgsstrecken aus der Atmosphäre herunterfallen und weite, breite Landschaften durch sie überdeckt werden lasse. Sie beriefen sich auf größere und kleinere Felsmassen, welche zerstreut in vielen Landen umherliegend gefunden und sogar noch in unsern Tagen als von oben herabstürzend aufgelesen werden.

Zuletzt wollten zwei oder drei stille Gäste sogar einen

Zeitraum grimmiger Kälte zu Hilfe rufen und aus den höchsten Gebirgszügen, auf weit ins Land hingesenkten Gletschern, gleichsam Rutschwege für schwere Ursteinmassen bereitet, und diese auf glatter Bahn, fern und ferner hinausgeschoben im Geiste sehen. Sie sollten sich, bei eintretender Epoche des Auftauens, niedersenken und für ewig in fremdem Boden liegen bleiben. Auch sollte sodann durch schwimmendes Treibeis der Transport ungeheurer Felsblöcke von Norden her möglich werden. Diese guten Leute konnten jedoch mit ihrer etwas kühlen Betrachtung nicht durchdringen. Man hielt es ungleich naturgemäßer, die Erschaffung einer Welt mit kolossalem Krachen und Heben, mit wildem Toben und feurigem Schleudern vorgehen zu lassen. Da nun übrigens die Glut des Weines stark mit einwirkte, so hätte das herrliche Fest beinahe mit tödlichen Händeln abgeschlossen.

Ganz verwirrt und verdüstert ward es unserm Freund zumute, welcher noch von alters her den Geist, der über den Wassern schwebte und die hohe Flut, welche fünfzehn Ellen über die höchsten Gebirge gestanden, im stillen Sinne hegte, und dem unter diesen seltsamen Reden die so wohlgeordnete, bewachsene, belebte Welt vor seiner Einbildungskraft chaotisch zusammenzustürzen schien.

Aus Wilhelm Meisters Wanderjahren
Aus dem zweiten Buch

METAMORPHOSE DER PFLANZEN:
ZWEITER VERSUCH

Einleitung

So entfernt die Gestalt der organisierten Geschöpfe voneinander ist, so finden wir doch, daß sie gewisse Eigenschaften miteinander gemein haben, gewisse Teile miteinander verglichen werden können. Recht gebraucht, ist dieses der Faden, woran wir uns durch das Labyrinth der lebendigen Gestalten durchhelfen, so wie uns der Mißbrauch dieses Begriffes auf ganz falsche Wege führt und uns in der Wissenschaft eher rück- als vorwärts bringt.

2. Da alle Geschöpfe, welche wir lebendig nennen, darin übereinkommen, daß sie die Kraft haben, ihresgleichen hervorzubringen, so suchen wir mit Recht die Organe der Zeugung, wie durch alle Geschlechter der Tiere, so auch im Pflanzenreich auf; wir finden sie auch bis fast auf der untersten Stufe dieses letzten Reiches, wo sie noch immer die Aufmerksamkeit der Beobachter beschäftigen.

3. Außer dieser allgemeinsten Eigenschaft finden wir, daß andere, die zunächst daran grenzen, gleichfalls eine Zusammenstellung leiten. So mag die Samenkapsel mit dem Eierstocke, der Same mit dem Ei allenfalls noch im Allgemeinen verglichen werden. Gehen wir aber nun weiter und wollen die Teile des Samens einer Pflanze mit den Teilen eines Vogeleis oder gar einer tierischen Frucht vergleichen, so entfernen wir uns so weit von der Wahrheit, wie mir es dünkt, als wir im Anfange derselben nahe waren, und so sehr eine Pflanze von einem Tier verschieden ist, muß auch schon der Same der Pflanze von dem Ei oder Embryon verschieden sein.

4. Es sind daher die Vergleichungen der Kotyledonen mit dem Mutterkuchen, der verschiedenen Schalen des Samens mit den Häutchen der tierischen Geburten nur scheinbar und um desto gefährlicher, als man dadurch abgehalten wird,

Pflanzenskizze (Mais)
Bleistift, mit Kreide gehöht

genauer die Natur und Eigenschaft solcher Teile kennen zu lernen.

Es war indessen natürlich, daß man diese Vergleichung zu weit trieb, da wirklich die Natur uns einigen Anlaß dazu gibt; ebenso hat man das Gewebe, welches die hohlen Röhren mancher Pflanze ausfüllt, vielleicht nicht mit Unrecht das Mark genannt und solches mit dem Marke der tierischen Knochen verglichen. Allein man zog die falsche Folgerung, daß das Mark ein wesentlicher Teil des Pflanzenkörpers sei, man suchte, man fand es da, wo es nicht existierte; man gab ihm Kräfte und Einfluß, die es nicht hatte, indem man sich an dem Begriffe des Markes in den menschlichen Knochen festhielt, welches auch durch die Imagination der Poeten, deren Terminologie sich in der Wissenschaft einschlich, zu einer höhern Würde gelangte, als es wohl nicht verdient hatte.

Siehe Versuch über die Gestalt der Tiere.

5. Man ging noch weiter, und indem man zur Bequemlichkeit der Einbildungskraft und zur Begünstigung gewisser schwärmerischer Religionsideen, alles auf eins zurückführen und alles in einem jeden finden wollte, sah man in der Pflanze Muskeln, Adern, lymphatische Gefäße, Eingeweide, einen Schlund, Glandeln, und was nicht sonst.

Siehe Agricola, Agriculture parfaite.

Es sind zwar diese falschen Beobachtungen nach und nach durch genauere, besonders durch mikroskopische Beobachtungen außer Kurs gebracht, allein es ist immer noch manches übrig, welches zum Besten der Wissenschaft wegzuschaffen wäre.

6. Es ist hier wohl am Platze, anderer Gleichnisse zu gedenken, da man nicht sowohl die Naturreiche unter sich, sondern mit Gegenständen der übrigen Welt vergleicht, wodurch man, durch eine witzige Ausweichung, der Physiologie der drei Reiche großen Schaden tut, wie zum Exempel Linné die Blumenblätter Vorhänge des hochzeitlichen Bettes nennt, welches artige Gleichnis einem Poeten Ehre machen würde. Allein! Die Entdeckung des wahren physiologischen Verhältnisses eines solchen Teiles wird dadurch, wie durch die so bequeme als falsche Beherzigung der Zwecke, nach außen gänzlich verhindert.

Der Hauptbegriff, welcher, wie mich dünkt, bei jeder Betrachtung eines lebendigen Wesens zum Grunde liegen muß, von dem man nicht abweichen darf, ist, daß es mit sich selbst beständig, daß seine Teile in einem notwendigen Verhältnis gegen sich selbst stehn, daß nichts Mechanisches gleichsam von außen gebaut und hervorgebracht werde, obgleich Teile nach außen zu wirken und von außen Bestimmung annehmen.

Siehe Versuch über die Gestalt der Tiere.

7. Es liegt dieser Begriff in dem ersten Versuche, die Metamorphose der Pflanzen zu erklären, zum Grunde, ebenso werde ich ihn nie in der gegenwärtigen Abhandlung außer Augen lassen, sowenig als in irgendeiner Betrachtung, welche ich über ein lebendiges Wesen anzustellen habe. Doch habe ich mich bei einer andern Gelegenheit schon erklärt, daß hier nicht die Frage sei, ob die Vorstellungsart, der Endzweck manchen Menschen bequem, ja unentbehrlich sei, ob sie nicht, aufs Sittliche angewendet, gute und nützliche Wirkungen haben könnte, sondern ob sie den Physiologen der organisierten Körper förderlich oder hinderlich sei? welches letztere ich mir zu behaupten getraue und deswegen sie selbst zu meiden und andere davor zu warnen für Pflicht halte, weil man, wie Epiktet sagt, eine Sache nicht da anfassen soll, wo ihr die Handhabe fehlt, sondern vielmehr da, wo die Handhabe uns das Anfassen erleichtert. Es kann sich auch hier der Naturforscher beruhigen und seinen Weg desto ungestörter fortgehen, da die neuere philosophische Schule nach der von ihrem Lehrer vorgezeichneten Anleitung (siehe Kants Kritik der teleologischen Urteilskraft, besonders § [82]) diese Vorstellungsart kurrenter zu machen sich zur Pflicht rechnen wird, da denn der Naturforscher in der Folge die Gelegenheit nicht versäumen darf, auch ein Wort mitzureden.

8. Ich habe in dem ersten Versuche zu zeigen mich bemüht, daß die verschiedenen Teile der Pflanze aus einem völlig ähnlichen Organ entspringen, welches, ob es gleich im Grunde immer dasselbe bleibt, durch eine Progression modifiziert und verändert wird.

9. Diesem Grundsatze liegt ein anderes Prinzip zugrunde, daß nämlich eine Pflanze die Kraft hat, sich durch bloße Fortsetzung völlig ähnlicher Teile ins Unendliche zu vermehren, wie ich denn ein Weidenreis abschneiden, dasselbe pflanzen, den nächsten Trieb wegschneiden und wieder pflanzen und so ins Unendliche fortfahren kann. Ebenso, wenn ich

einen Stolonem abreiße und pflanze, so gibt mir derselbe ohne zu blühen neue Stolones und so in infinitum fort pp.

10. Der zweite hierauf gegründete Erfahrungssatz ist der: daß das Wachstum, welches über der Erde, gegen die Luft zu, sich fortsetzt, nicht immer in einem gleichen Schritte vorwärts gehen kann, sondern die Gestalt nach und nach verändern und die Teile anders bestimmen muß. Dieses ist die regelmäßige vorwärtsschreitende Metamorphose der Pflanzen, welche den Menschen am meisten interessiert, indem er gewöhnlich auf Blumen und Früchte, welche dadurch entstehen, am aufmerksamsten ist.

11. Jene Betrachtungen fortzusetzen, durch Beispiele zu erläutern, durch Kupfer anschaulicher zu machen, durch Schriftsteller ihnen mehr Autorität zu geben, ist die Absicht des gegenwärtigen zweiten Versuchs, wo denn auch dasjenige, was aus der ganzen Pflanzenkunde sich zunächst anschließt, herbeizuführen und der Weg zu weiteren Fortschritten zu bereiten sei. *(handschriftliches Fragment, 1790)*

DER VERFASSER TEILT DIE GESCHICHTE SEINER BOTANISCHEN STUDIEN MIT

Um die Geschichte der Wissenschaften aufzuklären, um den Gang derselben genau kennen zu lernen, pflegt man sich sorgfältig nach ihren ersten Anfängen zu erkundigen; man bemüht sich zu forschen: wer zuerst irgendeinem Gegenstand seine Aufmerksamkeit zuwendet, wie er sich dabei benommen, wo und zu welcher Zeit man zuerst gewisse Erscheinungen in Betracht gezogen, dergestalt, daß von Gedanke zu Gedanken neue Ansichten sich hervorgetan, welche durch Anwendung allgemein bestätigt endlich die Epoche bezeichnen, worin das, was wir eine Entdeckung, eine Erfindung nennen, unbezweifelt zutage gekommen: eine Erörterung, welche den mannigfachsten Anlaß gibt, die menschlichen Geisteskräfte zu kennen und zu schätzen.

Vorstehender kleinen Schrift hat man die Auszeichnung erwiesen sich nach ihrer Entstehung zu erkundigen; man hat zu erfahren gewünscht: wie ein Mann von mittlerem Alter, der als Dichter etwas galt und außerdem von mannigfaltigen Neigungen und Pflichten bedingt erschien, sich habe können in das grenzenloseste Naturreich begeben und dasselbe in dem Maße studieren, daß er fähig geworden eine Maxime zu fassen, welche, zur Anwendung auf die mannigfaltigsten Gestalten bequem, die Gesetzlichkeit aussprach, der zu gehorchen Tausende von Einzelheiten genötigt sind.

Der Verfasser gedachten Werkchens hat hierüber schon in seinen morphologischen Heften Nachricht gegeben; indem er aber hier am Orte das Nötige und Schickliche beibringen möchte, bittet er sich die Erlaubnis aus, in der ersten Person einen bescheidenen Vortrag zu eröffnen.

In einer ansehnlichen Stadt geboren und erzogen, gewann ich meine erste Bildung in der Bemühung um alte und neuere Sprachen, woran sich früh rhetorische und poetische Übungen anschlossen. Hiezu gesellte sich übrigens alles, was in sittlicher und religiöser Hinsicht den Menschen auf sich selbst hinweist.

Eine weitere Ausbildung hatte ich gleichfalls größeren Städten zu danken, und es ergibt sich hieraus, daß meine Geistestätigkeit sich auf das gesellig Sittliche beziehen mußte und in Gefolg dessen auf das Angenehme, was man damals schöne Literatur nannte.

Von dem hingegen was eigentlich äußere Natur heißt, hatte ich keinen Begriff, und von ihren sogenannten drei Reichen nicht die geringste Kenntnis. Von Kindheit auf war ich gewohnt in wohleingerichteten Ziergärten den Flor der Tulpen, Ranunkeln und Nelken bewundernd zu sehen; und wenn außer den gewöhnlichen Obstsorten auch Aprikosen, Pfirsiche und Trauben wohl gerieten, so waren dies genügend Feste den Jungen und den Alten. An exotische Pflanzen wurde nicht gedacht, noch viel weniger daran, Naturgeschichte in der Schule zu lehren.

Die ersten von mir herausgegebenen poetischen Versuche wurden mit Beifall aufgenommen, welche jedoch eigentlich nur den innern Menschen schildern, und von den Gemütsbewegungen genugsame Kenntnis voraussetzen. Hie und da mag sich ein Anklang finden von einem leidenschaftlichen Ergötzen an ländlichen Naturgegenständen, sowie von einem ernsten Drange das ungeheure Geheimnis, das sich in stetigem Erschaffen und Zerstören an den Tag gibt, zu erkennen, ob sich schon dieser Trieb in ein unbestimmtes unbefriedigtes Hinbrüten zu verlieren scheint.

In das tätige Leben jedoch sowohl als in die Sphäre der Wissenschaft trat ich eigentlich zuerst, als der edle Weimarische Kreis mich günstig aufnahm; wo außer andern unschätzbaren Vorteilen mich der Gewinn beglückte, Stuben- und Stadtluft mit Land-, Wald- und Gartenatmosphäre zu vertauschen.

Schon der erste Winter gewährte die raschen geselligen Freuden der Jagd, von welchen ausruhend man die langen Abende nicht nur mit allerlei merkwürdigen Abenteuern der Wildbahn, sondern auch vorzüglich mit Unterhaltung über die nötige Holzkultur zubrachte. Denn die Weimarische Jägerei bestand aus trefflichen Forstmännern, unter welchen der Name Sckell in Segen bleibt. Eine Revision sämtlicher Waldreviere, gegründet auf Vermessung, war bereits vollbracht, und für lange Zeit eine Einteilung der jährlichen Schläge vorgesehn.

Auch die jüngeren Edelleute folgten wohlmeinend dieser vernünftigen Spur, von denen ich hier nur den Baron von Wedel nenne, welcher uns in seinen besten Jahren leider entrissen ward. Er behandelte sein Geschäft mit gradem Sinn und großer Billigkeit; auch er hatte schon in jener Zeit auf die Verringerung des Wildstandes gedrungen, überzeugt wie schädlich die Hegung desselben nicht allein dem Ackerbau, sondern der Forstkultur selbst werden müsse.

Hier tat sich nun der Thüringer Wald in Länge und Breite vor uns auf; denn nicht allein die dortigen schönen Besitztümer des Fürsten, sondern bei guten nachbarlichen Verhältnissen, sämtliche daranstoßenden Reviere waren uns zugänglich; zumal da auch die angehende Geologie in jugendlicher Bestrebsamkeit sich bemühte, Rechenschaft von dem Grund und Boden zu geben, worauf diese uralten Wälder sich angesiedelt. Nadelhölzer aller Art, mit ernstem Grün und balsamischem Dufte, Buchenhaine von freudigerm Anblick, die schwanke Birke und das niedere namenlose Gesträuch, jedes hatte seinen Platz gesucht und gewonnen. Wir aber konnten dies alles in großen, meilenweiten, mehr oder weniger wohlbestandenen Forsten überschauen und erkennen.

Auch wenn von Benutzung die Rede war, mußte man sich nach den Eigenschaften der Baumarten erkundigen. Die Harzscharre, deren Mißbrauch man nach und nach zu begrenzen suchte, ließ die feinen balsamischen Säfte in Betrachtung ziehn, die einen solchen Baum ins zweite Jahrhundert, von der Wurzel bis zum Gipfel begleiteten, ernährten, ewig grün, frisch und lebendig erhielten.

Hier zeigte sich denn auch die ganze Sippschaft der Moose in ihrer größten Mannigfaltigkeit; sogar den unter der Erde verborgenen Wurzeln wurde unsre Aufmerksamkeit zugewendet. In jenen Waldgegenden hatten sich nämlich, von den dunkelsten Zeiten her, geheimnisvoll nach Rezepten arbeitende Laboranten angesiedelt und vom Vater zum Sohn manche Arten von Extrakten und Geisten bearbeitet, deren allgemeiner Ruf von einer ganz vorzüglichen Heilsamkeit durch emsige sogenannte Balsamträger erneuert, verbreitet und abgenutzt ward. Hier spielte nun der Enzian eine große Rolle, und es war eine angenehme Bemühung, dieses reiche Geschlecht nach seinen verschiedenen Gestalten als Pflanze und Blüte, vorzüglich aber die heilsame Wurzel näher zu betrachten. Dieses war das erste Geschlecht, welches mich im eigentlichen Sinne anzog, dessen Arten kennen zu lernen ich auch in der Folgezeit bemüht war.

Hiebei möchte man bemerken, daß der Gang meiner botanischen Bildung einigermaßen der Geschichte der Botanik selbst ähnelte; denn ich war vom augenfälligsten Allgemeinsten auf das Nutzbare, Anwendbare, vom Bedarf zur Kenntnis gelangt, und welcher Kenner wird bei obigem sich nicht jener Epoche der Rhizotomen lächelnd erinnern?

Da nun aber gegenwärtig die Absicht bleibt zu melden, wie ich mich der eigentlichen wissenschaftlichen Botanik genähert, so hab ich vor allen Dingen eines Mannes zu gedenken, welcher in jeder Hinsicht die Hochschätzung seiner Weimarischen Mitbürger verdiente. Dr. Buchholz, Besitzer der damals einzigen Apotheke, wohlhabend und lebenslustig, richtete mit ruhmwürdiger Lernbegierde seine Tätigkeit auf Naturwissenschaften. Er suchte sich zu seinen unmittelbaren pharmazeutischen Zwecken die tüchtigsten chemischen Gehülfen, wie denn der treffliche Göttling aus dieser Offizin als gebildeter Scheidekünstler hervorging. Jede neue, vom Aus- oder Inland entdeckte, chemisch-physische Merkwürdigkeit ward unter des Prinzipals Leitung geprüft und einer wißbegierigen Gesellschaft uneigennützig vorgetragen.

Auch in der Folge, daß ich dieses zu seinen Ehren vorausnehme, als die naturforschende Welt sich eifrig beschäftigte die verschiedenen Luftarten zu erkennen, versäumte er nicht jederzeit das Neueste experimentierend vor Augen zu bringen. So ließ er denn auch eine der ersten Montgolfieren von unsern Terrassen, zum Ergötzen der Unterrichteten, in die Höhe steigen, indessen die Menge sich vor Erstaunen kaum zu fassen wußte, und in der Luft die verschüchterten Tauben scharenweise hin und wider flüchteten.

Hier aber habe ich vielleicht einem zu erwartenden Vorwurfe zu begegnen, daß ich nämlich fremde Beziehungen in meinen Vortrag mit einmische. Sei mir darauf zu erwidern erlaubt, daß ich von meiner Bildung im Zusammenhange nicht sprechen könnte, wenn ich nicht der frühen Vorzüge des Weimarischen, für jene Zeiten hochgebildeten Kreises dankbar gedächte, wo Geschmack und Kenntnis, Wissen und Dichten gesellig zu wirken sich bestrebten, ernste gründliche Studien und frohe rasche Tätigkeit unablässig miteinander wetteiferten.

Doch aber hängt, näher betrachtet, was ich hier zu sagen habe mit dem Vorgemeldeten zusammen. Chemie und Botanik gingen damals vereint aus den ärztlichen Bedürfnissen hervor, und wie der gerühmte Dr. Buchholz von seinem Dispensatorium sich in die höhere Chemie wagte, so schritt er auch aus den engen Gewürzbeeten in die freiere Pflanzenwelt. In seinen Gärten hatte er nicht die offizinellen Gewächse nur, sondern auch seltenere, neu bekannt gewordene Pflanzen für die Wissenschaft zu pflegen unternommen.

Dieses Mannes Tätigkeit lenkte der junge, schon früh den Wissenschaften sich hingebende Regent allgemeinerem Gebrauch und Belehrung zu, indem er große sonnige Gartenflächen, in der Nachbarschaft von schattigen und feuchten Plätzen, einer botanischen Anstalt widmete, wozu denn ältere wohlerfahrene Hofgärtner mit Eifer sogleich die Hand boten. Die noch vorhandenen Katalogen dieser Anstalt zeugen von dem Eifer, womit dergleichen Anfänge betrieben wurden.

Unter solchen Umständen war auch ich genötigt, über botanische Dinge immer mehr und mehr Aufklärung zu suchen. Linnés Terminologie, die Fundamente worauf das Kunstgebäude sich stützen sollte, Johann Geßners Dissertationen zu Erklärung Linnéischer Elemente, alles in einem schmächtigen Hefte vereinigt, begleiteten mich auf Wegen und Stegen; und noch heute erinnert mich ebendasselbe Heft an die frischen glücklichen Tage, in welchen jene gehaltreichen Blätter mir zuerst eine neue Welt aufschlossen. Linnés Philosophie der Botanik war mein tägliches Studium, und so rückte ich immer weiter vor in geordneter Kenntnis, indem ich mir möglichst anzueignen suchte, was mir eine allgemeinere Umsicht über dieses weite Reich verschaffen konnte.

Besonderen Vorteil aber brachte mir, wie in allem Wissenschaftlichen, die Nähe der Akademie Jena, wo die Wartung offizineller Pflanzen seit geraumer Zeit mit Ernst und Fleiß behandelt wurde. Auch erwarben sich die Professoren Prätorius, Schlegel und Rolfink früher um die allgemeinere Botanik

Baumgruppe
Pinsel mit Tusche

zeitgemäße Verdienste. Epoche machte jedoch Ruppes Flora Jenensis, welche 1718 erschien; hiernach wurde der bis jetzt auf einen engen klösterlichen Garten eingeschränkten, bloß zu ärztlichem Zwecke dienenden Pflanzenbetrachtung die ganze reiche Gegend eröffnet und ein freies frohes Naturstudium eingeleitet.

Hieran von ihrer Seite Anteil zu nehmen beeiferten sich aufgeweckte Landleute aus der Gegend, welche schon für den Apotheker und Kräuterhändler bisher sich tätig erwiesen hatten, und eine nunmehr neueingeführte Terminologie nach und nach einzulernen wußten. In Ziegenhain hatte sich besonders eine Familie Dietrich hervorgetan; der Stammvater derselben, sogar von Linné bemerkt, hatte von diesem hochverehrten Mann ein eigenhändiges Schreiben aufzuweisen, durch welches Diplom er sich wie billig in den botanischen Adels-stand erhoben fühlte. Nach seinem Ableben setzte der Sohn die Geschäfte fort, welche hauptsächlich darin bestanden, daß die sogenannten Lektionen, nämlich Bündel der jede Woche blühenden Gewächse, Lehrenden und Lernenden von allen Seiten herangeschafft wurden. Die joviale Wirksamkeit des Mannes verbreitete sich bis nach Weimar, und so ward ich nach und nach mit der Jenaischen reichen Flora bekannt.

Noch einen größern Einfluß aber auf meine Belehrung hatte der Enkel Friedrich Gottlieb Dietrich. Als wohlgebauter Jüngling, von regelmäßig angenehmer Gesichtsbildung, schritt er vor, mit frischer Jugendkraft und Lust sich der Pflanzenwelt zu bemeistern; sein glückliches Gedächtnis hielt alle die seltsamen Benennungen fest und reichte sie ihm jeden Augenblick zum Gebrauche dar; seine Gegenwart sagte mir zu, da ein offner freier Charakter aus Wesen und Tun hervorleuchtete, und so ward ich bewogen, auf einer Reise nach Karlsbad ihn mit mir zu nehmen.

In gebirgigen Gegenden immer zu Fuße, brachte er mit eifrigem Spürsinn alles Blühende zusammen, und reichte mir die Ausbeute womöglich an Ort und Stelle sogleich in den Wagen hinein, und rief dabei nach Art eines Herolds die Linnéischen Bezeichnungen, Geschlecht und Art, mit froher Überzeugung aus, manchmal wohl mit falscher Betonung. Hiedurch ward mir ein neues Verhältnis zur freien herrlichen Natur, indem mein Auge ihrer Wunder genoß und mir zugleich wissenschaftliche Bezeichnungen des Einzelnen, gleichsam aus einer fernen Studierstube, in das Ohr drangen.

In Karlsbad selbst war der junge rüstige Mann mit Sonnen-aufgang im Gebirge, reichliche Lektionen brachte er mir sodann an den Brunnen, ehe ich noch meine Becher geleert hatte; alle Mitgäste nahmen teil, die, welche sich dieser schönen Wissenschaft befleißigten, besonders. Sie sahen ihre Kenntnisse auf das anmutigste angeregt, wenn ein schmucker Landknabe im kurzen Westchen daher lief, große Bündel von

Kräutern und Blumen vorweisend, sie alle mit Namen, griechischen, lateinischen, barbarischen Ursprungs, bezeichnend; ein Phänomen, das bei Männern, auch wohl bei Frauen, vielen Anteil erregte.

Sollte Vorgesagtes dem eigentlich wissenschaftlichen Manne vielleicht allzu empirisch vorkommen, so melde ich hienächst, daß gerade dieses lebhafte Benehmen uns die Gunst und den Anteil eines in diesem Fache schon geübteren Mannes erwerben konnte, eines trefflichen Arztes nämlich, der, einen reichen Vornehmen begleitend, seinen Badeaufenthalt eigentlich zu botanischen Zwecken zu nutzen gedachte. Er gesellte sich gar bald zu uns, die sich freuten ihm an Handen zu gehen. Die meisten von Dietrich früh eingebrachten Pflanzen trachtete er sorgfältig einzulegen, wo denn der Name hinzugeschrieben und auch sonst manches bemerkt wurde. Hiebei konnt ich nicht anders als gewinnen. Durch Wiederholung prägten sich die Namen in mein Gedächtnis; auch im Analysieren gewann ich etwas mehr Fertigkeit, doch ohne bedeutenden Erfolg; Trennen und Zählen lag nicht in meiner Natur.

Nun fand aber jenes fleißige Bemühen und Treiben in der großen Gesellschaft einige Gegner. Wir mußten öfters hören: die ganze Botanik, deren Studium wir so emsig verfolgten, sei nichts weiter als eine Nomenklatur, und ein ganzes auf Zahlen, und das nicht einmal durchaus, gegründetes System; sie könne weder dem Verstand noch der Einbildungskraft genügen, und niemand werde darin irgendeine auslangende Folge zu finden wissen. Ohngeachtet dieser Einwendung gingen wir getrost unsern Weg fort, der uns denn immer tief genug in die Pflanzenkenntnis einzuleiten versprach.

Hier aber will ich nur kürzlich bemerken, daß der folgende Lebensgang des jungen Dietrich solchen Anfängen gleich blieb; er schritt unermüdet auf dieser Bahn weiter; so daß er, als Schriftsteller rühmlichst bekannt, mit der Doktorwürde geziert, den Großherzoglichen Gärten in Eisenach bis jetzt mit Eifer und Ehre vorsteht.

August Carl Batsch, der Sohn eines in Weimar durchaus geliebten und geschätzten Vaters, hatte seine Studienzeit in Jena sehr wohl benutzt, sich den Naturwissenschaften eifrig ergeben und es so weit gebracht, daß er nach Köstritz berufen wurde, um die ansehnliche gräflich Reussische Naturalien-sammlung zu ordnen und ihr eine Zeitlang vorzustehen. Sodann kehrte er nach Weimar zurück, wo ich ihn denn, im harten pflanzenfeindlichen Winter, auf der Schlittschuhbahn, damals dem Versammlungsort guter Gesellschaft, mit Ver-gnügen kennen lernte, seine zarte Bestimmtheit und ruhigen Eifer gar bald zu schätzen wußte, und in freier Bewegung mich mit ihm über höhere Ansichten der Pflanzenkunde und über die verschiedenen Methoden dieses Wissen zu behandeln, freimütig und anhaltend besprach.

Seine Denkweise war meinen Wünschen und Forderungen höchst angemessen, die Ordnung der Pflanzen nach Familien, in aufsteigendem, sich nach und nach entwickelnden Fort-schritt, war sein Augenmerk. Diese naturgemäße Methode, auf die Linné mit frommen Wünschen hindeutet, bei welcher französische Botaniker theoretisch und praktisch beharrten, sollte nun einen unternehmenden jüngeren Mann zeitlebens beschäftigen, und wie froh war ich, meinen Teil daran aus der ersten Hand zu gewinnen.

Aber nicht allein von zwei Jünglingen, sondern auch von einem bejahrten vorzüglichen Manne, sollte ich unbeschreib-lich gefördert werden. Hofrat Büttner hatte seine Bibliothek von Göttingen nach Jena gebracht, und ich, durch das Ver-trauen meines Fürsten, der diesen Schatz sich und uns angeeig-net hatte, beauftragt, Anordnung und Aufstellung, nach dem eigenen Sinne des im Besitz bleibenden Sammlers, einzuleiten, unterhielt mit demselben ein fortwährendes Verkehr. Er, eine lebendige Bibliothek, bereitwillig auf jede Frage umständli-che, auslangende Antwort und Auskunft zu geben, unterhielt sich über Botanik mit Vorliebe.

Hier verleugnete er nicht, sondern bekannte vielmehr sogar

leidenschaftlich, daß er, als Zeitgenosse Linnés, gegen diesen ausgezeichneten, die ganze Welt mit seinem Namen erfüllenden Mann in stillem Wetteifer, dessen System niemals angenommen, vielmehr sich bemüht habe, die Anordnung der Gewächse nach Familien zu bearbeiten, von den einfachsten fast unsichtbaren Anfängen in das Zusammengesetzteste und Ungeheuerste fortschreitend. Ein Schema hiervon zeigte er gern, mit eigner Hand zierlich geschrieben, worin die Geschlechter nach diesem Sinne gereiht erschienen, mir zu großer Erbauung und Beruhigung.

Vorgesagtem nachdenkend, wird man die Vorteile nicht verkennen, die mir meine Lage zu dergleichen Studien gewährte: große Gärten, sowohl an der Stadt als an Lustschlössern, hie und da in der Gegend Baum- und Gebüschanlagen nicht ohne botanische Rücksicht, dazu die Beihülfe einer in der Nachbarschaft längst durchgearbeiteten wissenschaftlichen Lokalflora, nebst der Einwirkung einer stets fortschreitenden Akademie, alles zusammengenommen gab einem aufgeweckten Geiste genugsame Fördernis zur Einsicht in die Pflanzenwelt.

Indessen sich dergestalt meine botanischen Kenntnisse und Einsichten in lebenslustiger Geselligkeit erweiterten, ward ich eines einsiedlerischen Pflanzenfreundes gewahr, der mit Ernst und Fleiß sich diesem Fache gewidmet hatte. Wer wollte nicht dem im höchsten Sinne verehrten Johann Jacob Rousseau auf seinen einsamen Wanderungen folgen, wo er, mit dem Menschengeschlecht verfeindet, seine Aufmerksamkeit der Pflanzen- und Blumenwelt zuwendet, und in echter gradsinniger Geisteskraft sich mit den stillreizenden Naturkindern vertraut macht.

Aus seinen frühern Jahren ist mir nicht bekannt, daß er zu Blumen und Pflanzen andere Anmutungen gehabt als solche, welche eigentlich nur auf Gesinnung, Neigung, zärtliche Erinnerungen hindeuteten; seinen entschiedenen Äußerungen aber zufolge mag er erst nach einem stürmischen Autorleben, auf der St. Peters-Insel, im Bielersee, auf dies Naturreich in seiner Fülle aufmerksam geworden sein. In England nachher, bemerkt man, hat er sich schon freier und weiter umgesehn; sein Verhältnis zu Pflanzenfreunden und -kennern, besonders zu der Herzogin von Portland, mag seinen Scharfblick mehr in die Breite gewiesen haben, und ein Geist wie der seinige, der den Nationen Gesetz und Ordnung vorzuschreiben sich berufen fühlt, mußte doch zur Vermutung gelangen, daß in dem unermeßlichen Pflanzenreiche keine so große Mannigfaltigkeit der Formen erscheinen könnte, ohne daß ein Grundgesetz, es sei auch noch so verborgen, sie wieder sämtlich zur Einheit zurückbrächte. Er versenkt sich in dieses Reich, nimmt es ernstlich in sich auf, fühlt, daß ein gewisser methodischer Gang durch das Ganze möglich sei, getraut sich aber nicht damit hervorzutreten. Wie er sich selbst darüber ausspricht, wird immer ein Gewinn sein zu vernehmen.

»Was mich betrifft, ich bin in diesem Studium ein Schüler und nicht gegründet; indem ich herborisiere, denk ich mehr mich zu zerstreuen und zu vergnügen als zu unterrichten, und ich kann bei meinen zögernden Betrachtungen den anmaßlichen Gedanken nicht fassen, andere zu unterrichten in dem, was ich selbst nicht weiß.

Doch ich gestehe, die Schwierigkeiten, die ich bei dem Studium der Pflanzen fand, führten mich auf einige Vorstellungen, wie sich wohl Mittel finden ließen dasselbe zu erleichtern und andern nützlich zu machen, und zwar indem man den Faden eines Pflanzensystems durch eine mehr schritthaltende, weniger den Sinnen entrückte Methode zu verfolgen wüßte als es Tournefort getan und alle seine Nachfolger, selbst Linné nicht ausgenommen. Vielleicht ist mein Gedanke nicht ausführbar; wir sprechen darüber wenn ich die Ehre habe Sie wieder zu sehen.«

Also schrieb er im Anfange des Jahres 1770; allein es hatte ihm unterdessen keine Ruhe gelassen; schon im August 1771 unternimmt er, bei einem freundlichen Anlaß, die Pflicht andere zu belehren, ja was er weiß und einsieht Frauen vorzutragen, nicht etwa zu spielender Unterhaltung, sondern sie gründlich in die Wissenschaft einzuleiten.

Hier gelingt es ihm nun sein Wissen auf die ersten sinnlich vorzuweisenden Elemente zurückzuführen; er legte die Pflanzenteile einzeln vor, lehrte sie unterscheiden und benennen. Kaum aber hat er hierauf die ganze Blume aus den Teilen wieder hergestellt und sie benannt, teils durch Trivialnamen kenntlich gemacht, teils die Linnéische Terminologie ehrenhaft, ihren ganzen Wert bekennend, eingeführt; so gibt er alsobald eine breitere Übersicht ganzer Massen. Nach und nach führt er uns vor: Liliaceen, Siliquosen und Silikulosen, Rachen- und Maskenblumen, Umbellen und Kompositen zuletzt, und indem er auf diesem Wege die Unterschiede in steigender Mannigfaltigkeit und Verschränkung anschaulich macht, führt er uns unmerklich einer vollständigen erfreulichen Übersicht entgegen. Denn da er an Frauenzimmer zu reden hat, versteht er, mäßig und gehörig, auf Gebrauch, Nutzen und Schaden hinzuweisen, und dies um so schicklicher und leichter, da er, alle Beispiele zu seiner Lehre aus der Umgebung nehmend, nur von dem Einheimischen spricht und auf die exotischen Pflanzen, wie sie auch gekannt sein und gepflegt werden mögen, keine Ansprüche macht.

Im Jahre 1822 gab man unter dem Titel La Botanique de Rousseau sämtliche von ihm über diese Gegenstände verfaßten Schriften in Kleinfolio sehr anständig heraus, begleitet mit farbigen Bildern, nach dem vortrefflichen Redouté alle diejenigen Pflanzen vorstellend, von welchen er gesprochen hatte. Bei deren Überblick bemerkt man mit Vergnügen, wie einheimisch ländlich er bei seinen Studien verfahren, indem nur Pflanzen vorgestellt sind, welche er auf seinen Spaziergängen unmittelbar konnte gewahr werden.

Seine Methode: das Pflanzenreich ins Engere zu bringen, neigt sich, wie wir oben gesehen haben, offenbar zur Einteilung nach Familien; und da ich in jener Zeit auch schon zu

Betrachtungen dieser Art hingeleitet war, so machte sein Vortrag auf mich einen desto größern Eindruck.

Und so wie die jungen Studierenden sich auch am liebsten an junge Lehrer halten, so mag der Dilettant gern vom Dilettanten lernen. Dieses wäre freilich in Absicht auf Gründlichkeit bedenklich, wenn nicht die Erfahrung gäbe, daß Dilettanten zum Vorteil der Wissenschaft vieles beitragen. Und zwar ist dieses ganz natürlich: Männer vom Fach müssen sich um Vollständigkeit bemühen und deshalb den weiten Kreis in seiner Breite durchforschen; dem Liebhaber dagegen ist darum zu tun, durch das Einzelne durchzukommen und einen Hochpunkt zu erreichen, von woher ihm eine Übersicht, wo nicht des Ganzen, doch des Meisten gelingen könnte.

Von Rousseaus Bemühungen bring ich nur so viel nach, daß er eine sehr anmutige Sorgfalt für das Trocknen der Pflanzen und Anlegen von Herbarien beweist und den Verlust desselben innigst bedauert, wenn irgendeins zugrunde geht, ob er gleich auch hier, im Widerspruch mit sich selbst, weder Geschick noch anhaltende Sorgsamkeit haben mochte, um besonders bei seinen vielfachen Wanderungen auf Erhaltung genau zu achten; deswegen er auch dergleichen Gesammeltes nur immer als Heu angesehen wissen will.

Behandelt er aber, einem Freund zuliebe, die Moose mit billiger Sorgfalt, so erkennen wir aufs lebhafteste, welchen gründlichen Anteil ihm die Pflanzenwelt abgewonnen habe; welches besonders die Fragmens pour un Dictionnaire des termes d'usage en Botanique vollkommen bestätigen.

Soviel sei hier gesagt, um einigermaßen anzudeuten was wir ihm in jener Epoche unserer Studien schuldig geworden.

Wie er sich nun, befreit von allem nationalen Starrsinn, an die auf jeden Fall vorschreitenden Wirkungen Linnés hielt, so dürfen wir auch wohl von unsrer Seite bemerken, daß es ein großer Vorteil sei, wenn wir beim Eintreten in ein für uns neues wissenschaftliches Fach, es in einer Krise und einen außerordentlichen Mann beschäftigt finden, hier das Vorteilhafte durchzuführen. Wir sind jung mit der jungen Methode, unsre Anfänge treffen in eine neue Epoche, und wir werden in die Masse der Bestrebsamen wie in ein Element aufgenommen, das uns trägt und fördert.

Und so ward ich mit meinen übrigen Zeitgenossen Linnés gewahr, seiner Umsicht, seiner alles hinreißenden Wirksamkeit. Ich hatte mich ihm und seiner Lehre mit völligem Zutrauen hingegeben; demungeachtet mußt ich nach und nach empfinden, daß mich auf dem bezeichneten eingeschlagenen Wege manches wo nicht irre machte, doch zurückhielt.

Soll ich nun über jene Zustände mit Bewußtsein deutlich werden, so denke man mich als einen gebornen Dichter, der seine Worte, seine Ausdrücke unmittelbar an den jedesmaligen Gegenständen zu bilden trachtet, um ihnen einigermaßen genugzutun. Ein solcher sollte nun eine fertige Terminologie ins Gedächtnis aufnehmen, eine gewisse Anzahl Wörter und Beiwörter bereit haben, damit er, wenn ihm irgendeine Gestalt vorkäme, eine geschickte Auswahl treffend, sie zu charakteristischer Bezeichnung anzuwenden und zu ordnen wisse. Dergleichen Behandlung erschien mir immer als eine Art von Mosaik, wo man einen fertigen Stift neben den andern setzt, um aus tausend Einzelheiten endlich den Schein eines Bildes hervorzubringen; und so war mir die Forderung in diesem Sinne gewissermaßen widerlich.

Sah ich nun aber auch die Notwendigkeit dieses Verfahrens ein, welches dahin zweckte sich durch Worte, nach allgemeiner Übereinkunft, über gewisse äußerliche Vorkommenheiten der Pflanzen zu verständigen, und alle schwer zu leistende und oft unsichre Pflanzenabbildungen entbehren zu können, so fand ich doch bei der versuchten genauen Anwendung die Hauptschwierigkeit in der Versatilität der Organe. Wenn ich an demselben Pflanzenstengel erst rundliche, dann eingekerbte, zuletzt beinahe gefiederte Blätter entdeckte, die sich alsdann wieder zusammenzogen, vereinfachten, zu Schüppchen wurden und zuletzt gar verschwanden, da verlor ich den

Mut, irgendwo einen Pfahl einzuschlagen, oder wohl gar eine Grenzlinie zu ziehen.

Unauflösbar schien mir die Aufgabe, Genera mit Sicherheit zu bezeichnen, ihnen die Spezies unterzuordnen. Wie es vorgeschrieben war, las ich wohl, allein wie sollt ich eine treffende Bestimmung hoffen, da man bei Linnés Lebzeiten schon manche Geschlechter in sich getrennt und zersplittert, ja sogar Klassen aufgehoben hatte; woraus hervorzugehn schien: der genialste scharfsichtigste Mann selbst habe die Natur nur en gros gewältigen und beherrschen können. Wurde nun dabei meine Ehrfurcht für ihn im geringsten nicht geschmälert, so mußte deshalb ein ganz eigener Konflikt entstehen, und man denke sich die Verlegenheit, in der sich ein autodidaktischer Tiro abzumühen und durchzukämpfen hatte.

Ununterbrochen jedoch mußte ich meinen übrigen Lebensgang verfolgen, dessen Pflichten und Erholungen glücklicherweise meist in der freien Natur angewiesen waren. Hier drang sich nun dem unmittelbaren Anschauen gewaltig auf: wie jede Pflanze ihre Gelegenheit sucht, wie sie eine Lage fordert, wo sie in Fülle und Freiheit erscheinen könne. Bergeshöhe, Talestiefe, Licht, Schatten, Trockenheit, Feuchte, Hitze, Wärme, Kälte, Frost und wie die Bedingungen alle heißen mögen! Geschlechter und Arten verlangen sie, um mit völliger Kraft und Menge hervorzusprießen. Zwar geben sie an gewissen Orten, bei manchen Gelegenheiten, der Natur nach, lassen sich zur Varietät hinreißen, ohne jedoch das erworbene Recht an Gestalt und Eigenschaft völlig aufzugeben. Ahnungen hiervon berührten mich in der freien Welt, und neue Klarheit schien mir aufzugehen über Gärten und Bücher.

Der Kenner, der sich in das Jahr 1786 zurückzuversetzen geneigt wäre, möchte sich wohl einen Begriff meines Zustandes ausbilden können, in welchem ich mich nun schon zehn Jahre befangen fühlte, ob es gleich selbst für den Psychologen eine Aufgabe bleiben würde, indem ja, bei dieser Darstellung,

Meeresbucht im Vollmondschein (Phantasielandschaft)
Bleistift, Sepialavierung

meine sämtlichen Obliegenheiten, Neigungen, Pflichten und
Zerstreuungen mit aufzunehmen wären.

Hier gönne man mir eine ins Ganze greifende Bemerkung
einzuschalten: daß alles, was uns von Jugend auf umgab,
jedoch nur oberflächlich bekannt war und blieb, stets etwas
Gemeines und Triviales für uns behält, das wir als gleichgültig
neben uns bestehend ansehen, worüber zu denken wir gewissermaßen unfähig werden. Dagegen finden wir, daß neue
Gegenstände in auffallender Mannigfaltigkeit, indem sie den
Geist erregen, uns erfahren lassen, daß wir eines reinen
Enthusiasmus fähig sind; sie deuten auf ein Höheres, welches
zu erlangen uns wohl gegönnt sein dürfte. Dies ist der
eigentlichste Gewinn der Reisen, und jeder hat nach seiner Art
und Weise genugsamen Vorteil davon. Das Bekannte wird neu
durch unerwartete Bezüge, und erregt, mit neuen Gegenständen verknüpft, Aufmerksamkeit, Nachdenken und Urteil.

In diesem Sinne ward meine Richtung gegen die Natur,
besonders gegen die Pflanzenwelt, bei einem schnellen Über-

gang über die Alpen lebhaft angeregt: Der Lärchenbaum, häufiger als sonst, die Zirbelnuß, eine neue Erscheinung, machten sogleich auf klimatischen Einfluß dringend aufmerksam. Andere Pflanzen, mehr oder weniger verändert, blieben bei eiligem Vorüberrollen nicht unbemerkt. Am mehrsten aber erkannt ich die Fülle einer fremden Vegetation, als ich in den botanischen Garten von Padua hineintrat, wo mir eine hohe und breite Mauer mit feuerroten Glocken der Bignonia radicans zauberisch entgegenleuchtete. Ferner sah ich hier im Freien manchen seltenen Baum emporgewachsen, den ich nur in unsern Glashäusern überwintern gesehen. Auch die mit einer geringen Bedeckung gegen vorübergehenden Frost, während der strengern Jahreszeit, geschützten Pflanzen standen nunmehr im Freien und erfreuten sich der wohltätigen Himmelsluft. Eine Fächerpalme zog meine ganze Aufmerksamkeit auf sich; glücklicherweise standen die einfachen, lanzenförmigen ersten Blätter noch am Boden, die sukzessive Trennung derselben nahm zu, bis endlich das Fächerartige in vollkommener Ausbildung zu sehen war. Aus einer spathagleichen Scheide zuletzt trat ein Zweiglein mit Blüten hervor, und erschien als ein sonderbares, mit dem vorhergehenden

Wachstum in keinem Verhältnis stehendes Erzeugnis, fremdartig und überraschend.

Auf mein Ersuchen schnitt mir der Gärtner die Stufenfolge dieser Veränderungen sämtlich ab, und ich belastete mich mit einigen großen Pappen, um diesen Fund mit mir zu führen. Sie liegen, wie ich sie damals mitgenommen, noch wohlbehalten vor mir und ich verehre sie als Fetische, die meine Aufmerksamkeit zu erregen und zu fesseln völlig geeignet, mir eine gedeihliche Folge meiner Bemühungen zuzusagen schienen.

Das Wechselhafte der Pflanzengestalten, dem ich längst auf seinem eigentümlichen Gange gefolgt, erweckte nun bei mir immer mehr die Vorstellung: die uns umgebenden Pflanzenformen seien nicht ursprünglich determiniert und festgestellt, ihnen sei vielmehr, bei einer eigensinnigen, gegnerischen und spezifischen Hartnäckigkeit, eine glückliche Mobilität und Biegsamkeit verliehen, um in so viele Bedingungen, die über dem Erdkreis auf sie einwirken, sich zu fügen und darnach bilden und umbilden zu können.

Hier kommen die Verschiedenheiten des Bodens in Betracht; reichlich genährt durch Feuchte der Täler, verkümmert durch Trockne der Höhen, geschützt vor Frost und Hitze in jedem Maße, oder beiden unausweichbar bloßgestellt, kann das Geschlecht sich zur Art, die Art zur Varietät, und diese wieder durch andere Bedingungen ins Unendliche sich verändern; und gleichwohl hält sich die Pflanze abgeschlossen in ihrem Reiche, wenn sie sich auch nachbarlich an das harte Gestein, an das beweglichere Leben hüben und drüben anlehnt. Die allerentferntesten jedoch haben eine ausgesprochene Verwandtschaft, sie lassen sich ohne Zwang untereinander vergleichen.

Wie sie sich nun unter einen Begriff sammeln lassen, so wurde mir nach und nach klar und klarer, daß die Anschauung noch auf eine höhere Weise belebt werden könnte: eine Forderung, die mir damals unter der sinnlichen Form einer übersinnlichen Urpflanze vorschwebte. Ich ging allen Gestalten, wie sie mir vorkamen, in ihren Veränderungen nach, und so leuchtete mir am letzten Ziel meiner Reise, in Sizilien, die ursprüngliche Identität aller Pflanzenteile vollkommen ein, und ich suchte diese nunmehr überall zu verfolgen und wieder gewahr zu werden.

Hieraus entstand nun eine Neigung, eine Leidenschaft, die durch alle notwendigen und willkürlichen Geschäfte und Beschäftigungen auf meiner Rückreise durchzog. Wer an sich erfuhr, was ein reichhaltiger Gedanke, sei er nun aus uns selbst entsprungen, sei er von andern mitgeteilt oder eingeimpft, zu sagen hat, muß gestehen, welch eine leidenschaftliche Bewegung in unserm Geiste hervorgebracht werde, wie wir uns begeistert fühlen, indem wir alles dasjenige in Gesamtheit vorausahnen, was in der Folge sich mehr und mehr entwickeln, wozu das Entwickelte weiter führen solle. Und so wird man mir zugeben, daß ich von einem solchen Gewahrwerden, wie von einer Leidenschaft, eingenommen und getrieben, mich, wo nicht ausschließlich, doch durch alles übrige Leben hindurch, damit beschäftigen mußte.

So sehr nun aber auch diese Neigung mich innerlichst ergriffen hatte, so war doch an kein geregeltes Studium nach meiner Rückkehr in Rom zu denken; Poesie, Kunst und Altertum, jedes forderte mich gewissermaßen ganz, und ich habe in meinem Leben nicht leicht operosere, mühsamer beschäftigte Tage zugebracht. Männern vom Fach wird es vielleicht gar zu naiv vorkommen, wenn ich erzähle, wie ich tagtäglich, in einem jeden Garten, auf Spaziergängen, kleinen Lustfahrten, mich der neben mir bemerkten Pflanzen bemächtigte. Besonders bei der eintretenden Samenreife war es mir wichtig, die Art zu beobachten, wie manche derselben, der Erde anvertraut, an das Tageslicht wieder hervortraten. So wendete ich meine Aufmerksamkeit auf das Keimen der während ihres Wachstums unförmlichen Cactus opuntia, und sah mit Vergnügen, daß sie ganz unschuldig dikotyledonisch sich in zwei zarten Blättchen enthüllte, sodann aber, bei fernerem Wuchse, die künftige Unform entwickelte.

Auch mit Samenkapseln begegnete mir etwas Auffallendes. Ich hatte derselben mehrere von Acanthus mollis nach Hause getragen und in einem offnen Kästchen niedergelegt; nun geschah es in einer Nacht, daß ich ein Knistern hörte und bald darauf das Umherspringen an Decke und Wände wie von kleinen Körpern. Ich erklärte mir's nicht gleich, fand aber nachher meine Schoten aufgesprungen und die Samen umher zerstreut. Die Trockne des Zimmers hatte die Reife bis zu solcher Elastizität in wenigen Tagen vollendet.

Unter den vielen Samen, die ich auf diese Weise beobachtete, muß ich einiger noch erwähnen, weil sie zu meinem Andenken kürzer oder länger in dem alten Rom fortwuchsen. Pinienkerne gingen gar merkwürdig auf, sie huben sich, wie in einem Ei eingeschlossen, empor, warfen aber diese Haube bald ab und zeigten in einem Kranze von grünen Nadeln schon die Anfänge ihrer künftigen Bestimmung. Vor meiner Abreise pflanzte ich das schon einigermaßen erwachsene Vorbildchen eines künftigen Baumes in den Garten der Madame Angelica, wo es zu einer ansehnlichen Höhe, durch manche Jahre gedieh. Teilnehmende Reisende erzählten mir davon zu wechselseitigem Vergnügen. Leider fand der nach ihrem Ableben eintretende Besitzer es wunderlich, auf seinen Blumenbeeten eine Pinie ganz unörtlich hervorgewachsen zu sehen, und verbannte sie sogleich.

Glücklicher waren einige Dattelpflanzen, die ich aus Kernen gezogen hatte; wie ich denn überhaupt die Entwicklung derselben an mehreren Exemplaren beobachtete. Ich übergab sie einem römischen Freunde, der sie in einen Garten pflanzte, wo sie noch gedeihen, wie mir ein erhabener Reisender zu versichern die Gnade hatte. Sie sind bis zur Manneshöhe herangewachsen. Mögen sie dem Besitzer nicht unbequem werden und fernerhin fortwachsen und gedeihen.

Galt das Bisherige der Fortpflanzung durch Samen, so ward

ich auf die Fortpflanzung durch Augen nicht weniger aufmerksam gemacht, und zwar durch Rat Reiffenstein, der auf allen Spaziergängen, hier und dort einen Zweig abreißend, bis zur Pedanterie behauptete: in die Erde gesteckt müsse jeder sogleich fortwachsen. Zum entscheidenden Beweis zeigte er dergleichen Stecklinge gar wohl angeschlagen in seinem Garten. Und wie bedeutend ist nicht in der Folgezeit eine solche allgemein versuchte Vermehrung für die botanisch-merkantile Gärtnerei geworden, die ich ihm wohl zu erleben gewünscht hätte.

Am auffallendsten war mir jedoch ein strauchartig in die Höhe gewachsener Nelkenstock. Man kennt die gewaltige Lebens- und Vermehrungskraft dieser Pflanze; Auge ist über Auge an ihren Zweigen gedrängt, Knoten in Knoten hineingetrichtert; dieses war nun hier durch Dauer gesteigert und die Augen aus unerforschlicher Enge zur höchst möglichen Entwicklung getrieben, so daß selbst die vollendete Blume wieder vier vollendete Blumen aus ihrem Busen hervorbrachte.

Zur Aufbewahrung dieser Wundergestalt kein Mittel vor mir sehend, übernahm ich es sie genau zu zeichnen, wobei ich immer zu mehrerer Einsicht in den Grundbegriff der Metamorphose gelangte. Allein die Zerstreuung durch so vielerlei Obliegenheiten ward nur desto hinderlicher, und mein Aufenthalt in Rom, dessen Ende ich voraussah, immer peinlicher und belasteter.

Auf der Rückreise verfolgte ich unablässig diese Gedanken, ich ordnete mir im stillen Sinne einen annehmlichen Vortrag dieser meiner Ansichten, schrieb ihn bald nach meiner Rückkehr nieder und ließ ihn drucken. Er kam 1790 heraus und ich hatte die Absicht, bald eine weitere Erläuterung mit den nötigen Abbildungen nachfolgen zu lassen. Das fortrauschende Leben jedoch unterbrach und hinderte meine guten Absichten, daher ich denn gegenwärtiger Veranlassung des Wiederabdrucks jenes Versuchs mich um so mehr zu erfreuen habe, als sie mich auffordert, mancher Teilnahme an diesen schönen Studien seit vierzig Jahren zu gedenken.

Nachdem ich im vorstehenden, soviel nur möglich war, anschaulich zu machen gesucht habe, wie ich in meinen botanischen Studien verfahren, auf die ich geleitet, getrieben, genötigt und, durch Neigung daran festgehalten, einen bedeutenden Teil meiner Lebenstage verwendet, so möchte doch vielleicht der Fall eintreten, daß irgend ein sonst wohlwollender Leser hiebei tadeln könnte: als habe ich mich zu viel und zu lange bei Kleinigkeiten und einzelnen Persönlichkeiten aufgehalten; deshalb wünsche ich denn hier zu erklären, daß dieses absichtlich und nicht ohne Vorbedacht geschehen sei, damit mir nach so vielem Besondern einiges Allgemeine beizubringen erlaubt sein möge.

Seit länger als einem halben Jahrhundert kennt man mich, im Vaterlande und auch wohl auswärts, als Dichter und läßt mich allenfalls für einen solchen gelten; daß ich aber mit großer Aufmerksamkeit mich um die Natur in ihren allgemeinen physischen und ihren organischen Phänomenen, emsig bemüht und ernstlich angestellte Betrachtungen stetig und leidenschaftlich im stillen verfolgt, dieses ist nicht so allgemein bekannt, noch weniger mit Aufmerksamkeit bedacht worden.

Als daher mein seit vierzig Jahren in deutscher Sprache abgedruckter Versuch: wie man die Gesetze der Pflanzenbildung sich geistreich vorzustellen habe, nunmehr besonders in der Schweiz und Frankreich näher bekannt wurde; so konnte man sich nicht genug verwundern wie ein Poet, der sich bloß mit sittlichen, dem Gefühl und der Einbildungskraft anheim gegebenen Phänomenen gewöhnlich befasse, sich einen Augenblick von seinem Wege abwenden und, in flüchtigem Vorübergehen, eine solche bedeutende Entdeckung habe gewinnen können.

Diesem Vorurteil zu begegnen, ist eigentlich vorstehender Aufsatz verfaßt; er soll anschaulich machen: wie ich Gelegenheit gefunden einen großen Teil meines Lebens mit Neigung und Leidenschaft auf Naturstudien zu verwenden.

Nicht also durch eine außerordentliche Gabe des Geistes, nicht durch eine momentane Inspiration, noch unvermutet und auf einmal, sondern durch ein folgerechtes Bemühen bin ich endlich zu einem so erfreulichen Resultate gelangt.

Zwar hätte ich gar wohl der hohen Ehre, die man meiner Sagazität erweisen wollen, ruhig genießen und mich allenfalls damit brüsten können; da es aber, im Verfolg wissenschaftlichen Bestrebens, gleich schädlich ist, ausschließlich der Erfahrung als unbedingt der Idee zu gehorchen, so habe ich für meine Schuldigkeit gehalten das Ereignis, wie es mir begegnet, historisch treu, obgleich nicht in aller Ausführlichkeit, ernsten Forschern darzulegen. *(1831)*

VERFOLG

Schicksal der Handschrift

Aus Italien, dem formreichen, war ich in das gestaltlose Deutschland zurückgewiesen, heiteren Himmel mit einem düsteren zu vertauschen; die Freunde, statt mich zu trösten und wieder an sich zu ziehen, brachten mich zur Verzweiflung. Mein Entzücken über entfernteste, kaum bekannte Gegenstände, mein Leiden, meine Klagen über das Verlorne schien sie zu beleidigen, ich vermißte jede Teilnahme, niemand verstand meine Sprache. In diesen peinlichen Zustand wußt ich mich nicht zu finden, die Entbehrung war zu groß, an welche sich der äußere Sinn gewöhnen sollte, der Geist erwachte sonach und suchte sich schadlos zu halten.

Im Laufe von zwei vergangenen Jahren hatte ich ununterbrochen beobachtet, gesammelt, gedacht, jede meiner Anlagen auszubilden gesucht. Wie die begünstigte griechische Nation verfahren, um die höchste Kunst im eignen Nationalkreise zu entwickeln, hatte ich bis auf einen gewissen Grad einzusehen gelernt, so daß ich hoffen konnte, nach und nach das Ganze zu überschauen und mir einen reinen, vorurteilsfreien Kunstgenuß zu bereiten. Ferner glaubte ich der Natur abgemerkt zu haben, wie sie gesetzlich zu Werke gehe, um lebendiges Gebild, als Muster alles künstlichen, hervorzubringen. Das dritte, was mich beschäftigte, waren die Sitten der Völker. An ihnen zu lernen, wie aus dem Zusammentreffen von Notwendigkeit und Willkür, von Antrieb und Wollen, von Bewegung und Widerstand ein drittes hervorgeht, was weder Kunst noch Natur, sondern beides zugleich ist, notwendig und zufällig, absichtlich und blind. Ich verstehe die menschliche Gesellschaft.

Wie ich mich nun in diesen Regionen hin und her bewegte, mein Erkennen auszubilden bemüht, unternahm ich sogleich schriftlich zu verfassen, was mir am klarsten vor dem Sinne stand, und so ward das Nachdenken geregelt, die Erfahrung geordnet, und der Augenblick festgehalten. Ich schrieb zu gleicher Zeit einen Aufsatz über Kunst, Manier und Stil, einen andern die Metamorphose der Pflanzen zu erklären, und das Römische Karneval; sie zeigen sämtlich, was damals in meinem Innern vorging und welche Stellung ich gegen jene drei großen Weltgegenden genommen hatte. Der Versuch die Metamorphose der Pflanzen zu erklären, das heißt die mannigfaltigen besondern Erscheinungen des herrlichen Weltgartens auf ein allgemeines einfaches Prinzip zurückzuführen, war zuerst abgeschlossen.

Nun aber ist es eine alte schriftstellerische Weisheit: uns gefällt was wir schreiben, wir würden es ja sonst nicht geschrieben haben. Mit meinem neuen Hefte wohl zufrieden, schmeichelte ich mir, auch im wissenschaftlichen Felde, schriftstellerisch eine glückliche Laufbahn zu eröffnen, allein hier sollte mir ebenfalls begegnen, was ich an meinen ersten dichterischen Arbeiten erlebt, ich ward gleich anfangs auf mich selbst zurückgewiesen; doch hier deuteten die ersten

Pflanzenskizze
Bleistift

Hindernisse leider gleich auf die spätern, und noch bis auf den heutigen Tag lebe ich in einer Welt, aus der ich wenigen etwas mitteilen kann.

(. . .)

Von andern Seiten her vernahm ich ähnliche Klänge, nirgends wollte man zugeben, daß Wissenschaft und Poesie vereinbar seien. Man vergaß, daß Wissenschaft sich aus Poesie entwickelt habe, man bedachte nicht, daß, nach einem Umschwung von Zeiten, beide sich wieder freundlich, zu beiderseitigem Vorteil, auf höherer Stelle, gar wohl wieder begegnen könnten.

Freundinnen, welche mich schon früher den einsamen Gebirgen, der Betrachtung starrer Felsen gern entzogen hätten, waren auch mit meiner abstrakten Gärtnerei keineswegs zufrieden. Pflanzen und Blumen sollten sich durch Gestalt, Farbe, Geruch auszeichnen, nun verschwanden sie aber zu einem gespensterhaften Schemen. Da versuchte ich diese wohlwollenden Gemüter zur Teilnahme durch eine Elegie zu locken, der ein Platz hier gegönnt sein möge, wo sie, im Zusammenhang wissenschaftlicher Darstellung, verständlicher werden dürfte, als eingeschaltet in eine Folge zärtlicher und leidenschaftlicher Poesien.

Metamorphose der Pflanzen,
eine Elegie

Dich verwirret, Geliebte, die tausendfältige Mischung
  Dieses Blumengewühls über dem Garten umher;
Viele Namen hörest du an und immer verdränge,
  Mit barbarischem Klang, einer den andern im Ohr.
Alle Gestalten sind ähnlich, und keine gleichet der andern;
  Und so deutet das Chor auf ein geheimes Gesetz,
Auf ein heiliges Rätsel. O, könnt ich dir, liebliche Freundin,
  Überliefern sogleich glücklich das lösende Wort!
Werdend betrachte sie nun, wie nach und nach sich die Pflanze,
  Stufenweise geführt, bildet zu Blüten und Frucht.
Aus dem Samen entwickelt sie sich, sobald ihn der Erde
  Stille befruchtender Schoß hold in das Leben entläßt,
Und dem Reize des Lichts, des heiligen, ewig bewegten,
  Gleich den zärtesten Bau keimender Blätter empfiehlt.
Einfach schlief in dem Samen die Kraft; ein beginnendes Vorbild
  Lag, verschlossen in sich, unter die Hülle gebeugt,
Blatt und Wurzel und Keim, nur halb geformet und farblos;
  Trocken erhält so der Kern ruhiges Leben bewahrt,
Quillet strebend empor, sich milder Feuchte vertrauend,
  Und erhebt sich sogleich aus der umgebenden Nacht.

Aber einfach bleibt die Gestalt der ersten Erscheinung;
    Und so bezeichnet sich auch unter den Pflanzen das Kind.
Gleich darauf ein folgender Trieb, sich erhebend, erneuet,
    Knoten auf Knoten getürmt, immer das erste Gebild.
Zwar nicht immer das gleiche; denn mannigfaltig erzeugt sich,
    Ausgebildet, du siehst's, immer das folgende Blatt,
Ausgedehnter, gekerbter, getrennter in Spitzen und Teile,
    Die verwachsen vorher ruhten im untern Organ.
Und so erreicht es zuerst die höchst bestimmte Vollendung,
    Die bei manchem Geschlecht dich zum Erstaunen bewegt.
Viel gerippt und gezackt, auf mastig strotzender Fläche,
    Scheinet die Fülle des Triebs frei und unendlich zu sein.
Doch hier hält die Natur, mit mächtigen Händen, die Bildung
    An und lenket sie sanft in das Vollkommnere hin.
Mäßiger leitet sie nun den Saft, verengt die Gefäße,
    Und gleich zeigt die Gestalt zärtere Wirkungen an.
Stille zieht sich der Trieb der strebenden Ränder zurücke,
    Und die Rippe des Stiels bildet sich völliger aus.
Blattlos aber und schnell erhebt sich der zärtere Stengel,
    Und ein Wundergebild zieht den Betrachtenden an.
Rings im Kreise stellet sich nun, gezählet und ohne
    Zahl, das kleinere Blatt neben dem ähnlichen hin.
Um die Achse gedrängt entscheidet der bergende Kelch sich,
    Der zur höchsten Gestalt farbige Kronen entläßt.
Also prangt die Natur in hoher voller Erscheinung,
    Und sie zeiget, gereiht, Glieder an Glieder gestuft.
Immer staunst du aufs neue, so bald sich am Stengel die Blume
    Über dem schlanken Gerüst wechselnder Blätter bewegt.
Aber die Herrlichkeit wird des neuen Schaffens Verkündung,
    Ja, das farbige Blatt fühlet die göttliche Hand,
Und zusammen zieht es sich schnell; die zärtesten Formen,
    Zwiefach streben sie vor, sich zu vereinen bestimmt.
Traulich stehen sie nun, die holden Paare, beisammen,
    Zahlreich ordnen sie sich um den geweihten Altar.
Hymen schwebet herbei und herrliche Düfte, gewaltig,

Strömen süßen Geruch, alles belebend, umher.
Nun vereinzelt schwellen sogleich unzählige Keime,
  Hold in den Mutterschoß schwellender Früchte gehüllt.
Und hier schließt die Natur den Ring der ewigen Kräfte;
  Doch ein neuer sogleich fasset den vorigen an,
Daß die Kette sich fort durch alle Zeiten verlänge,
  Und das Ganze belebt, so wie das Einzelne, sei.
Wende nun, o Geliebte, den Blick zum bunten Gewimmel,
  Das verwirrend nicht mehr sich vor dem Geiste bewegt.
Jede Pflanze verkündet dir nun die ew'gen Gesetze,
  Jede Blume, sie spricht lauter und lauter mit dir.
Aber entzifferst du hier der Göttin heilige Lettern,
  Überall siehst du sie dann, auch in verändertem Zug.
Kriechend zaudre die Raupe, der Schmetterling eile geschäftig,
  Bildsam ändre der Mensch selbst die bestimmte Gestalt!
O! gedenke denn auch, wie aus dem Keim der Bekanntschaft
  Nach und nach in uns holde Gewohnheit entsproß,
Freundschaft sich mit Macht in unserm Innern enthüllte,
  Und wie Amor zuletzt Blüten und Früchte gezeugt.
Denke, wie mannigfach bald die, bald jene Gestalten,
  Still entfaltend, Natur unsern Gefühlen geliehn!
Freue dich auch des heutigen Tags! Die heilige Liebe
  Strebt zu der höchsten Frucht gleicher Gesinnungen auf,
Gleicher Ansicht der Dinge, damit in harmonischem Anschaun
  Sich verbinde das Paar, finde die höhere Welt.

Höchst willkommen war dieses Gedicht der eigentlich Geliebten, welche das Recht hatte die lieblichen Bilder auf sich zu
beziehen; und auch ich fühlte mich sehr glücklich als das
lebendige Gleichnis unsere schöne vollkommene Neigung
steigerte und vollendete; von der übrigen liebenswürdigen
Gesellschaft aber hatte ich viel zu erdulden, sie parodierten
meine Verwandlungen durch märchenhafte Gebilde necki-
scher, neckender Anspielungen.

  Leiden ernsterer Art jedoch waren mir bereitet von auswärtigen Freunden, unter die ich, in dem Jubel meines Herzens, die Freiexemplare verteilt hatte, sie antworteten alle mehr oder weniger in Bonnets Redensarten: denn seine Kontemplation der Natur hatte, durch scheinbare Faßlichkeit, die Geister gewonnen, und eine Sprache in Gang gebracht, in der man etwas zu sagen, sich untereinander zu verstehen glaubte. Zu meiner Art mich auszudrücken wollte sich niemand bequemen. Es ist die größte Qual nicht verstanden zu werden, wenn man nach großer Bemühung und Anstrengung sich endlich selbst und die Sache zu verstehn glaubt; es treibt zum Wahnsinn, den Irrtum immer wiederholen zu hören, aus dem man sich mit Not gerettet hat, und peinlicher kann uns nichts begegnen als wenn das, was uns mit unterrichteten einsichtigen Männern verbinden sollte, Anlaß gibt einer nicht zu vermittelnden Trennung.

Überdies waren die Äußerungen meiner Freunde keineswegs von schonender Art, und es wiederholte sich dem vieljährigen Autor die Erfahrung, daß man gerade von verschenkten Exemplaren Unlust und Verdruß zu erleben hat. Kommt jemand ein Buch durch Zufall oder Empfehlung in die Hand, er liest es, kauft es auch wohl; überreicht ihm aber ein Freund, mit behaglicher Zuversicht, sein Werk, so scheint es, als sei es darauf abgesehen ein Geistesübergewicht aufzudringen. Da tritt nun das radikale Böse in seiner häßlichsten Gestalt hervor, als Neid und Widerwille gegen frohe, eine Herzensangelegenheit vertrauende Personen. Mehrere Schriftsteller, die ich befragte, waren mit diesem Phänomen der unsittlichen Welt auch nicht unbekannt.

Ein ander Mal, es war im Sommer 1809 (30. Juni), wo ich Goethe nachmittags besuchte, fand ich ihn bei milder Witterung wieder in seinem Garten sitzend. Kaaz, der Landschaftsmaler, den Goethe ausnehmend schätzte, war soeben da gewesen. Er saß vor einem kleinen Gartentische; vor ihm auf demselben stand ein langgehalstes Zuckerglas, worin sich eine kleine, lebendige Schlange munter bewegte, die er mit einem Federkiele fütterte und täglich Betrachtungen über sie anstellte. Er behauptete, daß sie ihn bereits kenne und mit dem Kopfe näher zum Rande des Glases komme, sobald sie seiner ansichtig werde. »Die herrlich verständigen Augen!« fuhr er fort. »Mit diesem Kopfe ist freilich manches unterwegs, aber, weil es das unbeholfene Ringeln des Körpers nun einmal nicht zuläßt, wenig genug angekommen. Hände und Füße ist die Natur diesem länglich ineinandergeschobenen Organismus schuldig geblieben, wiewohl dieser Kopf und diese Augen beides wohl verdient hätten; wie sie denn überhaupt manches schuldig bleibt, was sie für den Augenblick fallen läßt, aber späterhin doch wieder unter günstigern Umständen aufnimmt. Das Skelett von manchem Seetiere zeigt uns deutlich, daß sie schon damals, als sie dasselbe verfaßte, mit dem Gedanken einer höhern Gattung von Landtieren umging. Gar oft muß sie in einem hinderlichen Elemente sich mit einem Fischschwanze abfinden, wo sie gern ein paar Hinterfüße in den Kauf gegeben hätte; ja, wo man sogar die Ansätze dazu bereits im Skelett bemerkt hat.«

Neben dem Glase mit der Schlange lagen einige Kokons von eingesponnenen Raupen, deren Durchbruch Goethe nächstens erwartete. Es zeigte sich in ihnen eine der Hand fühlbare, besondere Regsamkeit. Goethe nahm sie vom Tische, betrachtete sie noch einmal scharf und aufmerksam und sagte sodann zu seinem Knaben: »Trage sie herein; heute kommen sie schwerlich! Die Tageszeit ist zu weit vorgerückt!« Es war Nachmittag um 4 Uhr. In diesen Augenblicken kam auch Frau v. Goethe in den Garten hereingetreten. Goethe nahm dem Knaben die Kokons aus der Hand und legte sie wieder auf den Tisch. »Wie herrlich der Feigenbaum in Blüten und Laub steht!« rief Frau v. Goethe uns schon von weitem zu, indem sie durch den Mittelgang des Gartens auf uns zukam. Nachdem sie mich darauf begrüßt und meinen Gegengruß empfangen hatte, fragte sie mich gleich, ob ich auch wohl den schönen Feigenbaum schon in der Nähe gesehen und bewundert hätte. »Wir wollen ja nicht vergessen«, so richtete sie in dem nämlichen Augenblicke an Goethe selber das Wort, »ihn diesen Winter einlegen zu lassen!« Goethe lächelte und sagte zu mir: »Lassen Sie sich ja, und das auf der Stelle, den Feigenbaum zeigen, sonst haben wir den ganzen Abend keine Ruhe! Er ist aber auch wirklich sehenswert, und verdient, daß man ihn prächtig hält und mit aller Vorsicht behandelt.« »Wie heißt doch die ausländische Pflanze«, fing Frau v. Goethe wieder an, »die uns neulich ein Mann von Jena herüberbrachte?« »Etwa die große Nieswurz?« »Recht! Sie kommt ebenfalls trefflich fort.« »Das freut mich! Am Ende können wir noch ein zweites Anticyra hiesiges Ortes anlegen!« »Da, seh' ich, liegen auch die Kokons. Haben Sie noch immer nichts bemerkt?« »Ich hatte sie für Dich zurückgelegt. Ich bitt' Euch«, indem er sie aufs neue in die Hand nahm und an sein Ohr hielt, »wie das klopft, wie das hüpft und ins Leben hinauswill! Wundervoll möcht' ich sie nennen, diese Übergänge der Natur, wenn nicht das Wunderbare in der Natur eben das Allgewöhnliche wäre. Übrigens wollen wir auch unserm Freund hier dies Schauspiel nicht vorenthalten. Morgen oder übermorgen kann es sein, daß der Vogel da ist, und zwar ein so schöner und anmutiger, wie Ihr wohl selten gesehen habt. Ich kenne die Raupe und bescheide Euch morgen nachmittag um dieselbe Stunde in den Garten hieher, wenn Ihr etwas sehen wollt, was noch merkwürdiger ist als das Allermerkwürdigste, was Kotzebue in seinem merkwürdigsten Lebensjahr auf seiner weiten Reise bis Tobolsk irgend gesehen hat. Indes laßt uns die Schachtel hier, worin sich unsere noch unbekannte, schöne Sylphide befindet und sich aufs prächtigste zu morgen anlegt, in irgend ein sonniges Fenster des Gartenhauses stellen! So! Hier stehst du, gutes, artiges Kind! Niemand wird dich in diesem Winkel daran hindern, deine Toilette fertig zu machen!« »Aber wie möcht' ich nur«, hub Frau v. Goethe wieder aufs neue an, indem sie einen Seitenblick auf die Schlange richtete, »ein so garstiges Ding um mich leiden wie dieses, oder es gar mit eignen Händen groß füttern? Es ist ein so unangenehmes Tier. Mir graut jedes Mal, wenn ich es nur ansehe.« »Schweig Du!« gab ihr Goethe zur Antwort, wiewohl er, von Natur ruhig, diese muntere Lebendigkeit nicht ungern in seiner Umgebung hatte; »ja«, indem er das Gespräch zu mir herübertrug, »wenn die Schlange ihr nur den Gefallen erzeugte, sich einzuspinnen und ein schöner Sommervogel zu werden, da würde von dem greulichen Wesen gleich nicht weiter die Rede sein. Aber, liebes Kind, wir können nicht alle Sommervögel und nicht alle mit Blüten und Früchten geschmückte Feigenbäume sein. Arme Schlange! Sie vernachlässigen dich! Sie sollten sich deiner besser annehmen! Wie sie mich ansieht! Wie sie den Kopf emporstreckt! Ist es nicht, als ob sie merkte, daß ich Gutes von ihr mit Euch spreche! Armes Ding! Wie das drinnen steckt und nicht herauskann, so gern es auch wollte! Ich meine zwiefach, einmal im Zuckerglas und sodann in dem Haut-futteral, das ihr die Natur gab.« Als er dies gesagt, fing er an, seinen Reißstift und das Zeichenpapier, worauf er bisher einzelne Striche zu einer phantastischen Landschaft zusam-mengezogen hatte, ohne sich dadurch beim Sprechen im geringsten irre machen zu lassen, ebenfalls bei Seite zu legen. Der Bediente brachte Wasser, und indem er die Hände wusch, sagte er: »Um noch ein Mal auf Maler Kaaz zurückzukommen, dem Sie bei Ihrem Eintritte begegnet haben müssen, so ist er mir eine recht angenehme, ja liebliche Erscheinung. Er macht es hier in Weimar gerade so, wie er es in der Villa Borghese machte. So oft ich ihn nun sehe, ist mir, als ob er ein Stück von dem seligen far niente des römischen Kunsthimmels in meine Gesellschaft mitbrächte! Ich will mir doch noch, weil er da ist, ein kleines Stammbuch aus meinen Zeichnungen anordnen. Wir sprechen überhaupt viel zu viel. Wir sollten weniger sprechen und mehr zeichnen. Ich meinerseits möchte mir das Reden ganz abgewöhnen und wie die bildende Natur in lauter

Zeichnungen fortsprechen. Jener Feigenbaum, diese kleine Schlange, der Kokon, der dort vor dem Fenster liegt und seine Zukunft ruhig erwartet, alles das sind inhaltschwere Signaturen; ja, wer nur ihre Bedeutung recht zu entziffern vermöchte, der würde alles Geschriebenen und alles Gesprochenen bald zu entbehren im Stande sein! Je mehr ich darüber nachdenke, es ist etwas so Unnützes, so Müßiges, ich möchte fast sagen Gekkenhaftes im Reden, daß man vor dem stillen Ernste der Natur und ihrem Schweigen erschrickt, sobald man sich ihr vor einer einsamen Felsenwand oder in der Einöde eines alten Berges gesammelt entgegenstellt!«

»Ich habe hier eine Menge Blumen- und Pflanzengewächse«, indem er auf seine phantastische Zeichnung wies, »wunderlich genug auf dem Papiere zusammengebracht. Diese Gespenster könnten noch toller, noch phantastischer sein, so ist es doch die Frage, ob sie nicht auch irgendwo so vorhanden sind.«

»Die Seele musiziert, indem sie zeichnet, ein Stück von ihrem innersten Wesen heraus, und eigentlich sind es die höchsten Geheimnisse der Schöpfung, die, was ihre Grundanlagen betrifft, gänzlich auf Zeichnen und Plastik beruht, welche sie dadurch ausplaudert. Die Kombinationen in diesem Felde sind so unendlich, daß selbst der Humor darin eine Stelle gefunden hat. Ich will nur die Schmarotzerpflanzen nehmen; wie viel Phantastisches, Possenhaftes, Vogelmäßiges ist nicht allein in den flüchtigen Schriftzügen derselben enthalten! Wie Schmetterlinge setzt sich ihr fliegender Same an diesen oder jenen Baum an und zehrt an ihm, bis das Gewächs groß wird. So in die Rinde eingesäet, eingewachsen finden wir den sogenannten viscus, woraus Vogelleim bereitet wird, zunächst als Gesträuch am Birnbaum. Hier, nicht zufrieden damit, daß er sich als Gast um denselben herumschlingt, muß ihm der Birnbaum sogar sein Holz machen.«

»Das Moos auf den Bäumen, das auch nur parasitisch dasitzt, gehört ebendahin. Ich besitze sehr schöne Präparate über diese Geschlechter, die nichts für sich in der Natur unternehmen, sondern sich in allen Stücken nur auf bereits Vorhandenes einlassen. Ich will sie Ihnen bei Gelegenheit vorzeigen. Sie mögen mich daran erinnern. Das Würzhafte gewisser Stauden, die auch zu den Parasiten gehören, läßt sich aus der Steigerung der Säfte recht gur erklären, da dieselben nicht nach dem gewöhnlichen Laufe der Natur mit einem roh irdischen, sondern mit einem bereits gebildeten Stoffe ihren ersten Anfang machen.«

»Kein Apfel wächst mitten am Stamme, wo alles rauh und holzig ist. Es gehört schon eine lange Reihe von Jahren und die sorgsamste Vorbereitung dazu, so ein Apfelgewächs in einen tragbaren, weinichten Baum zu verwandeln, der allererst Blüten und sodann auch Früchte hervortreibt. Jeder Apfel ist eine kugelförmige, kompakte Masse und fordert als solches beides, eine große Konzentration, und auch zugleich eine außerordentliche Veredelung und Verfeinerung der Säfte, die ihm von allen Seiten zufließen. Man denke sich die Natur, wie sie gleichsam vor einem Spieltische steht und unaufhörlich au double! ruft, das heißt mit dem bereits Gewonnenen durch alle Reiche ihres Wirkens glücklich, ja bis ins Unendliche wieder fortspielt. Stein, Tier, Pflanze, alles wird nach einigen solchen Glückswürfen beständig von neuem wieder aufgesetzt, und wer weiß, ob nicht auch der ganze Mensch wieder nur ein Wurf nach einem höhern Ziele ist?«

Während dieser angenehmen Unterhaltung war der Abend herbeigekommen, und weil es im Garten zu kühl wurde, gingen wir herauf in die Wohnzimmer. Späterhin standen wir an einem Fenster. Der Himmel war mit Sternen besät. Die durch die freiere Gartenumgebung angeklungenen Saiten in Goethes Seele zitterten noch immer fort und konnten auch zu Abend nicht aus ihren Schwingungen kommen. »Es ist alles so ungeheuer«, sagte er zu mir, »daß an kein Aufhören von irgend einer Seite zu denken ist. Oder meinen Sie nur, daß selbst die Sonne, die doch alles erschafft, schon mit der

Schöpfung ihres eignen Planetensystems völlig zu Rande wäre, und daß sonach die Erden und Monde bildende Kraft in ihr entweder ausgegangen sei, oder doch untätig und völlig nutzlos daliege? Ich glaube dies keineswegs. Mir ist es sogar höchst wahrscheinlich, daß hinter Merkur, der an sich schon klein genug ausgefallen ist, einst noch ein kleinerer Stern als dieser zum Vorschein kommen wird. Man sieht freilich schon aus der Stellung der Planeten, daß die Projektionskraft der Sonne merklich abnimmt, weil die größten Massen im Systeme auch die größte Entfernung einnehmen. Eben auf diesem Wege aber kann es, fortgeschlossen, dahin kommen, daß wegen Schwächung der Projektionskraft irgend ein versuchter Planetenwurf irgend ein Mal verunglücke. Kann die Sonne sodann den jungen Planeten nicht wie die vorigen gehörig von sich absondern und ausstoßen, so wird sich vielleicht, wie bei Saturn, ein Ring um sie legen, der uns armen Erdenbewohnern, weil er aus irdischen Bestandteilen zusammengesetzt ist, ein böses Spiel machen dürfte. Und nicht nur für uns, sondern auch für alle übrigen Planeten unseres Systems würde die Schattennähe eines solchen Ringes wenig Erfreuliches bewirken. Die milden Einflüsse von Licht und Wärme müßten natürlich dadurch verringert werden, und alle Organisationen, deren Entwickelung ihr Werk ist, die einen mehr, die andern weniger sich dadurch gehemmt fühlen.«

»Nach dieser Betrachtung könnten die Sonnenflecke allerdings einige Unruhe für die Zukunft erwecken. So viel ist gewiß, daß wenigstens in dem ganzen uns bekannt gewordenen Bildungshergang und Gesetz unseres Planeten nichts enthalten ist, was der Formation eines Sonnenringes entgegenstände, wiewohl sich freilich für eine solche Entwickelung keine Zeit angeben läßt.«

Falk: Goethe aus näherm persönlichen Umgange dargestellt

ZUR FARBENLEHRE
DIDAKTISCHER TEIL

Einleitung

Die Lust zum Wissen wird bei dem Menschen zuerst dadurch angeregt, daß er bedeutende Phänomene gewahr wird, die seine Aufmerksamkeit an sich ziehen. Damit nun diese dauernd bleibe, so muß sich eine innigere Teilnahme finden, die uns nach und nach mit den Gegenständen bekannter macht. Alsdann bemerken wir erst eine große Mannigfaltigkeit, die uns als Menge entgegendringt. Wir sind genötigt, zu sondern, zu unterscheiden und wieder zusammenzustellen; wodurch zuletzt eine Ordnung entsteht, die sich mit mehr oder weniger Zufriedenheit übersehen läßt.

Dieses in irgend einem Fache nur einigermaßen zu leisten, wird eine anhaltende strenge Beschäftigung nötig. Deswegen finden wir, daß die Menschen lieber durch eine allgemeine theoretische Ansicht, durch irgend eine Erklärungsart die Phänomene bei Seite bringen, anstatt sich die Mühe zu geben, das Einzelne kennen zu lernen und ein Ganzes zu erbauen.

Der Versuch, die Farbenerscheinungen auf- und zusammenzustellen ist nur zweimal gemacht worden, das erstemal von Theophrast, sodann von Boyle. Dem gegenwärtigen wird man die dritte Stelle nicht streitig machen.

Das nähere Verhältnis erzählt uns die Geschichte. Hier sagen wir nur so viel, daß in dem verflossenen Jahrhundert an eine solche Zusammenstellung nicht gedacht werden konnte, weil Newton seiner Hypothese einen verwickelten und abgeleiteten Versuch zum Grund gelegt hatte, auf welchen man die übrigen zudringenden Erscheinungen, wenn man sie nicht verschweigen und beseitigen konnte, künstlich bezog und sie in ängstlichen Verhältnissen umherstellte; wie etwa ein Astronom verfahren müßte, der aus Grille den Mond in die Mitte unseres Systems setzen möchte. Er wäre genötigt, die Erde, die Sonne mit allen übrigen Planeten um den subalternen Körper herum zu bewegen, und durch künstliche Berechnungen und Vorstellungsweisen das Irrige seines ersten Annehmens zu verstecken und zu beschönigen.

Schreiten wir nun in Erinnerung dessen, was wir oben vorwortlich beigebracht, weiter vor. Dort setzten wir das Licht als anerkannt voraus, hier tun wir ein Gleiches mit dem Auge. Wir sagten: die ganze Natur offenbare sich durch die Farbe dem Sinne des Auges. Nunmehr behaupten wir, wenn es auch einigermaßen sonderbar klingen mag, daß das Auge keine Form sehe, indem Hell, Dunkel und Farbe zusammen allein dasjenige ausmachen, was den Gegenstand vom Gegenstand, die Teile des Gegenstandes von einander, fürs Auge unterscheidet. Und so erbauen wir aus diesen Dreien die sichtbare Welt und machen dadurch zugleich die Malerei möglich, welche auf der Tafel eine weit vollkommner sichtbare Welt, als die wirkliche sein kann, hervorzubringen vermag.

Das Auge hat sein Dasein dem Licht zu danken. Aus gleichgültigen tierischen Hülfsorganen ruft sich das Licht ein Organ hervor, das seines Gleichen werde; und so bildet sich das Auge am Lichte fürs Licht, damit das innere Licht dem äußeren entgegentrete.

Hierbei erinnern wir uns der alten ionischen Schule, welche mit so großer Bedeutsamkeit immer wiederholte: nur von Gleichem werde Gleiches erkannt; wie auch die Worte eines alten Mystikers, die wir in deutschen Reimen folgendermaßen ausdrücken möchten:

> Wär' nicht das Auge sonnenhaft,
> Wie könnten wir das Licht erblicken?
> Lebt' nicht in uns des Gottes eigne Kraft,
> Wie könnt' uns Göttliches entzücken?

Jene unmittelbare Verwandtschaft des Lichtes und des Auges wird niemand leugnen, aber sich beide zugleich als eins und dasselbe zu denken, hat mehr Schwierigkeit. Indessen wird es faßlicher, wenn man behauptet, im Auge wohne ein ruhendes Licht, das bei der mindesten Veranlassung von innen oder von außen erregt werde. Wir können in der Finsternis durch Forderungen der Einbildungskraft uns die hellsten Bilder hervorrufen. Im Traume erscheinen uns die Gegenstände wie am vollen Tage. Im wachenden Zustande wird uns die leiseste äußere Lichteinwirkung bemerkbar; ja wenn das Organ einen mechanischen Anstoß erleidet, so springen Licht und Farben hervor.

Vielleicht aber machen hier diejenigen, welche nach einer gewissen Ordnung zu verfahren pflegen, bemerklich, daß wir ja noch nicht einmal entschieden erklärt, was denn Farbe sei? Dieser Frage möchten wir gar gern hier abermals ausweichen und uns auf unsere Ausführung berufen, wo wir umständlich gezeigt, wie sie erscheine. Denn es bleibt uns auch hier nichts übrig, als zu wiederholen: die Farbe sei die gesetzmäßige Natur in Bezug auf den Sinn des Auges. Auch hier müssen wir annehmen, daß jemand diesen Sinn habe, daß jemand die Einwirkung der Natur auf diesen Sinn kenne: denn mit dem Blinden läßt sich nicht von der Farbe reden.

Damit wir aber nicht gar zu ängstlich eine Erklärung zu vermeiden scheinen, so möchten wir das Erstgesagte folgendermaßen umschreiben. Die Farbe sei ein elementares Naturphänomen für den Sinn des Auges, das sich, wie die übrigen alle, durch Trennung und Gegensatz, durch Mischung und Vereinigung, durch Erhöhung und Neutralisation, durch Mitteilung und Verteilung und so weiter manifestiert und unter diesen allgemeinen Naturformeln am besten angeschaut und begriffen werden kann.

Diese Art sich die Sache vorzustellen, können wir niemand aufdringen. Wer sie bequem findet, wie wir, wird sie gern in sich aufnehmen. Eben so wenig haben wir Lust, sie künftig durch Kampf und Streit zu verteidigen. Denn es hatte von jeher etwas Gefährliches, von der Farbe zu handeln, dergestalt daß einer unserer Vorgänger gelegentlich gar zu äußern wagt: Hält man dem Stier ein rotes Tuch vor, so wird er wütend;

aber der Philosoph, wenn man nur überhaupt von Farbe spricht, fängt an zu rasen.

Sollen wir jedoch nunmehr von unserem Vortrag, auf den wir uns berufen, einige Rechenschaft geben, so müssen wir vor allen Dingen anzeigen, wie wir die verschiedenen Bedingungen, unter welchen die Farbe sich zeigen mag, gesondert. Wir fanden dreierlei Erscheinungsweisen, dreierlei Arten von Farben, oder wenn man lieber will, dreierlei Ansichten derselben, deren Unterschied sich aussprechen läßt.

Wir betrachten also die Farben zuerst, in sofern sie dem Auge angehören und auf einer Wirkung und Gegenwirkung desselben beruhen; ferner zogen sie unsere Aufmerksamkeit an sich, indem wir sie an farblosen Mitteln oder durch deren Beihülfe gewahrten; zuletzt aber wurden sie uns merkwürdig, indem wir sie als den Gegenständen angehörig denken konnten. Die ersten nannten wir physiologische, die zweiten physische, die dritten chemische Farben. Jene sind unaufhaltsam flüchtig, die andern vorübergehend, aber allenfalls verweilend, die letzten festzuhalten bis zur spätesten Dauer.

Indem wir sie nun in solcher naturgemäßen Ordnung, zum Behuf eines didaktischen Vortrags, möglichst sonderten und aus einander hielten, gelang es uns zugleich, sie in einer stetigen Reihe darzustellen, die flüchtigen mit den verweilenden und diese wieder mit den dauernden zu verknüpfen, und so die erst sorgfältig gezogenen Abteilungen für ein höheres Anschauen wieder aufzuheben.

Hierauf haben wir in einer vierten Abteilung unserer Arbeit, was bis dahin von den Farben unter mannigfaltigen besonderen Bedingungen bemerkt worden, im Allgemeinen ausgesprochen und dadurch eigentlich den Abriß einer künftigen Farbenlehre entworfen. Gegenwärtig sagen wir nur so viel voraus, daß zur Erzeugung der Farbe Licht und Finsternis, Helles und Dunkles, oder, wenn man sich einer allgemeineren Formel bedienen will, Licht und Nichtlicht gefordert werde. Zunächst am Licht entsteht uns eine Farbe, die wir Gelb nennen, eine andere zunächst an der Finsternis, die wir mit dem Worte Blau bezeichnen. Diese beiden, wenn wir sie in ihrem reinsten Zustand dergestalt vermischen, daß sie sich völlig das Gleichgewicht halten, bringen eine dritte hervor, welche wir Grün heißen. Jene beiden ersten Farben können aber auch jede an sich selbst eine neue Erscheinung hervorbringen, indem sie sich verdichten oder verdunkeln. Sie erhalten ein rötliches Ansehen, welches sich bis auf einen so hohen Grad steigern kann, daß man das ursprüngliche Blau und Gelb kaum darin mehr erkennen mag. Doch läßt sich das höchste und reine Rot, vorzüglich in physischen Fällen, dadurch hervorbringen, daß man die beiden Enden des Gelbroten und Blauroten vereinigt. Dieses ist die lebendige Ansicht der Farben-Erscheinung und -Erzeugung. Man kann aber auch zu dem specificiert fertigen Blauen und Gelben ein fertiges Rot annehmen, und rückwärts durch Mischung hervorbringen, was wir vorwärts durch Intensieren bewirkt haben. Mit diesen drei oder sechs Farben, welche sich bequem in einen Kreis einschließen lassen, hat die Elementare Farbenlehre allein zu tun. Alle übrigen ins Unendliche gehenden Abänderungen gehören mehr in das Angewandte, gehören zur Technik des Malers, des Färbers, überhaupt ins Leben.

Sollen wir sodann noch eine allgemeine Eigenschaft aussprechen, so sind die Farben durchaus als Halblichter, als Halbschatten anzusehen, weshalb sie denn auch, wenn sie zusammengemischt ihre spezifischen Eigenschaften wechselseitig aufheben, ein Schattiges, ein Graues hervorbringen.

In unserer fünften Abteilung sollten sodann jene nachbarlichen Verhältnisse dargestellt werden, in welchen unsere Farbenlehre mit dem übrigen Wissen, Tun und Treiben zu stehen wünschte. So wichtig diese Abteilung ist, so mag sie vielleicht gerade eben deswegen nicht zum besten gelungen sein. Doch wenn man bedenkt, daß eigentlich nachbarliche Verhältnisse sich nicht eher aussprechen lassen, als bis sie sich gemacht haben, so kann man sich über das Mißlingen eines solchen ersten Versuches wohl trösten. Denn freilich ist erst abzuwarten, wie diejenigen, denen wir zu dienen suchten, denen wir etwas Gefälliges und Nützliches zu erzeigen dachten, das von uns möglichst Geleistete aufnehmen werden, ob sie sich es zueignen, ob sie es benutzen und weiter führen, oder ob sie es ablehnen, wegdrängen und notdürftig für sich bestehen lassen. Indessen dürfen wir sagen, was wir glauben und was wir hoffen.

Vom Philosophen glauben wir Dank zu verdienen, daß wir gesucht die Phänomene bis zu ihren Urquellen zu verfolgen, bis dorthin, wo sie bloß erscheinen und sind, und wo sich nichts weiter an ihnen erklären läßt. Ferner wird ihm willkommen sein, daß wir die Erscheinungen in eine leicht übersehbare Ordnung gestellt, wenn er diese Ordnung selbst auch nicht ganz billigen sollte.

Den Arzt, besonders denjenigen, der das Organ des Auges zu beobachten, es zu erhalten, dessen Mängeln abzuhelfen und dessen Übel zu heilen berufen ist, glauben wir uns vorzüglich zum Freunde zu machen. In der Abteilung von den physiologischen Farben, in dem Anhange, der die pathologischen andeutet, findet er sich ganz zu Hause. Und wir werden gewiß durch die Bemühungen jener Männer, die zu unserer Zeit dieses Fach mit Glück behandeln, jene erste, bisher vernachlässigte und man kann wohl sagen wichtigste Abteilung der Farbenlehre ausführlich bearbeitet sehen.

Am freundlichsten sollte der Physiker uns entgegenkommen, da wir ihm die Bequemlichkeit verschaffen, die Lehre von den Farben in der Reihe aller übrigen elementaren Erscheinungen vorzutragen und sich dabei einer übereinstimmenden Sprache, ja fast derselbigen Worte und Zeichen, wie unter den übrigen Rubriken, zu bedienen. Freilich machen wir ihm, insofern er Lehrer ist, etwas mehr Mühe: denn das Kapitel von den Farben läßt sich künftig nicht wie bisher mit wenig Paragraphen und Versuchen abtun; auch wird sich der Schüler nicht leicht so frugal, als man ihn sonst bedienen mögen, ohne

Murren abspeisen lassen. Dagegen findet sich späterhin ein anderer Vorteil. Denn wenn die Newtonische Lehre leicht zu lernen war, so zeigten sich bei ihrer Anwendung unüberwindliche Schwierigkeiten. Unsere Lehre ist vielleicht schwerer zu fassen, aber alsdann ist auch alles getan: denn sie führt ihre Anwendung mit sich.

Der Chemiker, welcher auf die Farben als Kriterien achtet, um die geheimern Eigenschaften körperlicher Wesen zu entdecken, hat bisher bei Benennung und Bezeichnung der Farben manches Hindernis gefunden; ja man ist nach einer näheren und feineren Betrachtung bewogen worden, die Farbe als ein unsicheres und trügliches Kennzeichen bei chemischen Operationen anzusehen. Doch hoffen wir sie durch unsere Darstellung und durch die vorgeschlagene Nomenklatur wieder zu Ehren zu bringen, und die Überzeugung zu erwecken, daß ein Werdendes, Wachsendes, ein Bewegliches, der Umwendung Fähiges nicht betrüglich sei, vielmehr geschickt, die zartesten Wirkungen der Natur zu offenbaren.

Blicken wir jedoch weiter umher, so wandelt uns eine Furcht an, dem Mathematiker zu mißfallen. Durch eine sonderbare Verknüpfung von Umständen ist die Farbenlehre in das Reich, vor den Gerichtsstuhl des Mathematikers gezogen worden, wohin sie nicht gehört. Dies geschah wegen ihrer Verwandtschaft mit den übrigen Gesetzen des Sehens, welche der Mathematiker zu behandeln eigentlich berufen war. Es geschah ferner dadurch, daß ein großer Mathematiker die Farbenlehre bearbeitete, und da er sich als Physiker geirrt hatte, die ganze Kraft seines Talents aufbot, um diesem Irrtum Konsistenz zu verschaffen. Wird beides eingesehen, so muß jedes Mißverständnis bald gehoben sein, und der Mathematiker wird gern, besonders die physische Abteilung der Farbenlehre, mit bearbeiten helfen.

Dem Techniker, dem Färber hingegen, muß unsre Arbeit durchaus willkommen sein. Denn gerade diejenigen, welche über die Phänomene der Färberei nachdachten, waren am wenigsten durch die bisherige Theorie befriedigt. Sie waren die ersten, welche die Unzulänglichkeit der Newtonischen Lehre gewahr wurden. Denn es ist ein großer Unterschied, von welcher Seite man sich einem Wissen, einer Wissenschaft nähert, durch welche Pforte man herein kommt. Der echte Praktiker, der Fabrikant, dem sich die Phänomene täglich mit Gewalt aufdringen, welcher Nutzen oder Schaden von der Ausübung seiner Überzeugungen empfindet, dem Geld- und Zeitverlust nicht gleichgültig ist, der vorwärts will, von anderen Geleistetes erreichen, übertreffen soll; er empfindet viel geschwinder das Hohle, das Falsche einer Theorie, als der Gelehrte, dem zuletzt die hergebrachten Worte für bare Münze gelten, als der Mathematiker, dessen Formel immer noch richtig bleibt, wenn auch die Unterlage nicht zu ihr paßt, auf die sie angewendet worden. Und so werden auch wir, da wir von der Seite der Malerei, von der Seite ästhetischer Färbung der Oberflächen, in die Farbenlehre hereingekommen, für den Maler das Dankenswerteste geleistet haben, wenn wir in der sechsten Abteilung die sinnlichen und sittlichen Wirkungen der Farbe zu bestimmen gesucht, und sie dadurch dem Kunstgebrauch annähern wollen. Ist auch hierbei, wie durchaus, manches nur Skizze geblieben, so soll ja alles Theoretische eigentlich nur die Grundzüge andeuten, auf welchen sich hernach die Tat lebendig ergehen und zu gesetzlichem Hervorbringen gelangen mag.

ERSTE ABTEILUNG

Physiologische Farben

1. Diese Farben, welche wir billig obenan setzen, weil sie dem Subjekt, weil sie dem Auge, teils völlig, teils größtens zugehören, diese Farben, welche das Fundament der ganzen Lehre machen und uns die chromatische Harmonie, worüber so viel gestritten wird, offenbaren, wurden bisher als außerwesent-lich, zufällig, als Täuschung und Gebrechen betrachtet. Die Er-scheinungen derselben sind von früheren Zeiten her bekannt, aber weil man ihre Flüchtigkeit nicht haschen konnte, so verbannte man sie in das Reich der schädlichen Gespenster und bezeichnete sie in diesem Sinne gar verschiedentlich.

2. Also heißen sie colores adventicii nach Boyle, imaginarii und phantastici nach Rizzetti, nach Buffon couleurs accidentel-les, nach Scherffer Scheinfarben; Augentäuschungen und Gesichtsbetrug nach mehreren, nach Hamberger vitia fugi-tiva, nach Darwin ocular spectra.

3. Wir haben sie physiologische genannt, weil sie dem gesun-den Auge angehören, weil wir sie als die notwendigen Bedin-gungen des Sehens betrachten, auf dessen lebendiges Wechsel-wirken in sich selbst und nach außen sie hindeuten.

4. Wir fügen ihnen sogleich die pathologischen hinzu, welche, wie jeder abnorme Zustand auf den gesetzlichen, so auch hier auf die physiologischen Farben eine vollkommenere Einsicht verbreiten.

I. Licht und Finsternis zum Auge

5. Die Retina befindet sich, je nachdem Licht oder Finsternis auf sie wirken, in zwei verschiedenen Zuständen, die einander völlig entgegenstehen.

6. Wenn wir die Augen innerhalb eines ganz finstern Raums offen halten, so wird uns ein gewisser Mangel empfindbar. Das Organ ist sich selbst überlassen, es zieht sich in sich selbst zurück, ihm fehlt jene reizende befriedigende Berührung, durch die es mit der äußern Welt verbunden und zum Ganzen wird.

7. Wenden wir das Auge gegen eine stark beleuchtete weiße Fläche, so wird es geblendet und für eine Zeit lang unfähig, mäßig beleuchtete Gegenstände zu unterscheiden.

8. Jeder dieser äußersten Zustände nimmt auf die angegebene

Weise die ganze Netzhaut ein, und in so fern werden wir nur einen derselben auf einmal gewahr. Dort (6) fanden wir das Organ in der höchsten Abspannung und Empfänglichkeit, hier (7) in der äußersten Überspannung und Unempfindlichkeit.

9. Gehen wir schnell aus einem dieser Zustände in den andern über, wenn auch nicht von einer äußersten Grenze zur andern, sondern etwa nur aus dem Hellen ins Dämmernde; so ist der Unterschied bedeutend und wir können bemerken, daß die Zustände eine Zeit lang dauern.

10. Wer aus der Tageshelle in einen dämmrigen Ort übergeht, unterscheidet nichts in der ersten Zeit, nach und nach stellen sich die Augen zur Empfänglichkeit wieder her, starke früher als schwache, jene schon in einer Minute, wenn diese sieben bis acht Minuten brauchen.

11. Bei wissenschaftlichen Beobachtungen kann die Unempfänglichkeit des Auges für schwache Lichteindrücke, wenn man aus dem Hellen ins Dunkle geht, zu sonderbaren Irrtümern Gelegenheit geben. So glaubte ein Beobachter, dessen Auge sich langsam herstellte, eine ganze Zeit, das faule Holz leuchte nicht um Mittag, selbst in der dunklen Kammer. Er sah nämlich das schwache Leuchten nicht, weil er aus dem hellen Sonnenschein in die dunkle Kammer zu gehen pflegte und erst später einmal so lange darin verweilte, bis sich das Auge wieder hergestellt hatte.

Eben so mag es dem Doctor Wall mit dem elektrischen Scheine des Bernsteins gegangen sein, den er bei Tage, selbst im dunklen Zimmer, kaum gewahr werden konnte.

Das Nichtsehen der Sterne bei Tage, das Bessersehen der Gemälde durch eine doppelte Röhre ist auch hieher zu rechnen.

12. Wer einen völlig dunklen Ort mit einem, den die Sonne bescheint, verwechselt, wird geblendet. Wer aus der Dämmrung ins nicht blendende Helle kommt, bemerkt alle Gegenstände frischer und besser; daher ein ausgeruhtes Auge durchaus für mäßige Erscheinungen empfänglicher ist.

Bei Gefangenen, welche lange im Finstern gesessen, ist die Empfänglichkeit der Retina so groß, daß sie im Finstern (wahrscheinlich in einem wenig erhellten Dunkel) schon Gegenstände unterscheiden.

13. Die Netzhaut befindet sich bei dem, was wir sehen heißen, zu gleicher Zeit in verschiedenen, ja in entgegengesetzten Zuständen. Das höchste nicht blendende Helle wirkt neben dem völlig Dunkeln. Zugleich werden wir alle Mittelstufen des Helldunkeln und alle Farbenstimmungen gewahr.

14. Wir wollen gedachte Elemente der sichtbaren Welt nach und nach betrachten und bemerken, wie sich das Organ gegen dieselben verhalte, und zu diesem Zweck die einfachsten Bilder vornehmen.

II. Schwarze und weiße Bilder zum Auge

15. Wie sich die Netzhaut gegen Hell und Dunkel überhaupt verhält, so verhält sie sich auch gegen dunkle und helle einzelne Gegenstände. Wenn Licht und Finsternis ihr im Ganzen verschiedene Stimmungen geben; so werden schwarze und weiße Bilder, die zu gleicher Zeit ins Auge fallen, diejenigen Zustände neben einander bewirken, welche durch Licht und Finsternis in einer Folge hervorgebracht wurden.

16. Ein dunkler Gegenstand erscheint kleiner, als ein heller von derselben Größe. Man sehe zugleich eine weiße Rundung auf schwarzem, eine schwarze auf weißem Grunde, welche nach einerlei Zirkelschlag ausgeschnitten sind, in einiger Entfernung an, und wir werden die letztere etwa um ein Fünftel kleiner, als die erste halten. Man mache das schwarze Bild um soviel größer, und sie werden gleich erscheinen.

17. So bemerkte Tycho de Brahe, daß der Mond in der Konjunktion (der finstere) um den fünften Teil kleiner erscheine, als in der Opposition (der volle helle). Die erste Mondsichel scheint einer größern Scheibe anzugehören, als der an sie grenzenden dunkeln, die man zur Zeit des Neulichtes manchmal unterscheiden kann. Schwarze Kleider machen die Personen viel schmäler aussehen, als helle. Hinter einem Rand gesehene Lichter machen in den Rand einen scheinbaren Einschnitt. Ein Lineal, hinter welchem ein Kerzenlicht hervorblickt, hat für uns eine Scharte. Die auf- und untergehende Sonne scheint einen Einschnitt in den Horizont zu machen.

18. Das Schwarze, als Repräsentant der Finsternis, läßt das Organ im Zustande der Ruhe, das Weiße, als Stellvertreter des Lichts, versetzt es in Tätigkeit. Man schlösse vielleicht aus gedachtem Phänomen (16), daß die ruhige Netzhaut, wenn sie sich selbst überlassen ist, in sich selbst zusammengezogen sei, und einen kleinern Raum einnehme als in dem Zustande der Tätigkeit, in den sie durch den Reiz des Lichts versetzt wird.

Kepler sagt daher sehr schön: certum est vel in retina caussa picturae, vel in spiritibus caussa impressionis exsistere dilatationem lucidorum. Paralip. in Vitellionem p. 220. Pater Scherffer hat eine ähnliche Mutmaßung.

19. Wie dem auch sei, beide Zustände, zu welchen das Organ durch ein solches Bild bestimmt wird, bestehen auf demselben örtlich und dauern eine Zeit lang fort, wenn auch schon der äußre Anlaß entfernt ist. Im gemeinen Leben bemerken wir es kaum: denn selten kommen Bilder vor, die sehr stark von einander abstechen. Wir vermeiden diejenigen anzusehn, die uns blenden. Wir blicken von einem Gegenstand auf den andern, die Sukzession der Bilder scheint uns rein, wir werden nicht gewahr, daß sich von dem vorhergehenden etwas ins nachfolgende hinüberschleicht.

20. Wer auf ein Fensterkreuz, das einen dämmernden Himmel zum Hintergrunde hat, morgens beim Erwachen, wenn das Auge besonders empfänglich ist, scharf hinblickt und sodann die Augen schließt, oder gegen einen ganz dunklen Ort hinsieht, wird ein schwarzes Kreuz auf hellem Grunde noch eine Weile vor sich sehen.

21. Jedes Bild nimmt seinen bestimmten Platz auf der Netzhaut ein, und zwar einen größern oder kleinern, nach dem Maße, in welchem es nahe oder fern gesehen wird. Schließen wir das Auge sogleich, wenn wir in die Sonne gesehen haben; so werden wir uns wundern, wie klein das zurückgebliebene Bild erscheint.

22. Kehren wir dagegen das geöffnete Auge nach einer Wand, und betrachten das uns vorschwebende Gespenst in Bezug auf andre Gegenstände; so werden wir es immer größer erblicken, je weiter von uns es durch irgend eine Fläche aufgefangen wird. Dieses Phänomen erklärt sich wohl aus dem perspektivischen Gesetz, daß uns der kleine nähere Gegenstand den größern entfernten zudeckt.

23. Nach Beschaffenheit der Augen ist die Dauer dieses Eindrucks verschieden. Sie verhält sich wie die Herstellung der Netzhaut bei dem Übergang aus dem Hellen ins Dunkle (10), und kann also nach Minuten und Sekunden abgemessen werden, und zwar viel genauer, als es bisher durch eine geschwungene brennende Lunte, die dem hinblickenden Auge als ein Zirkel erscheint, geschehen konnte.

24. Besonders auch kommt die Energie in Betracht, womit eine Lichtwirkung das Auge trifft. Am längsten bleibt das Bild der Sonne, andre mehr oder weniger leuchtende Körper lassen ihre Spur länger oder kürzer zurück.

25. Diese Bilder verschwinden nach und nach, und zwar indem sie sowohl an Deutlichkeit als an Größe verlieren.

26. Sie nehmen von der Peripherie herein ab, und man glaubt bemerkt zu haben, daß bei viereckten Bildern sich nach und nach die Ecken abstumpfen, und zuletzt ein immer kleineres rundes Bild vorschwebt.

27. Ein solches Bild, dessen Eindruck nicht mehr bemerklich ist, läßt sich auf der Retina gleichsam wieder beleben, wenn wir die Augen öffnen und schließen und mit Erregung und Schonung abwechseln.

28. Daß Bilder sich bei Augenkrankheiten vierzehn bis siebzehn Minuten, ja länger auf der Retina erhielten, deutet auf äußerste Schwäche des Organs, auf dessen Unfähigkeit sich wieder herzustellen, so wie das Vorschweben leidenschaftlich geliebter oder verhaßter Gegenstände aus dem Sinnlichen ins Geistige deutet.

29. Blickt man, indessen der Eindruck obgedachten Fensterbildes noch dauert, nach einer hellgrauen Fläche, so erscheint das Kreuz hell und der Scheibenraum dunkel. In jenem Falle (20) blieb der Zustand sich selbst gleich, so daß auch der Eindruck identisch verharren konnte; hier aber wird eine Umkehrung bewirkt, die unsere Aufmerksamkeit aufregt und von der uns die Beobachter mehrere Fälle überliefert haben.

30. Die Gelehrten, welche auf den Cordilleras ihre Beobachtungen anstellten, sahen um den Schatten ihrer Köpfe, der auf Wolken fiel, einen hellen Schein. Dieser Fall gehört wohl hieher: denn indem sie das dunkle Bild des Schattens fixierten und sich zugleich von der Stelle bewegten, so schien ihnen das geforderte helle Bild um das dunkle zu schweben. Man betrachte ein schwarzes Rund auf einer hellgrauen Fläche, so wird man bald, wenn man die Richtung des Blicks im geringsten verändert, einen hellen Schein um das dunkle Rund schweben sehen.

Auch mir ist ein Ähnliches begegnet. Indem ich nämlich auf dem Felde sitzend mit einem Manne sprach, der, in einiger Entfernung vor mir stehend, einen grauen Himmel zum Hintergrund hatte, so erschien mir, nachdem ich ihn lange scharf und unverwandt angesehen, als ich den Blick ein wenig gewendet, sein Kopf von einem blendenden Schein umgeben.

Wahrscheinlich gehört hieher auch das Phänomen, daß Personen, die bei Aufgang der Sonne an feuchten Wiesen hergehen, einen Schein um ihr Haupt erblicken, der zugleich farbig sein mag, weil sich von den Phänomenen der Refraktion etwas einmischt.

So hat man auch um die Schatten der Luftballone, welche

auf Wolken fielen, helle und einigermaßen gefärbte Kreise bemerken wollen.

Pater Beccaria stellte einige Versuche an über die Wetterelektrizität, wobei er den papiernen Drachen in die Höhe steigen ließ. Es zeigte sich um diese Maschine ein kleines glänzendes Wölkchen von abwechselnder Größe, ja auch um einen Teil der Schnur. Es verschwand zuweilen und, wenn der Drache sich schneller bewegte, schien es auf dem vorigen Platze einige Augenblicke hin und wieder zu schweben. Diese Erscheinung, welche die damaligen Beobachter nicht erklären konnten, war das im Auge zurückgebliebene, gegen den hellen Himmel in ein helles verwandelte Bild des dunklen Drachen.

Bei optischen, besonders chromatischen Versuchen, wo man oft mit blendenden Lichtern, sie seien farblos oder farbig, zu tun hat, muß man sich sehr vorsehen, daß nicht das zurückgebliebene Spektrum einer vorhergehenden Beobachtung sich mit in eine folgende Beobachtung mische und dieselbe verwirrt und unrein mache.

31. Diese Erscheinungen hat man sich folgendermaßen zu erklären gesucht. Der Ort der Retina, auf welchen das Bild des dunklen Kreuzes fiel, ist als ausgeruht und empfänglich anzusehen. Auf ihn wirkt die mäßig erhellte Fläche lebhafter, als auf die übrigen Teile der Netzhaut, welche durch die Fensterscheiben das Licht empfingen, und nachdem sie durch einen so viel stärkeren Reiz in Tätigkeit gesetzt worden, die graue Fläche nur als dunkel gewahr werden.

32. Diese Erklärungsart scheint für den gegenwärtigen Fall ziemlich hinreichend; in Betrachtung künftiger Erscheinungen aber sind wir genötigt das Phänomen aus höhern Quellen abzuleiten.

33. Das Auge eines Wachenden äußert seine Lebendigkeit besonders darin, daß es durchaus in seinen Zuständen abzuwechseln verlangt, die sich am einfachsten vom Dunkeln zum Hellen und umgekehrt bewegen. Das Auge kann und mag nicht einen Moment in einem besondern, in einem durch das

Objekt spezifizierten Zustande identisch verharren. Es ist vielmehr zu einer Art von Opposition genötigt, die, indem sie das Extrem dem Extreme, das Mittlere dem Mittleren entgegensetzt, sogleich das Entgegengesetzte verbindet, und in der Sukzession sowohl als in der Gleichzeitigkeit und Gleichörtlichkeit nach einem Ganzen strebt.

34. Vielleicht entsteht das außerordentliche Behagen, das wir bei dem wohlbehandelten Helldunkel farbloser Gemälde und ähnlicher Kunstwerke empfinden, vorzüglich aus dem gleichzeitigen Gewahrwerden eines Ganzen, das von dem Organ sonst nur in einer Folge mehr gesucht, als hervorgebracht wird und, wie es auch gelingen möge, niemals festgehalten werden kann.

(…)

V. Farbige Bilder

47. Wir wurden die physiologischen Farben zuerst beim Abklingen farbloser blendender Bilder, so wie auch bei abklingenden allgemeinen farblosen Blendungen gewahr. Nun finden wir analoge Erscheinungen, wenn dem Auge eine schon spezifizierte Farbe geboten wird, wobei uns alles, was wir bisher erfahren haben, immer gegenwärtig bleiben muß.

48. Wie von den farblosen Bildern, so bleibt auch von den farbigen der Eindruck im Auge, nur daß uns die zur Opposition aufgeforderte, und durch den Gegensatz eine Totalität hervorbringende Lebendigkeit der Netzhaut anschaulicher wird.

49. Man halte ein kleines Stück lebhaft farbigen Papiers, oder seidnen Zeuges, vor eine mäßig erleuchtete weiße Tafel, schaue unverwandt auf die kleine farbige Fläche und hebe sie, ohne das Auge zu verrücken, nach einiger Zeit hinweg; so wird das Spektrum einer andern Farbe auf der weißen Tafel zu sehen sein. Man kann auch das farbige Papier an seinem Orte lassen, und mit dem Auge auf einen andern Fleck der weißen Tafel hinblicken; so wird jene farbige Erscheinung sich auch dort sehen lassen: denn sie entspringt aus einem Bilde, das nunmehr dem Auge angehört.

50. Um in der Kürze zu bemerken, welche Farben denn eigentlich durch diesen Gegensatz hervorgerufen werden, bediene man sich des illuminierten Farbenkreises unserer Tafeln, der überhaupt naturgemäß eingerichtet ist, und auch hier seine guten Dienste leistet, indem die in demselben diametral einander entgegengesetzten Farben diejenigen sind, welche sich im Auge wechselsweise fordern. So fordert Gelb das Violette, Orange das Blaue, Purpur das Grüne, und umgekehrt. So fordern sich alle Abstufungen wechselsweise, die einfachere Farbe fordert die zusammengesetztere und umgekehrt.

51. Öfter, als wir denken, kommen uns die hieher gehörigen Fälle im gemeinen Leben vor, ja der Aufmerksame sieht diese Erscheinungen überall, da sie hingegen von dem ununterrichteten Teil der Menschen, wie von unsern Vorfahren, als flüchtige Fehler angesehen werden, ja manchmal gar, als wären es Vorbedeutungen von Augenkrankheiten, sorgliches Nachdenken erregen. Einige bedeutende Fälle mögen hier Platz nehmen.

52. Als ich gegen Abend in ein Wirtshaus eintrat und ein wohlgewachsenes Mädchen mit blendend weißem Gesicht, schwarzen Haaren und einem scharlachroten Mieder zu mir ins Zimmer trat, blickte ich sie, die in einiger Entfernung vor mir stand, in der Halbdämmerung scharf an. Indem sie sich nun darauf hinwegbewegte, sah ich auf der mir entgegenstehenden weißen Wand ein schwarzes Gesicht, mit einem hellen Schein umgeben, und die übrige Bekleidung der völlig deutlichen Figur erschien von einem schönen Meergrün.

(...)

(. . .)

74. Saussure sagt in der Beschreibung seiner Reise auf den Montblanc:

»Eine zweite nicht uninteressante Bemerkung betrifft die Farben der Schatten, die wir trotz der genausten Beobachtung nie dunkelblau fanden, ob es gleich in der Ebene häufig der Fall gewesen war. Wir sahen sie im Gegenteil von neunundfunfzigmal einmal gelblich, sechsmal blaßbläulich, achtzehnmal farbenlos oder schwarz, und vierunddreißigmal blaßviolett.

Wenn also einige Physiker annehmen, daß diese Farben mehr von zufälligen in der Luft zerstreuten, den Schatten ihre eigentümlichen Nüancen mitteilenden Dünsten herrühren, nicht aber durch eine bestimmte Luft- oder reflektierte Himmelsfarbe verursacht werden; so scheinen jene Beobachtungen ihrer Meinung günstig zu sein.«

Die von de Saussure angezeigten Erfahrungen werden wir nun bequem einrangieren können.

Auf der großen Höhe war der Himmel meistenteils rein von Dünsten. Die Sonne wirkte in ihrer ganzen Kraft auf den weißen Schnee, so daß er dem Auge völlig weiß erschien, und sie sahen bei dieser Gelegenheit die Schatten völlig farbenlos. War die Luft mit wenigen Dünsten geschwängert und entstand dadurch ein gelblicher Ton des Schnees, so folgten violette Schatten und zwar waren diese die meisten. Auch sahen sie bläuliche Schatten, jedoch seltener; und daß die blauen und violetten nur blaß waren, kam von der hellen und heiteren Umgebung, wodurch die Schattenstärke gemindert wurde. Nur einmal sahen sie den Schatten gelblich, welches, wie wir oben (70) gesehen haben, ein Schatten ist, der von einem farblosen Gegenlichte geworfen und von dem färbenden Hauptlichte erleuchtet worden.

75. Auf einer Harzreise im Winter stieg ich gegen Abend vom Brocken herunter, die weiten Flächen auf- und abwärts waren

beschneit, die Heide von Schnee bedeckt, alle zerstreut stehenden Bäume und vorragenden Klippen, auch alle Baum- und Felsenmassen völlig bereift, die Sonne senkte sich eben gegen die Oderteiche hinunter.

Waren den Tag über, bei dem gelblichen Ton des Schnees, schon leise violette Schatten bemerklich gewesen, so mußte man sie nun für hochblau ansprechen, als ein gesteigertes Gelb von den beleuchteten Teilen widerschien.

Italienische Küstenlandschaft
bei Vollmond
Bleistift, Pinsel mit Tusche

Als aber die Sonne sich endlich ihrem Niedergang näherte, und ihr durch die stärkeren Dünste höchst gemäßigter Strahl die ganze mich umgebende Welt mit der schönsten Purpurfarbe überzog, da verwandelte sich die Schattenfarbe in ein Grün, das nach seiner Klarheit einem Meergrün, nach seiner Schönheit einem Smaragdgrün verglichen werden konnte. Die Erscheinung ward immer lebhafter, man glaubte sich in einer Feenwelt zu befinden, denn alles hatte sich in die zwei lebhaften und so schön übereinstimmenden Farben gekleidet, bis endlich mit dem Sonnenuntergang die Prachterscheinung sich in eine graue Dämmerung, und nach und nach in eine mond- und sternhelle Nacht verlor.

76. Einer der schönsten Fälle farbiger Schatten kann bei dem Vollmonde beobachtet werden. Der Kerzen- und Mondenschein lassen sich völlig ins Gleichgewicht bringen. Beide Schatten können gleich stark und deutlich dargestellt werden, so daß beide Farben sich vollkommen balancieren. Man setzt die Tafel dem Scheine des Vollmondes entgegen, das Kerzenlicht ein wenig an die Seite, in gehöriger Entfernung, vor die Tafel hält man einen undurchsichtigen Körper; alsdann entsteht ein doppelter Schatten, und zwar wird derjenige, den der Mond wirft und das Kerzenlicht bescheint, gewaltig rotgelb, und umgekehrt der, den das Licht wirft und der Mond bescheint, vom schönsten Blau gesehen werden. Wo beide Schatten zusammentreffen und sich zu *einem* vereinigen, ist er schwarz. Der gelbe Schatten läßt sich vielleicht auf keine Weise auffallender darstellen. Die unmittelbare Nähe des blauen, der dazwischentretende schwarze Schatten machen die Erscheinung desto angenehmer. Ja, wenn der Blick lange auf der Tafel verweilt, so wird das geforderte Blau das fordernde Gelb wieder gegenseitig fordernd steigern und ins Gelbrote treiben, welches denn wieder seinen Gegensatz, eine Art von Meergrün, hervorbringt.

Hier ist der Ort zu bemerken, daß es wahrscheinlich eines Zeitmomentes bedarf, um die geforderte Farbe hervorzubringen. Die Retina muß von der fordernden Farbe erst recht affiziert sein, ehe die geforderte lebhaft bemerklich wird.

78. Wenn Taucher sich unter dem Meer befinden und das Sonnenlicht in ihre Glocke scheint, so ist alles Beleuchtete, was sie umgibt, purpurfarbig (wovon künftig die Ursache anzugeben ist); die Schatten dagegen sehen grün aus. Eben dasselbe Phänomen, was ich auf einem hohen Berge gewahr wurde (75), bemerken sie in der Tiefe des Meers, und so ist die Natur mit sich selbst durchaus übereinstimmend.

79. Einige Erfahrungen und Versuche, welche sich zwischen die Kapitel von farbigen Bildern und von farbigen Schatten gleichsam einschieben, werden hier nachgebracht.

Man habe an einem Winterabende einen weißen Papierladen inwendig vor dem Fenster eines Zimmers; in diesem Laden sei eine Öffnung, wodurch man den Schnee eines etwa benachbarten Daches sehen könne; es sei draußen noch einigermaßen dämmrig und ein Licht komme in das Zimmer; so wird der Schnee durch die Öffnung vollkommen blau erscheinen, weil nämlich das Papier durch das Kerzenlicht gelb gefärbt wird. Der Schnee, welchen man durch die Öffnung sieht, tritt hier an die Stelle eines durch ein Gegenlicht erhellten Schattens, oder, wenn man will, eines grauen Bildes auf gelber Fläche.

80. Ein andrer sehr interessanter Versuch mache den Schluß.

Nimmt man eine Tafel grünen Glases von einiger Stärke und läßt darin die Fensterstäbe sich spiegeln; so wird man sie doppelt sehen, und zwar wird das Bild, das von der untern Fläche des Glases kommt, grün sein, das Bild hingegen, das sich von der obern Fläche herleitet und eigentlich farblos sein sollte, wird purpurfarben erscheinen.

An einem Gefäß, dessen Boden spiegelartig ist, welches man mit Wasser füllen kann, läßt sich der Versuch sehr artig anstellen, indem man bei reinem Wasser erst die farblosen Bilder zeigen, und durch Färbung desselben sodann die farbigen Bilder produzieren kann.

*

SECHSTE ABTEILUNG

Sinnlich-sittliche Wirkung der Farbe

758. Da die Farbe in der Reihe der uranfänglichen Naturerscheinungen einen so hohen Platz behauptet, indem sie den ihr angewiesenen einfachen Kreis mit entschiedener Mannigfaltigkeit ausfüllt; so werden wir uns nicht wundern, wenn wir erfahren, daß sie auf den Sinn des Auges, dem sie vorzüglich zugeeignet ist, und durch dessen Vermittelung, auf das

Gemüt, in ihren allgemeinsten elementaren Erscheinungen ohne Bezug auf Beschaffenheit oder Form eines Materials an dessen Oberfläche wir sie gewahr werden, einzeln eine spezifische, in Zusammenstellung eine teils harmonische, teils charakteristische, oft auch unharmonische, immer aber eine entschiedene und bedeutende Wirkung hervorbringe, die sich unmittelbar an das Sittliche anschließt. Deshalb denn Farbe, als ein Element der Kunst betrachtet, zu den höchsten ästhetischen Zwecken mitwirkend genutzt werden kann.

759. Die Menschen empfinden im Allgemeinen eine große Freude an der Farbe. Das Auge bedarf ihrer, wie es des Lichtes bedarf. Man erinnre sich der Erquickung, wenn an einem trüben Tage die Sonne auf einen einzelnen Teil der Gegend scheint und die Farben daselbst sichtbar macht. Daß man den farbigen Edelsteinen Heilkräfte zuschrieb, mag aus dem tiefen Gefühl dieses unaussprechlichen Behagens entstanden sein.

760. Die Farben, die wir an den Körpern erblicken, sind nicht etwa dem Auge ein völlig Fremdes, wodurch es erst zu dieser Empfindung gleichsam gestempelt würde; nein. Dieses Organ ist immer in der Disposition, selbst Farben hervorzubringen, und genießt einer angenehmen Empfindung, wenn etwas der eigenen Natur Gemäßes ihm von außen gebracht wird; wenn seine Bestimmbarkeit nach einer gewissen Seite hin bedeutend bestimmt wird.

761. Aus der Idee des Gegensatzes der Erscheinung, aus der Kenntnis, die wir von den besonderen Bestimmungen desselben erlangt haben, können wir schließen, daß die einzelnen Farbeindrücke nicht verwechselt werden können, daß sie spezifisch wirken, und entschieden spezifische Zustände in dem lebendigen Organ hervorbringen müssen.

762. Eben auch so in dem Gemüt. Die Erfahrung lehrt uns, daß die einzelnen Farben besondre Gemütsstimmungen geben. Von einem geistreichen Franzosen wird erzählt: Il prétendoit que son ton de conversation avec Madame étoit

changé depuis qu'elle avoit changé en cramoisi le meuble de
son cabinet qui étoit bleu.

763. Diese einzelnen bedeutenden Wirkungen vollkommen
zu empfinden, muß man das Auge ganz mit einer Farbe
umgeben, z. B. in einem einfarbigen Zimmer sich befinden, durch ein farbiges Glas sehen. Man identifiziert sich
alsdann mit der Farbe; sie stimmt Auge und Geist mit sich
unisono.

764. Die Farben von der Plusseite sind Gelb, Rotgelb
(Orange), Gelbrot (Mennig, Zinnober). Sie stimmen regsam,
lebhaft, strebend.

Gelb

765. Es ist die nächste Farbe am Licht. Sie entsteht durch die
gelindeste Mäßigung desselben, es sei durch trübe Mittel, oder
durch schwache Zurückwerfung von weißen Flächen. Bei den
prismatischen Versuchen erstreckt sie sich allein breit in den
lichten Raum, und kann dort, wenn die beiden Pole noch
abgesondert von einander stehen, ehe sie sich mit dem Blauen
zum Grünen vermischt, in ihrer schönsten Reinheit gesehen
werden. Wie das chemische Gelb sich an und über dem Weißen
entwickelt, ist gehörigen Orts umständlich vorgetragen
worden.

766. Sie führt in ihrer höchsten Reinheit immer die Natur des
Hellen mit sich, und besitzt eine heitere, muntere, sanft
reizende Eigenschaft.

767. In diesem Grade ist sie als Umgebung, es sei als Kleid,
Vorhang, Tapete, angenehm. Das Gold in seinem ganz unge-
mischten Zustande gibt uns, besonders wenn der Glanz hinzu-
kommt, einen neuen und hohen Begriff von dieser Farbe; so
wie ein starkes Gelb, wenn es auf glänzender Seide, z. B. auf
Atlas erscheint, eine prächtige und edle Wirkung tut.

768. So ist es der Erfahrung gemäß, daß das Gelbe einen
durchaus warmen und behaglichen Eindruck mache. Daher es

auch in der Malerei der beleuchteten und wirksamen Seite zukommt.

769. Diesen erwärmenden Effekt kann man am lebhaftesten bemerken, wenn man durch ein gelbes Glas, besonders in grauen Wintertagen, eine Landschaft ansieht. Das Auge wird erfreut, das Herz ausgedehnt, das Gemüt erheitert; eine unmittelbare Wärme scheint uns anzuwehen.

770. Wenn nun diese Farbe, in ihrer Reinheit und hellem Zustande angenehm und erfreulich, in ihrer ganzen Kraft aber etwas Heiteres und Edles hat; so ist sie dagegen äußerst empfindlich und macht eine sehr unangenehme Wirkung, wenn sie beschmutzt, oder einigermaßen ins Minus gezogen wird. So hat die Farbe des Schwefels, die ins Grüne fällt, etwas Unangenehmes.

771. Wenn die gelbe Farbe unreinen und unedlen Oberflächen mitgeteilt wird, wie dem gemeinen Tuch, dem Filz und dergleichen, worauf sie nicht mit ganzer Energie erscheint, entsteht eine solche unangenehme Wirkung. Durch eine geringe und unmerkliche Bewegung wird der schöne Eindruck des Feuers und Goldes in die Empfindung des Kotigen verwandelt, und die Farbe der Ehre und Wonne zur Farbe der Schande, des Abscheus und Mißbehagens umgekehrt. Daher mögen die gelben Hüte der Bankerottierer, die gelben Ringe auf den Mänteln der Juden entstanden sein; ja die sogenannte Hahnreifarbe ist eigentlich nur ein schmutziges Gelb.

Rotgelb

772. Da sich keine Farbe als stillstehend betrachten läßt, so kann man das Gelbe sehr leicht durch Verdichtung und Verdunklung ins Rötliche steigern und erheben. Die Farbe wächst an Energie und erscheint im Rotgelben mächtiger und herrlicher.

773. Alles was wir vom Gelben gesagt haben, gilt auch hier, nur im höhern Grade. Das Rotgelbe gibt eigentlich dem Auge

das Gefühl von Wärme und Wonne, indem es die Farben der höhern Glut, so wie den mildern Abglanz der untergehenden Sonne repräsentiert. Deswegen ist sie auch bei Umgebungen angenehm, und als Kleidung in mehr- oder minderm Grade erfreulich oder herrlich. Ein kleiner Blick ins Rote gibt dem Gelben gleich ein ander Ansehn; und wenn Engländer und Deutsche sich noch an blaßgelben hellen Lederfarben genügen lassen, so liebt der Franzose, wie Pater Castel schon bemerkt, das ins Rot gesteigerte Gelb; wie ihn überhaupt an Farben alles freut, was sich auf der aktiven Seite befindet.

Gelbrot

774. Wie das reine Gelb sehr leicht in das Rotgelbe hinüber-geht, so ist die Steigerung dieses letzten ins Gelbrote nicht aufzuhalten. Das angenehme heitre Gefühl, das uns das Rot-gelbe noch gewährt, steigert sich bis zum unerträglich Gewalt-samen im hohen Gelbroten.

775. Die aktive Seite ist hier in ihrer höchsten Energie, und es ist kein Wunder, daß energische, gesunde, rohe Menschen sich besonders an dieser Farbe erfreuen. Man hat die Neigung zu derselben bei wilden Völkern durchaus bemerkt. Und wenn Kinder, sich selbst überlassen, zu illuminieren anfangen, so werden sie Zinnober und Mennig nicht schonen.

776. Man darf eine vollkommen gelbrote Fläche starr anse-hen, so scheint sich die Farbe wirklich ins Organ zu bohren. Sie bringt eine unglaubliche Erschütterung hervor und behält diese Wirkung bei einem ziemlichen Grade von Dunkelheit.

Die Erscheinung eines gelbroten Tuches beunruhigt und erzürnt die Tiere. Auch habe ich gebildete Menschen gekannt, denen es unerträglich fiel, wenn ihnen an einem sonst grauen Tage jemand im Scharlachrock begegnete.

777. Die Farben von der Minusseite sind Blau, Rotblau und Blaurot. Sie stimmen zu einer unruhigen, weichen und seh-nenden Empfindung.

778. So wie Gelb immer ein Licht mit sich führt, so kann man sagen, daß Blau immer etwas Dunkles mit sich führe.

779. Diese Farbe macht für das Auge eine sonderbare und fast unaussprechliche Wirkung. Sie ist als Farbe eine Energie; allein sie steht auf der negativen Seite und ist in ihrer höchsten Reinheit gleichsam ein reizendes Nichts. Es ist etwas Widersprechendes von Reiz und Ruhe im Anblick.

780. Wie wir den hohen Himmel, die fernen Berge blau sehen, so scheint eine blaue Fläche auch vor uns zurückzuweichen.

781. Wie wir einen angenehmen Gegenstand, der vor uns flieht, gern verfolgen, so sehen wir das Blaue gern an, nicht weil es auf uns dringt, sondern weil es uns nach sich zieht.

782. Das Blaue gibt uns ein Gefühl von Kälte, so wie es uns auch an Schatten erinnert. Wie es vom Schwarzen abgeleitet sei, ist uns bekannt.

783. Zimmer, die rein blau austapeziert sind, erscheinen gewissermaßen weit, aber eigentlich leer und kalt.

784. Blaues Glas zeigt die Gegenstände im traurigen Licht.

785. Es ist nicht unangenehm, wenn das Blau einigermaßen vom Plus partizipiert. Das Meergrün ist vielmehr eine liebliche Farbe.

Rotblau

786. Wie wir das Gelbe sehr bald in einer Steigerung gefunden haben, so bemerken wir auch bei dem Blauen dieselbe Eigenschaft.

787. Das Blaue steigert sich sehr sanft ins Rote und erhält dadurch etwas Wirksames, ob es sich gleich auf der passiven Seite befindet. Sein Reiz ist aber von ganz andrer Art, als der des Rotgelben. Er belebt nicht sowohl, als daß er unruhig macht.

788. So wie die Steigerung selbst unaufhaltsam ist, so wünscht man auch mit dieser Farbe immer fortzugehen, nicht

aber, wie beim Rotgelben, immer tätig vorwärts zu schreiten, sondern einen Punkt zu finden, wo man ausruhen könnte.

789. Sehr verdünnt kennen wir die Farbe unter dem Namen Lila; aber auch so hat sie etwas Lebhaftes ohne Fröhlichkeit.

Blaurot

790. Jene Unruhe nimmt bei der weiter schreitenden Steigerung zu, und man kann wohl behaupten, daß eine Tapete von einem ganz reinen gesättigten Blaurot eine Art von unerträglicher Gegenwart sein müsse. Deswegen es auch, wenn es als Kleidung, Band, oder sonstiger Zierrat vorkommt, sehr verdünnt und hell angewendet wird; da es denn seiner bezeichneten Natur nach einen ganz besondern Reiz ausübt.

791. Indem die hohe Geistlichkeit diese unruhige Farbe sich angeeignet hat; so dürfte man wohl sagen, daß sie auf den unruhigen Staffeln einer immer vordringenden Steigerung unaufhaltsam zu dem Kardinalpurpur hinaufstrebe.

Rot

792. Man entferne bei dieser Benennung alles, was im Roten einen Eindruck von Gelb oder Blau machen könnte. Man denke sich ein ganz reines Rot, einen vollkommenen, auf einer weißen Porzellanschale aufgetrockneten Karmin. Wir haben diese Farbe, ihrer hohen Würde wegen, manchmal Purpur genannt, ob wir gleich wohl wissen, daß der Purpur der Alten sich mehr nach der blauen Seite hinzog.

793. Wer die prismatische Entstehung des Purpurs kennt, der wird nicht paradox finden, wenn wir behaupten, daß diese Farbe teils actu, teils potentia alle andern Farben enthalte.

794. Wenn wir beim Gelben und Blauen eine strebende Steigerung ins Rote gesehen und dabei unsre Gefühle bemerkt haben; so läßt sich denken, daß nun in der Vereinigung der gesteigerten Pole eine eigentliche Beruhigung, die wir eine ideale Befriedigung nennen möchten, statt finden könne. Und

so entsteht, bei physischen Phänomenen, diese höchste aller Farbenerscheinungen aus dem Zusammentreten zweier entgegengesetzten Enden, die sich zu einer Vereinigung nach und nach selbst vorbereitet haben.

795. Als Pigment hingegen erscheint sie uns als ein Fertiges und als das vollkommenste Rot in der Cochenille; welches Material jedoch durch chemische Behandlung bald ins Plus, bald ins Minus zu führen ist, und allenfalls im besten Karmin als völlig im Gleichgewicht stehend angesehen werden kann.

796. Die Wirkung dieser Farbe ist so einzig wie ihre Natur. Sie gibt einen Eindruck sowohl von Ernst und Würde, als von Huld und Anmut. Jenes leistet sie in ihrem dunklen verdichteten, dieses in ihrem hellen verdünnten Zustande. Und so kann sich die Würde des Alters und die Liebenswürdigkeit der Jugend in *eine* Farbe kleiden.

797. Von der Eifersucht der Regenten auf den Purpur erzählt uns die Geschichte manches. Eine Umgebung von dieser Farbe ist immer ernst und prächtig.

798. Das Purpurglas zeigt eine wohlerleuchtete Landschaft in furchtbarem Lichte. So müßte der Farbeton über Erd' und Himmel am Tage des Gerichts ausgebreitet sein.

799. Da die beiden Materialien, deren sich die Färberei zur Hervorbringung dieser Farbe vorzüglich bedient, der Kermes und die Cochenille, sich mehr oder weniger zum Plus und Minus neigen; auch sich durch Behandlung mit Säuren und Alkalien herüber und hinüber führen lassen: so ist zu bemerken, daß die Franzosen sich auf der wirksamen Seite halten, wie der französische Scharlach zeigt, welcher ins Gelbe zieht; die Italiener hingegen auf der passiven Seite verharren, so daß ihr Scharlach eine Ahndung von Blau behält.

800. Durch eine ähnliche alkalische Behandlung entsteht das Karmesin, eine Farbe, die den Franzosen sehr verhaßt sein muß, da sie die Ausdrücke sot en cramoisi, méchant en cramoisi als das *Äußerste* des Abgeschmackten und Bösen bezeichnen.

801. Wenn man Gelb und Blau, welche wir als die ersten und einfachsten Farben ansehen, gleich bei ihrem ersten Erscheinen, auf der ersten Stufe ihrer Wirkung zusammenbringt, so entsteht diejenige Farbe, welche wir Grün nennen.

802. Unser Auge findet in derselben eine reale Befriedigung. Wenn beide Mutterfarben sich in der Mischung genau das Gleichgewicht halten, dergestalt, daß keine vor der andern bemerklich ist, so ruht das Auge und das Gemüt auf diesem Gemischten wie auf einem Einfachen. Man will nicht weiter und man kann nicht weiter. Deswegen für Zimmer, in denen man sich immer befindet, die grüne Farbe zur Tapete meist gewählt wird.

Totalität und Harmonie

803. Wir haben bisher zum Behuf unseres Vortrages angenommen, daß das Auge genötigt werden könne, sich mit irgend einer einzelnen Farbe zu identifizieren; allein dies möchte wohl nur auf einen Augenblick möglich sein.

804. Denn wenn wir uns von einer Farbe umgeben sehen, welche die Empfindung ihrer Eigenschaft in unserm Auge erregt und uns durch ihre Gegenwart nötigt, mit ihr in einem identischen Zustande zu verharren; so ist es eine gezwungene Lage, in welcher das Organ ungern verweilt.

805. Wenn das Auge die Farbe erblickt, so wird es gleich in Tätigkeit gesetzt, und es ist seiner Natur gemäß, auf der Stelle eine andre, so unbewußt als notwendig, hervorzubringen, welche mit der gegebenen die Totalität des ganzen Farbenkreises enthält. Eine einzelne Farbe erregt in dem Auge, durch eine spezifische Empfindung, das Streben nach Allgemeinheit.

806. Um nun diese Totalität gewahr zu werden, um sich selbst zu befriedigen, sucht es neben jedem farbigen Raum

einen farblosen, um die geforderte Farbe an demselben hervorzubringen.

807. Hier liegt also das Grundgesetz aller Harmonie der
Farben, wovon sich jeder durch eigene Erfahrung überzeugen
kann, indem er sich mit den Versuchen, die wir in der Abteilung der physiologischen Farben angezeigt, genau bekannt
macht.

808. Wird nun die Farbentotalität von außen dem Auge als
Objekt gebracht, so ist sie ihm erfreulich, weil ihm die Summe
seiner eignen Tätigkeit als Realität entgegen kommt. Es sei
also zuerst von diesen harmonischen Zusammenstellungen die
Rede.

809. Um sich davon auf das leichteste zu unterrichten, denke
man sich in dem von uns angegebenen Farbenkreise einen
beweglichen Diameter und führe denselben im ganzen Kreis
herum; so werden die beiden Enden nach und nach die sich
fordernden Farben bezeichnen; welche sich denn freilich
zuletzt auf drei einfache Gegensätze zurückführen lassen.

810. Gelb fordert Blaurot
Blau fordert Gelbrot
Purpur fordert Grün
und umgekehrt.

811. Wie der von uns supponierte Zeiger von der Mitte der
von uns naturgemäß geordneten Farben wegrückt; eben so
rückt er mit dem andern Ende in der entgegengesetzten
Abstufung weiter, und es läßt sich durch eine solche Vorrich-
tung zu einer jeden fordernden Farbe die geforderte bequem
bezeichnen. Sich hiezu einen Farbenkreis zu bilden, der nicht
wie die unsre abgesetzt, sondern in einem stetigen Fortschritte
die Farben und ihre Übergänge zeigte, würde nicht unnütz
sein: denn wir stehen hier auf einem sehr wichtigen Punkt, der
alle unsre Aufmerksamkeit verdient.

812. Wurden wir vorher bei dem Beschauen einzelner Farben
gewissermaßen pathologisch affiziert, indem wir zu einzelnen
Empfindungen fortgerissen, uns bald lebhaft und strebend,

bald weich und sehnend, bald zum Edlen emporgehoben, bald zum Gemeinen herabgezogen fühlten; so führt uns das Bedürfnis nach Totalität, welches unserm Organ eingeboren ist, aus dieser Beschränkung heraus; es setzt sich selbst in Freiheit, indem es den Gegensatz des ihm aufgedrungenen Einzelnen und somit eine befriedigende Ganzheit hervorbringt.

813. So einfach also diese eigentlich harmonischen Gegensätze sind, welche uns in dem engen Kreise gegeben werden, so wichtig ist der Wink, daß uns die Natur durch Totalität zur Freiheit heraufzuheben angelegt ist, und daß wir diesmal eine Naturerscheinung zum ästhetischen Gebrauch unmittelbar überliefert erhalten.

814. Indem wir also aussprechen können, daß der Farbenkreis, wie wir ihn angegeben, auch schon dem Stoff nach eine angenehme Empfindung hervorbringe, ist es der Ort zu gedenken, daß man bisher den Regenbogen mit Unrecht als ein Beispiel der Farbentotalität angenommen: denn es fehlt demselben die Hauptfarbe, das reine Rot, der Purpur, welcher nicht entstehen kann, da sich bei dieser Erscheinung so wenig als bei dem hergebrachten prismatischen Bilde das Gelbrot und Blaurot zu erreichen vermögen.

815. Überhaupt zeigt uns die Natur kein allgemeines Phänomen, wo die Farbentotalität völlig beisammen wäre. Durch Versuche läßt sich ein solches in seiner vollkommnen Schönheit hervorbringen. Wie sich aber die völlige Erscheinung im Kreise zusammenstellt, machen wir uns am besten durch Pigmente auf Papier begreiflich, bis wir, bei natürlichen Anlagen und nach mancher Erfahrung und Übung, uns endlich von der Idee dieser Harmonie völlig penetriert und sie uns im Geiste gegenwärtig fühlen.

Charakteristische Zusammenstellungen

816. Außer diesen rein harmonischen, aus sich selbst entspringenden Zusammenstellungen, welche immer Totalität mit

sich führen, gibt es noch andre, welche durch Willkür hervorgebracht werden, und die wir dadurch am leichtesten bezeichnen, daß sie in unserm Farbenkreise nicht nach Diametern, sondern nach Chorden aufzufinden sind, und zwar zuerst dergestalt, daß eine Mittelfarbe übersprungen wird.

817. Wir nennen diese Zusammenstellungen charakteristisch, weil sie sämtlich etwas Bedeutendes haben, das sich uns mit einem gewissen Ausdruck aufdringt, aber uns nicht befriedigt, indem jedes Charakteristische nur dadurch entsteht, daß es als ein Teil aus einem Ganzen heraustritt, mit welchem es ein Verhältnis hat, ohne sich darin aufzulösen.

818. Da wir die Farben in ihrer Entstehung, so wie deren harmonische Verhältnisse kennen, so läßt sich erwarten, daß auch die Charaktere der willkürlichen Zusammenstellungen von der verschiedensten Bedeutung sein werden. Wir wollen sie einzeln durchgehen.

Gelb und Blau

819. Dieses ist die einfachste von solchen Zusammenstellungen. Man kann sagen, es sei zu wenig in ihr: denn da ihr jede Spur von Rot fehlt, so geht ihr zu viel von der Totalität ab. In diesem Sinne kann man sie arm und, da die beiden Pole auf ihrer niedrigsten Stufe stehn, gemein nennen. Doch hat sie den Vorteil, daß sie zunächst am Grünen und also an der realen Befriedigung steht.

Gelb und Purpur

820. Hat etwas Einseitiges, aber Heiteres und Prächtiges. Man sieht die beiden Enden der tätigen Seite neben einander ohne daß das stetige Werden ausgedrückt sei.

Da man aus ihrer Mischung durch Pigmente das Gelbrote erwarten kann, so stehn sie gewissermaßen anstatt dieser Farbe.

821. Die beiden Enden der passiven Seite mit dem Überge-wicht des obern Endes nach dem aktiven zu. Da durch Mischung beider das Blaurote entsteht, so wird der Effekt dieser Zusammenstellung sich auch gedachter Farbe nähern.

Gelbrot und Blaurot

822. Haben zusammengestellt, als die gesteigerten Enden der beiden Seiten, etwas Erregendes, Hohes. Sie geben uns die Vorahndung des Purpurs, der bei physikalischen Versuchen aus ihrer Vereinigung entsteht.

823. Diese vier Zusammenstellungen haben also das Gemein-same, daß sie, vermischt, die Zwischenfarben unseres Farben-kreises hervorbringen würden; wie sie auch schon tun, wenn die Zusammenstellung aus kleinen Teilen besteht und aus der Ferne betrachtet wird. Eine Fläche mit schmalen blau- und gelben Streifen erscheint in einiger Entfernung grün.

824. Wenn nun aber das Auge Blau und Gelb neben einander sieht, so befindet es sich in der sonderbaren Bemühung, immer Grün hervorbringen zu wollen, ohne damit zu Stande zu kommen, und ohne also im Einzelnen Ruhe, oder im Ganzen Gefühl der Totalität bewirken zu können.

825. Man sieht also, daß wir nicht mit Unrecht diese Zusam-menstellung charakteristisch genannt haben, so wie denn auch der Charakter einer jeden sich auf den Charakter der einzelnen Farben, woraus sie zusammengestellt ist, beziehen muß.

Charakterlose Zusammenstellungen

826. Wir wenden uns nun der letzten Art der Zusammenstel-lungen, welche sich aus dem Kreise leicht herausfinden lassen. Es sind nämlich diejenigen, welche durch kleinere Chorden angedeutet werden, wenn man nicht eine ganze Mittelfarbe, sondern nur den Übergang aus einer in die andere überspringt.

827. Man kann diese Zusammenstellungen wohl die charakterlosen nennen, indem sie zu nahe an einander liegen, als daß ihr Eindruck bedeutsam werden könnte. Doch behaupten die meisten immer noch ein gewisses Recht, da sie ein Fortschreiten andeuten, dessen Verhältnis aber kaum fühlbar werden kann.

828. So drücken Gelb und Gelbrot, Gelbrot und Purpur, Blau und Blaurot, Blaurot und Purpur die nächsten Stufen der Steigerung und Kulmination aus, und können in gewissen Verhältnissen der Massen keine üble Wirkung tun.

829. Gelb und Grün hat immer etwas Gemein-Heiteres, Blau und Grün aber immer etwas Gemein-Widerliches; deswegen unsre guten Vorfahren diese letzte Zusammenstellung auch Narrenfarbe genannt haben.

*Bezug der Zusammenstellungen
zu hell und dunkel*

830. Diese Zusammenstellungen können sehr vermannigfaltigt werden, indem man beide Farben hell, beide Farben dunkel, eine Farbe hell die andre dunkel zusammenbringen kann; wobei jedoch, was im Allgemeinen gegolten hat, in jedem besondern Falle gelten muß. Von dem unendlich Mannigfaltigen, was dabei statt findet, erwähnen wir nur Folgendes.

831. Die aktive Seite mit dem Schwarzen zusammengestellt, gewinnt an Energie; die passive verliert. Die aktive mit dem Weißen und Hellen zusammengebracht, verliert an Kraft; die passive gewinnt an Heiterkeit. Purpur und Grün mit Schwarz sieht dunkel und düster, mit Weiß hingegen erfreulich aus.

832. Hierzu kommt nun noch, daß alle Farben mehr oder weniger beschmutzt, bis auf einen gewissen Grad unkenntlich gemacht, und so teils unter sich selbst, teils mit reinen Farben zusammengestellt werden können; wodurch zwar die Verhältnisse unendlich variiert werden, wobei aber doch alles gilt, was von den reinen gegolten hat.

833. Wenn in dem Vorhergehenden die Grundsätze der Farbenharmonie vorgetragen worden; so wird es nicht zweckwidrig sein, wenn wir das dort Angesprochene in Verbindung mit Erfahrungen und Beispielen nochmals wiederholen.

Triumphbogen und landschaftliche
Umrahmung
Bleistift, Feder mit Sepia,
Sepialavierung

834. Jene Grundsätze waren aus der menschlichen Natur und aus den anerkannten Verhältnissen der Farbenerscheinungen abgeleitet. In der Erfahrung begegnet uns manches, was jenen Grundsätzen gemäß, manches, was ihnen widersprechend ist.
835. Naturmenschen, rohe Völker, Kinder haben große Neigung zur Farbe in ihrer höchsten Energie, und also besonders zu dem Gelbroten. Sie haben auch eine Neigung zum Bunten. Das Bunte aber entsteht, wenn die Farben in ihrer höchsten Energie ohne harmonisches Gleichgewicht zusammengestellt worden. Findet sich aber dieses Gleichgewicht durch Instinkt,

oder zufällig beobachtet, so entsteht eine angenehme Wirkung. Ich erinnere mich, daß ein hessischer Offizier, der aus Amerika kam, sein Gesicht nach Art der Wilden mit reinen Farben bemalte, wodurch eine Art von Totalität entstand, die keine unangenehme Wirkung tat.

836. Die Völker des südlichen Europas tragen zu Kleidern sehr lebhafte Farben. Die Seidenwaren, welche sie leichten Kaufs haben, begünstigen diese Neigung. Auch sind besonders die Frauen mit ihren lebhaftesten Miedern und Bändern immer mit der Gegend in Harmonie, indem sie nicht im Stande sind, den Glanz des Himmels und der Erde zu überscheinen.

837. Die Geschichte der Färberei belehrt uns, daß bei den Trachten der Nationen gewisse technische Bequemlichkeiten und Vorteile sehr großen Einfluß hatten. So sieht man die Deutschen viel in Blau gehen, weil es eine dauerhafte Farbe des Tuches ist; auch in manchen Gegenden, alle Landleute in grünem Zwillich, weil dieser gedachte Farbe gut annimmt. Möchte ein Reisender hierauf achten, so würden ihm bald angenehme und lehrreiche Beobachtungen gelingen.

838. Farben, wie sie Stimmungen hervorbringen, fügen sich auch zu Stimmungen und Zuständen. Lebhafte Nationen, z. B. die Franzosen, lieben die gesteigerten Farben, besonders der aktiven Seite; gemäßigte, als Engländer und Deutsche, das Stroh- oder Ledergelb, wozu sie dunkelblau tragen. Nach Würde strebende Nationen, als Italiener und Spanier, ziehen die rote Farbe ihrer Mäntel auf die passive Seite hinüber.

839. Man bezieht bei Kleidungen den Charakter der Farbe auf den Charakter der Person. So kann man das Verhältnis der einzelnen Farben und Zusammenstellungen zu Gesichtsfarbe, Alter und Stand beobachten.

840. Die weibliche Jugend hält auf Rosenfarb und Meergrün; das Alter auf Violett und Dunkelgrün. Die Blondine hat zu Violett und Hellgelb, die Brünette zu Blau und Gelbrot Neigung, und sämtlich mit Recht.

Die römischen Kaiser waren auf den Purpur höchst eifersüchtig. Die Kleidung des chinesischen Kaisers ist Orange mit Purpur. Zitronengelb dürfen auch seine Bedienten und die Geistlichen tragen.

841. Gebildete Menschen haben einige Abneigung vor Farben. Es kann dieses teils aus Schwäche des Organs, teils aus Unsicherheit des Geschmacks geschehen, die sich gern in das völlige Nichts flüchtet. Die Frauen gehen nunmehr fast durchgängig weiß, und die Männer schwarz.

842. Überhaupt aber steht hier eine Beobachtung nicht am unrechten Platze, daß der Mensch, so gern er sich auszeichnet, sich auch eben so gern unter Seinesgleichen verlieren mag.

843. Die schwarze Farbe sollte den venetianischen Edelmann an eine republikanische Gleichheit erinnern.

844. In wiefern der trübe nordische Himmel die Farben nach und nach vertrieben hat, ließe sich vielleicht auch noch untersuchen.

845. Man ist freilich bei dem Gebrauch der ganzen Farben sehr eingeschränkt; dahingegen die beschmutzten, getöteten, sogenannten Modefarben unendlich viele abweichende Grade und Schattierungen zeigen, wovon die meisten nicht ohne Anmut sind.

846. Zu bemerken ist noch, daß die Frauenzimmer bei ganzen Farben in Gefahr kommen, eine nicht ganz lebhafte Gesichtsfarbe noch unscheinbarer zu machen; wie sie denn überhaupt genötigt sind, sobald sie einer glänzenden Umgebung das Gleichgewicht halten sollen, ihre Gesichtsfarbe durch Schminke zu erhöhen.

847. Hier wäre nun noch eine artige Arbeit zu machen übrig, nämlich eine Beurteilung der Uniformen, Livreen, Kokarden und andrer Abzeichen, nach den oben aufgestellten Grundsätzen. Man könnte im Allgemeinen sagen, daß solche Kleidungen oder Abzeichen keine harmonischen Farben haben dürfen. Die Uniformen sollten Charakter und Würde haben; die Livreen können gemein und ins Auge fallend sein. An Beispie-

len von guter und schlechter Art würde es nicht fehlen, da der Farbenkreis eng und schon oft genug durchprobiert worden ist.

Ästhetische Wirkung

848. Aus der sinnlichen und sittlichen Wirkung der Farben, sowohl einzeln als in Zusammenstellung, wie wir sie bisher vorgetragen haben, wird nun für den Künstler die ästhetische Wirkung abgeleitet. Wir wollen auch darüber die nötigsten Winke geben, wenn wir vorher die allgemeine Bedingung malerischer Darstellung, Licht und Schatten, abgehandelt, woran sich die Farbenerscheinung unmittelbar anschließt.

Helldunkel

849. Das Helldunkel, clair-obscur, nennen wir die Erscheinung körperlicher Gegenstände, wenn an denselben nur die Wirkung des Lichtes und Schattens betrachtet wird.

850. Im engern Sinne wird auch manchmal eine Schattenpartie, welche durch Reflexe beleuchtet wird, so genannt; doch wir brauchen hier das Wort in seinem ersten allgemeinern Sinne.

851. Die Trennung des Helldunkels von aller Farbenerscheinung ist möglich und nötig. Der Künstler wird das Rätsel der Darstellung eher lösen, wenn er sich zuerst das Helldunkel unabhängig von Farben denkt, und dasselbe in seinem ganzen Umfange kennen lernt.

852. Das Helldunkel macht den Körper als Körper erscheinen, indem uns Licht und Schatten von der Dichtigkeit belehrt.

853. Es kommt dabei in Betracht das höchste Licht, die Mitteltinte, der Schatten, und bei dem letzten wieder der eigene Schatten des Körpers, der auf andre Körper geworfene Schatten, der erhellte Schatten oder Reflex.

854. Zum natürlichsten Beispiel für das Helldunkel wäre die Kugel günstig, um sich einen allgemeinen Begriff zu bilden,

aber nicht hinlänglich zum ästhetischen Gebrauch. Die ver-
fließende Einheit einer solchen Rundung führt zum Ne-
bulistischen. Um Kunstwirkungen zu erwecken, müssen
an ihr Flächen hervorgebracht werden, damit die Teile
der Schatten- und Lichtseite sich mehr in sich selbst absondern.

855. Die Italiener nennen dieses il piazzoso; man könnte es im
Deutschen das Flächenhafte nennen. Wenn nun also die Kugel
ein vollkommenes Beispiel des natürlichen Helldunkels wäre;
so würde ein Vieleck ein Beispiel des künstlichen sein, wo alle
Arten von Lichtern, Halblichtern, Schatten und Reflexen
bemerklich wären.

856. Die Traube ist als ein gutes Beispiel eines malerischen
Ganzen im Helldunkel anerkannt, um so mehr als sie ihrer
Form nach eine vorzügliche Gruppe darzustellen im Stande ist;
aber sie ist bloß für den Meister tauglich, der das, was er
auszuüben versteht, in ihr zu sehen weiß.

857. Um den ersten Begriff faßlich zu machen, der selbst von
einem Vieleck immer noch schwer zu abstrahieren ist, schlagen wir einen Kubus vor, dessen drei gesehene Seiten das
Licht, die Mitteltinte und den Schatten, abgesondert neben
einander vorstellen.

858. Jedoch um zum Helldunkel einer zusammengesetztern
Figur überzugehen, wählen wir das Beispiel eines aufgeschla-
genen Buches, welches uns einer größern Mannigfaltigkeit
näher bringt.

859. Die antiken Statuen aus der schönen Zeit findet man zu
solchen Wirkungen höchst zweckmäßig gearbeitet. Die Licht-
partien sind einfach behandelt, die Schattenseiten desto mehr
unterbrochen, damit sie für mannigfaltige Reflexe empfänglich würden; wobei man sich des Beispiels vom Vieleck
erinnern kann.

860. Beispiele antiker Malerei geben hierzu die herkulani-
schen Gemälde und die aldobrandinische Hochzeit.

861. Moderne Beispiele finden sich in einzelnen Figuren

Raphaels, an ganzen Gemälden Correggios, der niederländischen Schule, besonders des Rubens.

Streben zur Farbe

862. Ein Kunstwerk schwarz und weiß kann in der Malerei selten vorkommen. Einige Arbeiten von Polydor geben uns davon Beispiele, so wie unsre Kupferstiche und geschabten Blätter. Diese Arten, in sofern sie sich mit Formen und Haltung beschäftigen, sind schätzenswert; allein sie haben wenig Gefälliges fürs Auge, indem sie nur durch eine gewaltsame Abstraktion entstehen.

863. Wenn sich der Künstler seinem Gefühl überläßt, so meldet sich etwas Farbiges gleich. Sobald das Schwarze ins Blauliche fällt, entsteht eine Forderung des Gelben, das denn der Künstler instinktmäßig verteilt und teils rein in den Lichtern, teils gerötet und beschmutzt als Braun in den Reflexen, zu Belebung des Ganzen anbringt, wie es ihm am rätlichsten zu sein scheint.

864. Alle Arten von Camayeu, oder Farb' in Farbe, laufen doch am Ende dahin hinaus, daß ein geforderter Gegensatz oder irgend eine farbige Wirkung angebracht wird. So hat Polydor in seinen schwarz- und weißen Freskogemälden ein gelbes Gefäß, oder sonst etwas der Art eingeführt.

865. Überhaupt strebten die Menschen in der Kunst instinktmäßig jederzeit nach Farbe. Man darf nur täglich beobachten, wie Zeichenlustige von Tusche oder schwarzer Kreide auf weiß Papier zu farbigem Papier sich steigern; dann verschiedene Kreiden anwenden und endlich ins Pastell übergehen. Man sah in unsern Zeiten Gesichter mit Silberstift gezeichnet, durch rote Bäckchen belebt und mit farbigen Kleidern angetan; ja Silhouetten in bunten Uniformen. Paolo Uccello malte farbige Landschaften zu farblosen Figuren.

866. Selbst die Bildhauerei der Alten konnte diesem Trieb nicht widerstehen. Die Ägypter strichen ihre Basreliefs an.

Den Statuen gab man Augen von farbigen Steinen. Zu marmornen Köpfen und Extremitäten fügte man porphyrne Gewänder, so wie man bunte Kalksinter zum Sturze der Brustbilder nahm. Die Jesuiten verfehlten nicht, ihren heiligen Aloysius in Rom auf diese Weise zusammen zu setzen, und die neuste Bildhauerei unterscheidet das Fleisch durch eine Tinktur von den Gewändern.

Haltung

867. Wenn die Linearperspektive die Abstufung der Gegenstände in scheinbarer Größe durch Entfernung zeigt; so läßt uns die Luftperspektive die Abstufung der Gegenstände in mehr- oder minderer Deutlichkeit durch Entfernung sehen.

868. Ob wir zwar entfernte Gegenstände nach der Natur unsres Auges nicht so deutlich sehen als nähere; so ruht doch die Luftperspektive eigentlich auf dem wichtigen Satz, daß alle durchsichtigen Mittel einigermaßen trübe sind.

869. Die Atmosphäre ist also immer mehr oder weniger trüb. Besonders zeigt sich diese Eigenschaft in den südlichen Gegenden bei hohem Barometerstand, trocknem Wetter und wolkenlosem Himmel, wo man eine sehr merkliche Abstufung wenig auseinanderstehender Gegenstände beobachten kann.

870. Im Allgemeinen ist diese Erscheinung jedermann bekannt; der Maler hingegen sieht die Abstufung bei den geringsten Abständen, oder glaubt sie zu sehen. Er stellt sie praktisch dar, indem er die Teile eines Körpers, z. B. eines völlig vorwärts gekehrten Gesichtes, von einander abstuft. Hiebei behauptet Beleuchtung ihre Rechte. Diese kommt von der Seite in Betracht, so wie die Haltung von vorn nach der Tiefe zu.

Kolorit

871. Indem wir nunmehr zur Farbengebung übergehen, setzen wir voraus, daß der Maler überhaupt mit dem Entwurf

unserer Farbenlehre bekannt sei und sich gewisse Kapitel und Rubriken, die ihn vorzüglich berühren, wohl zu eigen gemacht habe: denn so wird er sich im Stande befinden, das Theoretische sowohl als das Praktische, im Erkennen der Natur und im Anwenden auf die Kunst, mit Leichtigkeit zu behandeln.

Kolorit des Orts

872. Die erste Erscheinung des Kolorits tritt in der Natur gleich mit der Haltung ein: denn die Luftperspektive beruht auf der Lehre von den trüben Mitteln. Wir sehen den Himmel, die entfernten Gegenstände, ja die nahen Schatten blau. Zugleich erscheint uns das Leuchtende und Beleuchtete stufenweise gelb bis zur Purpurfarbe. In manchen Fällen tritt sogleich die physiologische Forderung der Farben ein, und eine ganz farblose Landschaft wird durch diese mit und gegen einander wirkenden Bestimmungen vor unserm Auge völlig farbig erscheinen.

Kolorit der Gegenstände

873. Lokalfarben sind die allgemeinen Elementarfarben, aber nach den Eigenschaften der Körper und ihrer Oberflächen, an denen wir sie gewahr werden, spezifiziert. Diese Spezifikation geht bis ins Unendliche.

874. Es ist ein großer Unterschied, ob man gefärbte Seide oder Wolle vor sich hat. Jede Art des Bereitens und Webens bringt schon Abweichungen hervor. Rauhigkeit, Glätte, Glanz kommen in Betrachtung.

875. Es ist daher ein der Kunst sehr schädliches Vorurteil, daß der gute Maler keine Rücksicht auf den Stoff der Gewänder nehmen, sondern nur immer gleichsam abstrakte Falten malen müsse. Wird nicht hierdurch alle charakteristische Abwechslung aufgehoben, und ist das Porträt von Leo X. deshalb

weniger trefflich, weil auf diesem Bilde Samt, Atlas und Mohr neben einander nachgeahmt ward?

876. Bei Naturprodukten erscheinen die Farben mehr oder weniger modifiziert, spezifiziert, ja individualisiert; welches bei Steinen und Pflanzen, bei den Federn der Vögel und den Haaren der Tiere wohl zu beobachten ist.

877. Die Hauptkunst des Malers bleibt immer, daß er die Gegenwart des bestimmten Stoffes nachahme und das Allgemeine, Elementare der Farbenerscheinung zerstöre. Die höchste Schwierigkeit findet sich hier bei der Oberfläche des menschlichen Körpers.

878. Das Fleisch steht im Ganzen auf der aktiven Seite; doch spielt das Blauliche der passiven auch mit herein. Die Farbe ist durchaus ihrem elementaren Zustande entrückt und durch Organisation neutralisiert.

879. Das Kolorit des Ortes und das Kolorit der Gegenstände in Harmonie zu bringen, wird nach Betrachtung dessen, was von uns in der Farbenlehre abgehandelt worden, dem geistreichen Künstler leichter werden, als bisher der Fall war, und er wird im Stande sein, unendlich schöne, mannigfaltige und zugleich wahre Erscheinungen darzustellen.

Charakteristisches Kolorit

880. Die Zusammenstellung farbiger Gegenstände sowohl als die Färbung des Raums, in welchem sie enthalten sind, soll nach Zwecken geschehen, welche der Künstler sich vorsetzt. Hiezu ist besonders die Kenntnis der Wirkung der Farben auf Empfindung, sowohl im Einzelnen als in Zusammenstellung, nötig. Deshalb sich denn der Maler von dem allgemeinen Dualism sowohl als von den besondern Gegensätzen penetrieren soll; wie er denn überhaupt wohl inne haben müßte, was wir von den Eigenschaften der Farben gesagt haben.

881. Das Charakteristische kann unter drei Hauptrubriken

begriffen werden, die wir einstweilen durch das Mächtige, das Sanfte und das Glänzende bezeichnen wollen.

882. Das erste wird durch das Übergewicht der aktiven, das zweite durch das Übergewicht der passiven Seite, das dritte durch Totalität der Darstellung des ganzen Farbenkreises im Gleichgewicht hervorgebracht.

883. Der mächtige Effekt wird erreicht durch Gelb, Gelbrot und Purpur, welche letzte Farbe auch noch auf der Plusseite zu halten ist. Wenig Violett und Blau, noch weniger Grün ist anzubringen. Der sanfte Effekt wird durch Blau, Violett und Purpur, welcher jedoch auf die Minusseite zu führen ist, hervorgebracht. Wenig Gelb und Gelbrot, aber viel Grün, kann statt finden.

884. Wenn man also diese beiden Effekte in ihrer vollen Bedeutung hervorbringen will, so kann man die geforderten Farben bis auf ein Minimum ausschließen und nur so viel von ihnen sehen lassen, als eine Ahndung der Totalität unweigerlich zu verlangen scheint.

Harmonisches Kolorit

885. Obgleich die beiden charakteristischen Bestimmungen, nach der eben angezeigten Weise, auch gewissermaßen harmonisch genannt werden können; so entsteht doch die eigentliche harmonische Wirkung nur alsdann, wenn alle Farben neben einander im Gleichgewicht angebracht sind.

886. Man kann hiedurch das Glänzende sowohl als das Angenehme hervorbringen, welche beide jedoch immer etwas Allgemeines und in diesem Sinne etwas Charakterloses haben werden.

887. Hierin liegt die Ursache, warum das Kolorit der meisten Neuern charakterlos ist; denn indem sie nur ihrem Instinkt folgen, so bleibt das Letzte, wohin er sie führen kann, die Totalität, die sie mehr oder weniger erreichen, dadurch aber zugleich den Charakter versäumen, den das Bild allenfalls haben könnte.

888. Hat man hingegen jene Grundsätze im Auge, so sieht man, wie sich für jeden Gegenstand mit Sicherheit eine andre Farbenstimmung wählen läßt. Freilich fordert die Anwendung unendliche Modifikationen, welche dem Genie allein, wenn es von diesen Grundsätzen durchdrungen ist, gelingen werden.

Echter Ton

889. Wenn man das Wort Ton, oder vielmehr Tonart, auch noch künftig von der Musik borgen und bei der Farbengebung brauchen will; so wird es in einem bessern Sinne als bisher geschehen können.

890. Man würde nicht mit Unrecht ein Bild von mächtigem Effekt, mit einem musikalischen Stücke aus dem Durton; ein Gemälde von sanftem Effekt, mit einem Stücke aus dem Mollton vergleichen; so wie man für die Modifikation dieser beiden Haupteffekte andre Vergleichungen finden könnte.

Falscher Ton

891. Was man bisher Ton nannte, war ein Schleier von einer einzigen Farbe über das ganze Bild gezogen. Man nahm ihn gewöhnlich gelb, indem man aus Instinkt das Bild auf die mächtige Seite treiben wollte.

892. Wenn man ein Gemälde durch ein gelbes Glas ansieht, so wird es uns in diesem Ton erscheinen. Es ist der Mühe wert, diesen Versuch zu machen und zu wiederholen, um genau kennen zu lernen, was bei einer solchen Operation eigentlich vorgeht. Es ist eine Art Nachtbeleuchtung, eine Steigerung, aber zugleich Verdüsterung der Plusseite, und eine Beschmutzung der Minusseite.

893. Dieser unechte Ton ist durch Instinkt aus Unsicherheit dessen, was zu tun sei, entstanden; so daß man anstatt der Totalität eine Uniformität hervorbrachte.

894. Eben diese Unsicherheit ist Ursache, daß man die Farben der Gemälde so sehr gebrochen hat, daß man aus dem Grauen heraus, und in das Graue hinein malt, und die Farbe so leise behandelt als möglich.

895. Man findet in solchen Gemälden oft die harmonischen Gegenstellungen recht glücklich, aber ohne Mut, weil man sich vor dem Bunten fürchtet.

Das Bunte

896. Bunt kann ein Gemälde leicht werden, in welchem man bloß empirisch, nach unsichern Eindrücken, die Farben in ihrer ganzen Kraft neben einander stellen wollte.

897. Wenn man dagegen schwache, obgleich widrige Farben neben einander setzt, so ist freilich der Effekt nicht auffallend. Man trägt seine Unsicherheit auf den Zuschauer hinüber, der denn an seiner Seite weder loben noch tadeln kann.

898. Auch ist es eine wichtige Betrachtung, daß man zwar die Farben unter sich in einem Bilde richtig aufstellen könne, daß aber doch ein Bild bunt werden müsse, wenn man die Farben in Bezug auf Licht und Schatten falsch anwendet.

899. Es kann dieser Fall um so leichter eintreten, als Licht und Schatten schon durch die Zeichnung gegeben und in derselben gleichsam enthalten ist, dahingegen die Farbe der Wahl und Willkür noch unterworfen bleibt.

Furcht vor dem Theoretischen

900. Man fand bisher bei den Malern eine Furcht, ja eine entschiedene Abneigung gegen alle theoretische Betrachtungen über die Farbe und was zu ihr gehört; welches ihnen jedoch nicht übel zu deuten war. Denn das bisher sogenannte Theoretische war grundlos, schwankend und auf Empirie hindeutend. Wir wünschen, daß unsre Bemühungen diese Furcht einigermaßen vermindern und den Künstler anreizen mögen, die aufgestellten Grundsätze praktisch zu prüfen und zu beleben.

Letzter Zweck

901. Denn ohne Übersicht des Ganzen wird der letzte Zweck nicht erreicht. Von allem dem, was wir bisher vorgetragen, durchdringe sich der Künstler. Nur durch die Einstimmung des Lichtes und Schattens, der Haltung, der wahren und charakteristischen Farbengebung kann das Gemälde von der Seite, von der wir es gegenwärtig betrachten, als vollendet erscheinen.

Gründe

902. Es war die Art der ältern Künstler, auf hellen Grund zu malen. Er bestand aus Kreide und wurde auf Leinwand oder Holz stark aufgetragen und poliert. Sodann wurde der Umriß aufgezeichnet und das Bild mit einer schwärzlichen oder bräunlichen Farbe ausgetuscht. Dergleichen auf diese Art zum Kolorieren vorbereitete Bilder sind noch übrig von Leonardo da Vinci, Fra Bartolomeo und mehrere von Guido.

903. Wenn man zur Kolorierung schritt und weiße Gewänder darstellen wollte; so ließ man zuweilen diesen Grund stehen. Tizian tat es in seiner spätern Zeit, wo er die große Sicherheit hatte, und mit wenig Mühe viel zu leisten wußte. Der weißliche Grund wurde als Mitteltinte behandelt, die Schatten aufgetragen und die hohen Lichter aufgesetzt.

904. Beim Kolorieren war das untergelegte gleichsam getuschte Bild immer wirksam. Man malte z. B. ein Gewand mit einer Lasurfarbe, und das Weiße schien durch und gab der Farbe ein Leben, so wie der schon früher zum Schatten angelegte Teil die Farbe gedämpft zeigte, ohne daß sie gemischt oder beschmutzt gewesen wäre.

905. Diese Methode hat viele Vorteile. Denn an den lichten Stellen des Bildes hatte man einen hellen, an den beschatteten einen dunkeln Grund. Das ganze Bild war vorbereitet; man konnte mit leichten Farben malen, und man war der Übereinstimmung des Lichtes mit den Farben gewiß. Zu unsern Zeiten ruht die Aquarellmalerei auf diesen Grundsätzen.

906. Übrigens wird in der Ölmalerei gegenwärtig durchaus ein heller Grund gebraucht, weil Mitteltinten mehr oder weniger durchsichtig sind, und also durch einen hellen Grund einigermaßen belebt, so wie die Schatten selbst nicht so leicht dunkel werden.

907. Auf dunkle Gründe malte man auch eine Zeitlang. Wahrscheinlich hat sie Tintoret eingeführt; ob Giorgione sich derselben bedient, ist nicht bekannt. Tizians beste Bilder sind nicht auf dunkeln Grund gemalt.

908. Ein solcher Grund war rotbraun, und wenn auf denselben das Bild aufgezeichnet war, so wurden die stärksten Schatten aufgetragen, die Lichtfarben impastierte man auf den hohen Stellen sehr stark und vertrieb sie gegen den Schatten zu; da denn der dunkle Grund durch die verdünnte Farbe als Mitteltinte durchsah. Der Effekt wurde beim Ausmalen durch mehrmaliges Übergehen der lichten Partien und Aufsetzen der hohen Lichter erreicht.

909. Wenn diese Art sich besonders wegen der Geschwindigkeit bei der Arbeit empfiehlt, so hat sie doch in der Folge viel Schädliches. Der energische Grund wächst und wird dunkler; was die hellen Farben nach und nach an Klarheit verlieren, gibt der Schattenseite immer mehr und mehr Übergewicht. Die Mitteltinten werden immer dunkler und der Schatten zuletzt ganz finster. Die stark aufgetragenen Lichter bleiben allein hell und man sieht nur lichte Flecken auf dem Bilde; wovon uns die Gemälde der bolognesischen Schule und des Caravaggio genugsame Beispiele geben.

910. Auch ist nicht unschicklich, hier noch zum Schlusse des Lasierens zu erwähnen. Dieses geschieht, wenn man eine schon aufgetragene Farbe als hellen Grund betrachtet. Man kann eine Farbe dadurch fürs Auge mischen, sie steigern, ihr einen sogenannten Ton geben; man macht sie dabei aber immer dunkler.

Pigmente

911. Wir empfangen sie aus der Hand des Chemikers und Naturforschers. Manches ist darüber aufgezeichnet und durch den Druck bekannt geworden; doch verdiente dieses Kapitel von Zeit zu Zeit neu bearbeitet zu werden. Indessen teilt der Meister seine Kenntnisse hierüber dem Schüler mit, der Künstler dem Künstler.

912. Diejenigen Pigmente, welche ihrer Natur nach die dauerhaftesten sind, werden vorzüglich ausgesucht; aber auch die Behandlungsart trägt viel zur Dauer des Bildes bei. Deswegen sind so wenig Farbenkörper als möglich anzuwenden, und die simpelste Methode des Auftrags nicht genug zu empfehlen.

913. Denn aus der Menge der Pigmente ist manches Übel für das Kolorit entsprungen. Jedes Pigment hat sein eigentümliches Wesen in Absicht seiner Wirkung aufs Auge; ferner etwas Eigentümliches, wie es technisch behandelt sein will. Jenes ist Ursache, daß die Harmonie schwerer durch mehrere als durch wenige Pigmente zu erreichen ist; dieses, daß chemische Wirkung und Gegenwirkung unter den Farbekörpern statt finden kann.

914. Ferner gedenken wir noch einiger falschen Richtungen, von denen sich die Künstler hinreißen lassen. Die Maler begehren immer nach neuen Farbekörpern, und glauben, wenn ein solcher gefunden wird, einen Vorschritt in der Kunst getan zu haben. Sie tragen großes Verlangen, die alten mechanischen Behandlungsarten kennen zu lernen, wodurch sie viel Zeit verlieren; wie wir uns denn zu Ende des vorigen Jahrhunderts mit der Wachsmalerei viel zu lange gequält haben. Andre gehen darauf aus, neue Behandlungsarten zu erfinden; wodurch denn auch weiter nichts gewonnen wird. Denn es ist zuletzt doch nur der Geist, der jede Technik lebendig macht.

Allegorischer, symbolischer, mystischer
Gebrauch der Farbe

915. Es ist oben umständlich nachgewiesen worden, daß eine jede Farbe einen besondern Eindruck auf den Menschen mache, und dadurch ihr Wesen sowohl dem Auge als Gemüt offenbare. Daraus folgt sogleich, daß die Farbe sich zu gewissen sinnlichen, sittlichen, ästhetischen Zwecken anwenden lasse.

916. Einen solchen Gebrauch also, der mit der Natur völlig übereinträfe, könnte man den symbolischen nennen, indem die Farbe ihrer Wirkung gemäß angewendet würde, und das wahre Verhältnis sogleich die Bedeutung ausspräche. Stellt man z. B. den Purpur als die Majestät bezeichnend auf, so wird wohl kein Zweifel sein, daß der rechte Ausdruck gefunden worden; wie sich alles dieses schon oben hinreichend auseinandergesetzt findet.

917. Hiermit ist ein anderer Gebrauch nahe verwandt, den man den allegorischen nennen könnte. Bei diesem ist mehr Zufälliges und Willkürliches, ja man kann sagen etwas Konventionelles, indem uns erst der Sinn des Zeichens überliefert werden muß, ehe wir wissen, was es bedeuten soll, wie es sich z. B. mit der grünen Farbe verhält, die man der Hoffnung zugeteilt hat.

918. Daß zuletzt auch die Farbe eine mystische Deutung erlaube, läßt sich wohl ahnen. Denn da jenes Schema, worin sich die Farbenmannigfaltigkeit darstellen läßt, solche Urverhältnisse andeutet, die sowohl der menschlichen Anschauung als der Natur angehören, so ist wohl kein Zweifel, daß man sich ihrer Bezüge, gleichsam als einer Sprache, auch da bedienen könne, wenn man Urverhältnisse ausdrücken will, die nicht eben so mächtig und mannigfaltig in die Sinne fallen. Der

Mathematiker schätzt den Wert und Gebrauch des Triangels; der Triangel steht bei dem Mystiker in großer Verehrung; gar manches läßt sich im Triangel schematisieren und die Farbenerscheinung gleichfalls, und zwar dergestalt, daß man durch Verdopplung und Verschränkung zu dem alten geheimnisvollen Sechseck gelangt.

919. Wenn man erst das Auseinandergehen des Gelben und Blauen wird recht erfaßt, besonders aber die Steigerung ins Rote genugsam betrachtet haben, wodurch das Entgegengesetzte sich gegen einander neigt, und sich in einem Dritten vereinigt; dann wird gewiß eine besondere geheimnisvolle Anschauung eintreten, daß man diesen beiden getrennten, einander entgegengesetzten Wesen eine geistige Bedeutung unterlegen könne, und man wird sich kaum enthalten, wenn man sie unterwärts das Grün, und oberwärts das Rot hervorbringen sieht, dort an die irdischen, hier an die himmlischen Ausgeburten der Elohim zu gedenken.

920. Doch wir tun besser, uns nicht noch zum Schlusse dem Verdacht der Schwärmerei auszusetzen, um so mehr als es, wenn unsre Farbenlehre Gunst gewinnt, an allegorischen, symbolischen und mystischen Anwendungen und Deutungen, dem Geiste der Zeit gemäß, gewiß nicht fehlen wird.

*

FAUST Des Lebens Pulse schlagen frisch lebendig,
Ätherische Dämmerung milde zu begrüßen;
Du, Erde, warst auch diese Nacht beständig
Und atmest neu erquickt zu meinen Füßen,
Beginnest schon mit Lust mich zu umgeben,
Du regst und rührst ein kräftiges Beschließen,
Zum höchsten Dasein immerfort zu streben. –
In Dämmerschein liegt schon die Welt erschlossen,
Der Wald ertönt von tausendstimmigem Leben;
Tal aus, Tal ein ist Nebelstreif ergossen,

Doch senkt sich Himmelsklarheit in die Tiefen,
Und Zweig und Äste, frisch erquickt, entsprossen
Dem duft'gen Abgrund, wo versenkt sie schliefen;
Auch Farb' an Farbe klärt sich los vom Grunde,
Wo Blum' und Blatt von Zitterperle triefen:
Ein Paradies wird um mich her die Runde.

Hinaufgeschaut! – Der Berge Gipfelriesen
Verkünden schon die feierlichste Stunde;
sie dürfen früh des ewgen Lichts genießen,
Das später sich zu uns hernieder wendet.
Jetzt zu der Alpe grüngesenkten Wiesen
Wird neuer Glanz und Deutlichkeit gespendet,
Und stufenweis herab ist es gelungen –
Sie tritt hervor! – und, leider schon geblendet,
Kehr ich mich weg, vom Augenschmerz durchdrungen.

So ist es also, wenn ein sehnend Hoffen
Dem höchsten Wunsch sich traulich zugerungen,
Erfüllungspforten findet flügeloffen;
Nun aber bricht aus jenen ewigen Gründen
Ein Flammenübermaß, wir stehn betroffen;
Des Lebens Fackel wollten wir entzünden,
Ein Feuermeer umschlingt uns, welch ein Feuer!
Ist's Lieb'? ist's Haß? die glühend uns umwinden,
Mit Schmerz und Freuden wechselnd ungeheuer,
So daß wir wieder nach der Erde blicken,
Zu bergen uns in jugendlichstem Schleier.

So bleibe denn die Sonne mir im Rücken!
Der Wassersturz, das Felsenriff durchbrausend,
Ihn schau ich an mit wachsendem Entzücken.
Von Sturz zu Sturzen wälzt er jetzt in tausend,
Dann abertausend Strömen sich ergießend,
Hoch in die Lüfte, Schaum an Schäume sausend.

Allein wie herrlich, diesem Sturm ersprießend,
Wölbt sich des bunten Bogens Wechseldauer,
Bald rein gezeichnet, bald in Luft zerfließend,
Umher verbreitend duftig kühle Schauer.
Der spiegelt ab das menschliche Bestreben.
Ihm sinne nach, und du begreifst genauer:
Im farbigen Abglanz haben wir das Leben.

Der Begriff vom Dasein und der Vollkommenheit ist ein und eben derselbe; wenn wir diesen Begriff so weit verfolgen, als es uns möglich ist, so sagen wir, daß wir uns das Unendliche denken.

Das Unendliche aber oder die vollständige Existenz kann von uns nicht gedacht werden.

Wir können nur Dinge denken, die entweder beschränkt sind oder die sich unsre Seele beschränkt. Wir haben also insofern einen Begriff vom Unendlichen, als wir uns denken können, daß es eine vollständige Existenz gebe, welche außer der Fassungskraft eines beschränkten Geistes ist.

Man kann nicht sagen, daß das Unendliche Teile habe.

Alle beschränkten Existenzen sind im Unendlichen, sind aber keine Teile des Unendlichen, sie nehmen vielmehr Teil an der Unendlichkeit.

Wir können uns nicht denken, daß etwas Beschränktes durch sich selbst existiere, und doch existiert alles wirklich durch sich selbst, obgleich die Zustände so verkettet sind, daß einer aus den andern sich entwickeln muß, und es also scheint, daß ein Ding vom andern hervorgebracht werde, welches aber nicht ist; sondern ein lebendiges Wesen gibt dem andern Anlaß zu sein und nötigt es, in einem bestimmten Zustand zu existieren.

Jedes existierende Ding hat also sein Dasein in sich, und so auch die Übereinstimmung, nach der es existiert.

Das Messen eines Dings ist eine grobe Handlung, die auf lebendige Körper nicht anders als höchst unvollkommen angewendet werden kann.

Ein lebendig existierendes Ding kann durch nichts gemessen werden, was außer ihm ist, sondern wenn es ja geschehen sollte, müßte es den Maßstab selbst dazu hergeben; dieser aber ist höchst geistig und kann durch die Sinne nicht gefunden werden; schon beim Zirkel läßt sich das Maß des Diameters nicht auf die Peripherie anwenden. So hat man den Menschen mechanisch messen wollen, die Maler haben den Kopf als den vornehmsten Teil zu der Einheit des Maßes genommen, es läßt sich aber doch dasselbe nicht ohne sehr kleine und unaussprechliche Brüche auf die übrigen Glieder anwenden.

In jedem lebendigen Wesen sind das, was wir Teile nennen, dergestalt unzertrennlich vom Ganzen, daß sie nur in und mit demselben begriffen werden können, und es können weder die Teile zum Maß des Ganzen noch das Ganze zum Maß der Teile angewendet werden, und so nimmt, wie wir oben gesagt haben, ein eingeschränktes lebendiges Wesen teil an der Unendlichkeit, oder vielmehr, es hat etwas Unendliches an sich, wenn wir nicht lieber sagen wollen, daß wir den Begriff der Existenz und der Vollkommenheit des eingeschränktesten lebendigen Wesens nicht ganz fassen können und es also ebenso wie das ungeheure Ganze, in dem alle Existenzen begriffen sind, für unendlich erklären müssen.

Der Dinge, die wir gewahr werden, ist eine ungeheure Menge; die Verhältnisse derselben, die unsre Seele ergreifen kann, sind äußerst mannigfaltig. Seelen, die eine innre Kraft haben, sich auszubreiten, fangen an zu ordnen, um sich die Erkenntnis zu erleichtern, fangen an zu fügen und zu verbinden, um zum Genuß zu gelangen.

Wir müssen also alle Existenz und Vollkommenheit in unsre Seele dergestalt beschränken, daß sie unsrer Natur und unsrer Art zu denken und zu empfinden angemessen werden; dann sagen wir erst, daß wir eine Sache begreifen oder sie genießen.

Wird die Seele ein Verhältnis gleichsam im Keime gewahr, dessen Harmonie, wenn sie ganz entwickelt wäre, sie nicht ganz auf einmal überschauen oder empfinden könnte, so nennen wir diesen Eindruck *erhaben*, und es ist der herrlichste, der einer menschlichen Seele zuteil werden kann.

Wenn wir ein Verhältnis erblicken, welches in seiner ganzen Entfaltung zu überschauen oder zu ergreifen das Maß unsrer Seele eben hinreicht, dann nennen wir den Eindruck *groß*.

Wir haben oben gesagt, daß alle lebendig existierende Dinge ihr Verhältnis in sich haben; den Eindruck also, den sie sowohl einzeln als in Verbindung mit andern auf uns machen, wenn er nur aus ihrem vollständigen Dasein entspringt, nennen wir *wahr*, und wenn dieses Dasein teils auf eine solche Weise beschränkt ist, daß wir es leicht fassen können, und in einem solchen Verhältnis zu unsrer Natur stehet, daß wir es gern ergreifen mögen, nennen wir den Gegenstand *schön*.

—Ein Gleiches geschieht, wenn sich Menschen nach ihrer Fähigkeit ein Ganzes, es sei so reich oder arm als es wolle, von dem Zusammenhange der Dinge gebildet und nunmehr den Kreis zugeschlossen haben. Sie werden dasjenige, was sie am bequemsten denken, worin sie einen Genuß finden können, für das Gewisseste und Sicherste halten, ja man wird meistenteils bemerken, daß sie andere, welche sich nicht so leicht beruhigen und mehr Verhältnisse göttlicher und menschlicher Dinge aufzusuchen und zu erkennen streben, mit einem zufriedenen Mitleid ansehen und bei jeder Gelegenheit bescheiden trotzig merken lassen, daß sie im Wahren eine Sicherheit gefunden, welche über allen Beweis und Verstand erhaben sei. Sie können nicht genug ihre innere beneidenswerte Ruhe und Freude rühmen und diese Glückseligkeit einem jeden als das letzte Ziel andeuten. Da sie aber weder klar zu entdecken imstande sind, auf welchem Weg sie zu dieser Überzeugung gelangen, noch was eigentlich der Grund derselbigen sei, sondern bloß von Gewißheit als Gewißheit sprechen, so bleibt auch dem Lehrbegierigen wenig Trost bei ihnen, indem er immer hören muß, das Gemüt müsse immer einfältiger und einfältiger werden, sich nur auf einen Punkt hinrichten, sich aller mannigfaltigen verwirrenden Verhältnisse entschlagen, und nur alsdann könne man aber auch um desto sicherer in einem Zustande sein Glück finden, der ein freiwilliges Geschenk und eine besondere Gabe Gottes sei.

Nun möchten wir zwar nach unsrer Art zu denken diese Beschränkung keine Gabe nennen, weil ein Mangel nicht als eine Gabe angesehen werden kann, wohl aber möchten wir es als eine Gnade der Natur ansehen, daß sie, da der Mensch nur meist zu unvollständigen Begriffen zu gelangen imstande ist, ihn doch mit einer solchen Zufriedenheit in seiner Enge versorgt hat.

DER VERSUCH ALS VERMITTLER
VON OBJEKT UND SUBJEKT

Sobald der Mensch die Gegenstände um sich her gewahr wird, betrachtet er sie in bezug auf sich selbst, und mit Recht. Denn es hängt sein ganzes Schicksal davon ab, ob sie ihm gefallen oder mißfallen, ob sie ihn anziehen oder abstoßen, ob sie ihm nutzen oder schaden. Diese ganz natürliche Art, die Sachen anzusehen und zu beurteilen, scheint so leicht zu sein, als sie notwendig ist, und doch ist der Mensch dabei tausend Irrtümern ausgesetzt, die ihn oft beschämen und ihm das Leben verbittern.

Ein weit schwereres Tagewerk übernehmen diejenigen, deren lebhafter Trieb nach Kenntnis die Gegenstände der Natur an sich selbst und ihren Verhältnissen untereinander zu beobachten strebt: denn sie vermissen bald den Maßstab, der ihnen zu Hülfe kam, wenn sie als Menschen die Dinge in bezug auf sich betrachteten. Es fehlt ihnen der Maßstab des Gefallens und Mißfallens, des Anziehens und Abstoßens, des Nutzens und Schadens; diesem sollen sie ganz entsagen, sie sollen als gleichgültige und gleichsam göttliche Wesen suchen und untersuchen, was ist, und nicht, was behagt. So soll den echten Botaniker weder die Schönheit noch die Nutzbarkeit der Pflanzen rühren, er soll ihre Bildung, ihr Verhältnis zu dem übrigen Pflanzenreiche untersuchen; und wie sie alle von der Sonne hervorgelockt und beschienen werden, so soll er mit einem gleichen ruhigen Blicke sie alle ansehen und übersehen und den Maßstab zu dieser Erkenntnis, die Data der Beurteilung nicht aus sich, sondern aus dem Kreise der Dinge nehmen, die er beobachtet.

Sobald wir einen Gegenstand in Beziehung auf sich selbst und in Verhältnis mit andern betrachten und denselben nicht unmittelbar entweder begehren oder verabscheuen, so werden wir mit einer ruhigen Aufmerksamkeit uns bald von ihm, seinen Teilen, seinen Verhältnissen einen ziemlich deutlichen

Begriff machen können. Je weiter wir diese Betrachtungen fortsetzen, je mehr wir Gegenstände untereinander verknüpfen, desto mehr üben wir die Beobachtungsgabe, die in uns ist. Wissen wir in Handlungen diese Erkenntnisse auf uns zu beziehen, so verdienen wir klug genannt zu werden. Für einen jeden wohl organisierten Menschen, der entweder von Natur mäßig ist oder durch die Umstände mäßig eingeschränkt wird, ist die Klugheit keine schwere Sache: denn das Leben weist uns bei jedem Schritte zurecht. Allein wenn der Beobachter eben diese scharfe Urteilskraft zur Prüfung geheimer Naturverhältnisse anwenden, wenn er in einer Welt, in der er gleichsam allein ist, auf seine eigenen Tritte und Schritte acht geben, sich vor jeder Übereilung hüten, seinen Zweck stets in Augen haben soll, ohne doch selbst auf dem Wege irgendeinen nützlichen oder schädlichen Umstand unbemerkt vorbei zu lassen; wenn er auch da, wo er von niemand so leicht kontrolliert werden kann, sein eigner strengster Beobachter sein und bei seinen eifrigsten Bemühungen immer gegen sich selbst mißtrauisch sein soll: so sieht wohl jeder, wie streng diese Forderungen sind und wie wenig man hoffen kann, sie ganz erfüllt zu sehen, man mag sie nun an andere oder an sich machen. Doch müssen uns diese Schwierigkeiten, ja man darf wohl sagen, diese hypothetische Unmöglichkeit, nicht abhalten, das möglichste zu tun, und wir werden wenigstens am weitesten kommen, wenn wir uns die Mittel im allgemeinen zu vergegenwärtigen suchen, wodurch vorzügliche Menschen die Wissenschaften zu erweitern gewußt haben; wenn wir die Abwege genau bezeichnen, auf welchen sie sich verirrt und auf welchen ihnen manchmal Jahrhunderte eine große Anzahl von Schülern folgten, bis spätere Erfahrungen erst wieder den Beobachter auf den rechten Weg einleiteten.

Daß die Erfahrung, wie in allem, was der Mensch unternimmt, so auch in der Naturlehre, von der ich gegenwärtig vorzüglich spreche, den größten Einfluß habe und haben solle, wird niemand leugnen, so wenig als man den Seelenkräften, in welchen diese Erfahrungen aufgefaßt, zusammengenommen, geordnet und ausgebildet werden, ihre hohe und gleichsam schöpferisch unabhängige Kraft absprechen wird. Allein wie diese Erfahrungen zu machen und wie sie zu nutzen, wie unsere Kräfte auszubilden und zu brauchen, das kann weder so allgemein bekannt noch anerkannt sein.

Sobald Menschen von scharfen frischen Sinnen auf Gegenstände aufmerksam gemacht werden, findet man sie zu Beobachtungen so geneigt als geschickt. Ich habe dieses oft bemerken können, seitdem ich die Lehre des Lichts und der Farben mit Eifer behandle und, wie es zu geschehen pflegt, mich auch mit Personen, denen solche Betrachtungen sonst fremd sind, von dem, was mich soeben sehr interessiert, unterhalte. Sobald ihre Aufmerksamkeit nur rege war, bemerkten sie Phänomene, die ich teils nicht gekannt, teils übersehen hatte, und berichtigten dadurch gar oft eine voreilig gefaßte Idee, ja gaben mir Anlaß, schnellere Schritte zu tun und aus der Einschränkung herauszutreten, in welcher uns eine mühsame Untersuchung oft gefangen hält.

Es gilt also auch hier, was bei so vielen andern menschlichen Unternehmungen gilt, daß nur das Interesse mehrerer auf einen Punkt gerichtet etwas Vorzügliches hervorzubringen imstande sei. Hier wird es offenbar, daß der Neid, welcher andere so gern von der Ehre einer Entdeckung ausschließen möchte, daß die unmäßige Begierde, etwas Entdecktes nur nach seiner Art zu behandeln und auszuarbeiten, dem Forscher selbst das größte Hindernis sei.

Ich habe mich bisher bei der Methode, mit mehreren zu arbeiten, zu wohl befunden, als daß ich nicht solche fortsetzen sollte. Ich weiß genau, wem ich dieses und jenes auf meinem Wege schuldig geworden, und es soll mir eine Freude sein, es künftig öffentlich bekannt zu machen.

Sind uns nun bloß natürliche, aufmerksame Menschen so viel zu nützen imstande, wie allgemeiner muß der Nutzen sein, wenn unterrichtete Menschen einander in die Hände arbeiten!

Schon ist eine Wissenschaft an und für sich selbst eine so große Masse, daß sie viele Menschen trägt, wenn sie gleich kein Mensch tragen kann. Es läßt sich bemerken, daß die Kenntnisse, gleichsam wie ein eingeschlossenes aber lebendiges Wasser, sich nach und nach zu einem gewissen Niveau erheben, daß die schönsten Entdeckungen nicht sowohl durch Menschen als durch die Zeit gemacht worden; wie denn eben sehr wichtige Dinge zu gleicher Zeit von zweien oder wohl gar mehreren geübten Denkern gemacht worden. Wenn also wir in jenem ersten Fall der Gesellschaft und den Freunden so vieles schuldig sind, so werden wir in diesem der Welt und dem Jahrhundert noch mehr schuldig, und wir können in beiden Fällen nicht genug anerkennen, wie nötig Mitteilung, Beihülfe, Erinnerung und Widerspruch sei, um uns auf dem rechten Wege zu erhalten und vorwärts zu bringen.

Man hat daher in wissenschaftlichen Dingen gerade das Gegenteil von dem zu tun, was der Künstler rätlich findet: denn er tut wohl, sein Kunstwerk nicht öffentlich sehen zu lassen, bis es vollendet ist, weil ihm nicht leicht jemand raten noch Beistand leisten kann; ist es hingegen vollendet, so hat er alsdann den Tadel oder das Lob zu überlegen und zu beherzigen, solches mit seiner Erfahrung zu vereinigen und sich dadurch zu einem neuen Werke auszubilden und vorzubereiten. In wissenschaftlichen Dingen hingegen ist es schon nützlich, jede einzelne Erfahrung, ja Vermutung öffentlich mitzuteilen; und es ist höchst rätlich, ein wissenschaftliches Gebäude nicht eher aufzuführen, bis der Plan dazu und die Materialien allgemein bekannt, beurteilt und ausgewählt sind.

Wenn wir die Erfahrungen, welche vor uns gemacht worden, die wir selbst oder andere zu gleicher Zeit mit uns machen, vorsätzlich wiederholen und die Phänomene, die teils zufällig, teils künstlich entstanden sind, wieder darstellen, so nennen wir dieses einen Versuch.

Der Wert eines Versuchs besteht vorzüglich darin, daß er, er sei nun einfach oder zusammengesetzt, unter gewissen Bedingungen mit einem bekannten Apparat und mit erforderlicher Geschicklichkeit jederzeit wieder hervorgebracht werden könne, so oft sich die bedingten Umstände vereinigen lassen. Wir bewundern mit Recht den menschlichen Verstand, wenn wir auch nur obenhin die Kombinationen ansehen, die er zu diesem Endzwecke gemacht hat, und die Maschinen betrachten, die dazu erfunden worden sind und man darf wohl sagen täglich erfunden werden.

So schätzbar aber auch ein jeder Versuch einzeln betrachtet sein mag, so erhält er doch nur seinen Wert durch Vereinigung und Verbindung mit andern. Aber eben zwei Versuche, die miteinander einige Ähnlichkeit haben, zu vereinigen und zu verbinden, gehört mehr Strenge und Aufmerksamkeit, als selbst scharfe Beobachter oft von sich gefordert haben. Es können zwei Phänomene miteinander verwandt sein, aber doch noch lange nicht so nah, als wir glauben. Zwei Versuche können scheinen auseinander zu folgen, wenn zwischen ihnen noch eine große Reihe stehen müßte, um sie in eine recht natürliche Verbindung zu bringen.

Man kann sich daher nicht genug in acht nehmen, aus Versuchen nicht zu geschwind zu folgern: denn beim Übergang von der Erfahrung zum Urteil, von der Erkenntnis zur Anwendung ist es, wo dem Menschen gleichsam wie an einem Passe alle seine inneren Feinde auflauern, Einbildungskraft, Ungeduld, Vorschnelligkeit, Selbstzufriedenheit, Steifheit, Gedankenform, vorgefaßte Meinung, Bequemlichkeit, Leichtsinn, Veränderlichkeit und wie die ganze Schar mit ihrem Gefolge heißen mag, alle liegen hier im Hinterhalte und überwältigen unversehens sowohl den handelnden Weltmann als auch den stillen, vor allen Leidenschaften gesichert scheinenden Beobachter.

Ich möchte zur Warnung dieser Gefahr, welche größer und näher ist, als man denkt, hier eine Art von Paradoxon aufstellen, um eine lebhaftere Aufmerksamkeit zu erregen. Ich wage nämlich zu behaupten: daß ein Versuch, ja mehrere Versuche in Verbindung nichts beweisen, ja daß nichts gefährlicher sei, als irgendeinen Satz unmittelbar durch Versuche bestätigen zu wollen, und daß die größten Irrtümer eben dadurch entstanden sind, daß man die Gefahr und die Unzulänglichkeit dieser Methode nicht eingesehen. Ich muß mich deutlicher erklären, um nicht in den Verdacht zu geraten, als wollte ich nur etwas Sonderbares sagen.

Eine jede Erfahrung, die wir machen, ein jeder Versuch, durch den wir sie wiederholen, ist eigentlich ein isolierter Teil unserer Erkenntnis; durch öftere Wiederholung bringen wir diese isolierte Kenntnis zur Gewißheit. Es können uns zwei Erfahrungen in demselben Fache bekannt werden, sie können nahe verwandt sein, aber noch näher verwandt scheinen, und gewöhnlich sind wir geneigt, sie für näher verwandt zu halten, als sie sind. Es ist dieses der Natur des Menschen gemäß, die Geschichte des menschlichen Verstandes zeigt uns tausend Beispiele, und ich habe an mir selbst bemerkt, daß ich diesen Fehler oft begehe.

Es ist dieser Fehler mit einem andern nahe verwandt, aus dem er auch meistenteils entspringt. Der Mensch erfreut sich nämlich mehr an der Vorstellung als an der Sache, oder wir müssen vielmehr sagen: der Mensch erfreut sich nur einer Sache, insofern er sich dieselbe vorstellt; sie muß in seine Sinnesart passen, und er mag seine Vorstellungsart noch so hoch über die gemeine heben, noch so sehr reinigen, so bleibt sie doch gewöhnlich nur ein Versuch, viele Gegenstände in ein gewisses faßliches Verhältnis zu bringen, das sie, streng genommen, untereinander nicht haben; daher die Neigung zu Hypothesen, zu Theorien, Terminologien und Systemen, die wir nicht mißbilligen können, weil sie aus der Organisation unsers Wesens notwendig entspringen.

Wenn von einer Seite eine jede Erfahrung, ein jeder Versuch ihrer Natur nach als isoliert anzusehen sind und von der andern Seite die Kraft des menschlichen Geistes alles, was außer ihr ist und was ihr bekannt wird, mit einer ungeheuren Gewalt zu verbinden strebt: so sieht man die Gefahr leicht ein, welche man läuft, wenn man mit einer gefaßten Idee eine einzelne Erfahrung verbinden oder irgendein Verhältnis, das nicht ganz sinnlich ist, das aber die bildende Kraft des Geistes schon ausgesprochen hat, durch einzelne Versuche beweisen will.

Es entstehen durch eine solche Bemühung meistenteils Theorien und Systeme, die dem Scharfsinn der Verfasser Ehre machen, die aber, wenn sie mehr als billig ist Beifall finden, wenn sie sich länger als recht ist erhalten, dem Fortschritte des menschlichen Geistes, den sie in gewissem Sinne befördern, sogleich wieder hemmend und schädlich werden.

Man wird bemerken können, daß ein guter Kopf nur desto mehr Kunst anwendet, je weniger Data vor ihm liegen; daß er, gleichsam seine Herrschaft zu zeigen, selbst aus den vorliegenden Datis nur wenige Günstlinge herauswählt, die ihm schmeicheln; daß er die übrigen so zu ordnen versteht, wie sie ihm nicht geradezu widersprechen, und daß er die feindseligen zuletzt so zu verwickeln, zu umspinnen und beiseite zu bringen weiß, daß wirklich nunmehr das Ganze nicht mehr einer freiwirkenden Republik, sondern einem despotischen Hofe ähnlich wird.

Einem Manne, der so viel Verdienst hat, kann es an Verehrern und Schülern nicht fehlen, die ein solches Gewebe historisch kennen lernen und bewundern und, insofern es möglich ist, sich die Vorstellungsart ihres Meisters eigen machen. Oft gewinnt eine solche Lehre dergestalt die Überhand, daß man für frech und verwegen gehalten würde, wenn man an ihr zu zweifeln sich erkühnte. Nur spätere Jahrhunderte würden sich an ein solches Heiligtum wagen, den Gegenstand einer Betrachtung dem gemeinen Menschensinne wieder vindizieren, die Sache etwas leichter nehmen und von dem Stifter einer Sekte das wiederholen, was ein witziger Kopf von einem großen Naturlehrer sagt: er wäre ein großer Mann gewesen, wenn er weniger erfunden hätte.

Es möchte aber nicht genug sein, die Gefahr anzuzeigen und

vor derselben zu warnen. Es ist billig, daß man wenigstens seine Meinung eröffne und zu erkennen gebe, wie man selbst einen solchen Abweg zu vermeiden glaubt, oder ob man gefunden, wie ihn ein anderer vor uns vermieden habe.

Ich habe vorhin gesagt, daß ich die unmittelbare Anwendung eines Versuchs zum Beweis irgendeiner Hypothese für schädlich halte, und habe dadurch zu erkennen gegeben, daß ich eine mittelbare Anwendung derselben für nützlich ansehe, und da auf diesen Punkt alles ankommt, so ist es nötig, sich deutlich zu erklären.

In der lebendigen Natur geschieht nichts, was nicht in einer Verbindung mit dem Ganzen stehe, und wenn uns die Erfahrungen nur isoliert erscheinen, wenn wir die Versuche nur als isolierte Fakta anzusehen haben, so wird dadurch nicht gesagt, daß sie isoliert seien, es ist nur die Frage: wie finden wir die Verbindung dieser Phänomene, dieser Begebenheiten?

Wir haben oben gesehen, daß diejenigen am ersten dem Irrtume unterworfen waren, welche ein isoliertes Faktum mit ihrer Denk- und Urteilskraft unmittelbar zu verbinden suchten. Dagegen werden wir finden, daß diejenigen am meisten geleistet haben, welche nicht ablassen, alle Seiten und Modifikationen einer einzigen Erfahrung, eines einzigen Versuches, nach aller Möglichkeit durchzuforschen und durchzuarbeiten.

Da alles in der Natur, besonders aber die allgemeinern Kräfte und Elemente, in einer ewigen Wirkung und Gegenwirkung sind, so kann man von einem jeden Phänomene sagen, daß es mit unzähligen andern in Verbindung stehe, wie wir von einem freischwebenden leuchtenden Punkte sagen, daß er seine Strahlen nach allen Seiten aussende. Haben wir also einen solchen Versuch gefaßt, eine solche Erfahrung gemacht, so können wir nicht sorgfältig genug untersuchen, was unmittelbar an ihn grenzt? was zunächst auf ihn folgt? Dieses ist's, worauf wir mehr zu sehen haben, als auf das, was sich auf ihn bezieht. Die Vermannigfaltigung eines jeden einzelnen Versuches ist also die eigentliche Pflicht eines Naturforschers. Er hat gerade die umgekehrte Pflicht eines Schriftstellers, der unterhalten will. Dieser wird Langeweile erregen, wenn er nichts zu denken übrig läßt, jener muß rastlos arbeiten, als wenn er seinen Nachfolgern nichts zu tun übrig lassen wollte, wenn ihn gleich die Disproportion unseres Verstandes zu der Natur der Dinge zeitig genug erinnert, daß kein Mensch Fähigkeiten genug habe, in irgendeiner Sache abzuschließen.

Ich habe in den zwei ersten Stücken meiner optischen Beiträge eine solche Reihe von Versuchen aufzustellen gesucht, die zunächst aneinander grenzen und sich unmittelbar berühren, ja, wenn man sie alle genau kennt und übersieht, gleichsam nur einen Versuch ausmachen, nur eine Erfahrung unter den mannigfaltigsten Ansichten darstellen.

Eine solche Erfahrung, die aus mehreren andern besteht, ist offenbar von einer höhern Art. Sie stellt die Formel vor, unter welcher unzählige einzelne Rechnungsexempel ausgedrückt werden. Auf solche Erfahrungen der höhern Art loszuarbeiten, halt ich für höchste Pflicht des Naturforschers, und dahin weist uns das Exempel der vorzüglichsten Männer, die in diesem Fache gearbeitet haben.

Diese Bedächtlichkeit, nur das Nächste ans Nächste zu reihen oder vielmehr das Nächste aus dem Nächsten zu folgern, haben wir von den Mathematikern zu lernen, und selbst da, wo wir uns keiner Rechnung bedienen, müssen wir immer so zu Werke gehen, als wenn wir dem strengsten Geometer Rechenschaft zu geben schuldig wären.

Denn eigentlich ist es die mathematische Methode, welche wegen ihrer Bedächtlichkeit und Reinheit gleich jeden Sprung in der Assertion offenbart, und ihre Beweise sind eigentlich nur umständliche Ausführungen, daß dasjenige, was in Verbindung vorgebracht wird, schon in seinen einfachen Teilen und in seiner ganzen Folge da gewesen, in seinem ganzen Umfange übersehen und unter allen Bedingungen richtig und unumstößlich erfunden worden. Und so sind ihre Demonstrationen immer mehr Darlegungen, Rekapitulationen, als Argumente. Da ich diesen Unterschied hier mache, so sei es mir erlaubt, einen Rückblick zu tun.

Man sieht den großen Unterschied zwischen einer mathematischen Demonstration, welche die ersten Elemente durch so viele Verbindungen durchführt, und zwischen dem Beweise, den ein kluger Redner aus Argumenten führen könnte. Argumente können ganz isolierte Verhältnisse enthalten und dennoch durch Witz und Einbildungskraft auf einen Punkt zusammengeführt und der Schein eines Rechts oder Unrechts, eines Wahren oder Falschen überraschend genug hervorgebracht werden. Ebenso kann man, zugunsten einer Hypothese oder Theorie, die einzelnen Versuche gleich Argumenten zusammen stellen und einen Beweis führen, der mehr oder weniger blendet.

Wem es dagegen zu tun ist, mit sich selbst und andern redlich zu Werke zu gehen, der wird auf das sorgfältigste die einzelnen Versuche durcharbeiten und so die Erfahrungen der höheren Art auszubilden suchen. Diese lassen sich durch kurze und faßliche Sätze aussprechen, nebeneinander stellen, und wie sie nach und nach ausgebildet worden, können sie geordnet und in ein solches Verhältnis gebracht werden, daß sie so gut als mathematische Sätze entweder einzeln oder zusammengenommen unerschütterlich stehen.

Die Elemente dieser Erfahrungen der höheren Art, welches viele einzelne Versuche sind, können alsdann von jedem untersucht und geprüft werden, und es ist nicht schwer zu beurteilen, ob die vielen einzelnen Teile durch einen allgemeinen Satz ausgesprochen werden können; denn hier findet keine Willkür statt.

Bei der andern Methode aber, wo wir irgend etwas, das wir behaupten, durch isolierte Versuche gleichsam als durch Argumente beweisen wollen, wird das Urteil öfters nur erschlichen, wenn es nicht gar in Zweifel stehen bleibt. Hat man aber eine Reihe Erfahrungen der höheren Art zusammengebracht, so übe sich alsdann der Verstand, die Einbildungskraft, der Witz an denselben wie sie nur mögen, es wird nicht schädlich, ja es wird nützlich sein. Jene erste Arbeit kann nicht sorgfältig, emsig, streng, ja pedantisch genug vorgenommen werden; denn sie wird für Welt und Nachwelt unternommen. Aber diese Materialien müssen in Reihen geordnet und niedergelegt sein, nicht auf eine hypothetische Weise zusammengestellt, nicht zu einer systematischen Form verwendet. Es steht alsdann einem jeden frei, sie nach seiner Art zu verbinden und ein Ganzes daraus zu bilden, das der menschlichen Vorstellungsart überhaupt mehr oder weniger bequem und angenehm sei. Auf diese Weise wird unterschieden, was zu unterscheiden ist, und man kann die Sammlung von Erfahrungen viel schneller und reiner vermehren, als wenn man die späteren Versuche wie Steine, die nach einem geendigten Bau herbeigeschafft werden, unbenutzt beiseite legen muß.

Die Meinung der vorzüglichsten Männer und ihr Beispiel läßt mich hoffen, daß ich auf dem rechten Wege sei, und ich wünsche, daß mit dieser Erklärung meine Freunde zufrieden sein mögen, die mich manchmal fragen: was denn eigentlich bei meinen optischen Bemühungen meine Absicht sei? Meine Absicht ist: alle Erfahrungen in diesem Fache zu sammeln, alle Versuche selbst anzustellen und sie durch ihre größte Mannigfaltigkeit durchzuführen, wodurch sie denn auch leicht nachzumachen und nicht aus dem Gesichtskreise so vieler Menschen hinausgerückt sind. Sodann die Sätze, in welchen sich die Erfahrungen von der höheren Gattung aussprechen lassen, aufzustellen und abzuwarten, inwiefern sich auch diese unter ein höheres Prinzip rangieren. Sollte indes die Einbildungskraft und der Witz ungeduldig manchmal vorauseilen, so gibt die Verfahrungsart selbst die Richtung des Punktes an, wohin sie wieder zurückzukehren haben.

Durch Worte sprechen wir weder die Gegenstände noch uns selbst völlig aus.

Durch die Sprache entsteht gleichsam eine neue Welt, die aus Notwendigem und Zufälligem besteht.

Verba valent sicut nummi. Aber es ist ein Unterschied unter dem Gelde. Es gibt goldne, silberne, kupferne Münzen und auch Papiergeld. In den erstern ist mehr oder weniger Realität, in dem letzten nur Konvention.

Im gemeinen Leben kommen wir mit der Sprache notdürftig fort, weil wir nur oberflächliche Verhältnisse bezeichnen. Sobald von tiefern Verhältnissen die Rede ist, tritt sogleich eine andre Sprache ein, die poetische.

Indem wir von innern Verhältnissen der Natur sprechen wollen, bedürfen wir gar mancherlei Bezeichnungsweisen.

Ich erwähne hier viere derselben:

Symbole

1. die mit dem Gegenstand physisch-real-identisch sind, wie wir die magnetischen Erscheinungen erst ausgesprochen und dann als Terminologie bei den Verwandten gebraucht haben;

2. die mit dem Gegenstand ästhetisch ideal identisch sind. Hieher gehören alle guten Gleichnisse, wobei man sich nur vor dem Witz zu hüten hat, welcher nicht das Verwandte aufsucht, sondern das Unverwandte scheinbar annähert;

3. die einen Bezug ausdrücken, der nicht ganz notwendig, vielmehr einiger Willkür unterworfen ist, aber doch auf eine innere Verwandtschaft der Erscheinungen hindeutet. Ich möchte sie mnemonisch im höhern Sinne nennen, da die gemeine Mnemonik sich völlig willkürlicher Zeichen bedient;

4. die von der Mathematik hergenommen sind, und weil ihnen gleichfalls Anschauungen zum Grunde liegen, im höchsten Sinne identisch mit den Erscheinungen werden können.

Von den drei ersten Symbolen haben wir Beispiele in der Sprache.

1. Wenn zum Beispiel das Wort ein Tönendes ausdrückt, wie Knall.

2. Wenn durch den Ton eine übereinstimmende Empfindung ausgedrückt wird, wie es bei Flexionen vielmals der Fall ist: Knallen.

3. Wenn Worte, die sich aufeinander beziehen, gleichen Klang haben, wie mein, dein, sein, da sie auch zufällig einander nicht ähnlich sein könnten, wie ich und du; da hingegen moi und toi auf gedachte Weise verwandt ist.

Von der vierten Art, welche bloß auf Anschauungen ruht, kann in der Sprache nichts vorkommen.

Beobachtung und
Denken

Die Fehler der Beobachter entspringen aus den Eigenschaften des menschlichen Geistes.

Der Mensch kann und soll seine Eigenschaften weder ablegen noch verleugnen.

Aber er kann sie bilden und ihnen eine Richtung geben.

Der Mensch will immer tätig sein.

Ein Phänomen an und vor sich scheint ihm nicht wichtig genug.

Wenn es nicht eigentlich auf ihn wirkt, steht er zwar als Beobachter da, allein er behandelt es schnell als einen Minor.

Eilig sucht er sich einen Major dazu, um so geschwind als möglich eine Konklusion machen zu können.

Er findet dabei einen doppelten Vorteil.

Er ist tätig gewesen, und er hat ein Objekt sich zugeeignet, in sein Ganzes verschlungen, oder die Anforderung eines schwachen Interesses beiseite geschafft.

Zum Beobachter gehört natürliche Anlage und zweckmäßige Bildung.

Der Beobachter muß mehr das Ordnen als das Verbinden und Knüpfen lieben.

Wer zur wahren Ordnung geneigt ist, wird, sobald etwas Fremdes erscheint, das in seine Einrichtung nicht paßt, lieber die ganze Zusammenstellung verändern, als das eine auslassen oder wissentlich falsch stellen.

Wer zum Verknüpfen geneigt ist, wird seine Verbindung nicht gerne auflösen; er wird etwas Neues lieber ignorieren oder künstlich mit dem Alten verbinden.

Die Ordnung ist mehr objektiv.

Die Verknüpfung mehr subjektiv.

Wir lieben das Objekt nicht so sehr, als unsere Meinung; wir bilden uns weniger darauf ein und lassen es lieber fahren.

Die erste von allen Eigenschaften ist die Aufmerksamkeit, wodurch das Phänomen sicher wird.

Verwandlung des Phänomens in einen Versuch.

Möglichkeit, dadurch viele Phänomene in eine Rubrik zu bringen.

Ordnung dieser Rubriken.

Subjektives in dieser Ordnung.

Methode der Ordnung.

Besonders bei elementarischen Gegenständen.

Unterschied der Behandlung bestimmter und besonders organischer Körper.

Ordnung die beste, wodurch die Phänomene gleichsam ein großes Phänomen werden, dessen Teile sich aufeinander beziehn.

Terminologie.

Übrige theoretische Handhabe.

Hypothesen.

Gründlichkeit im Beobachten.

Versatilität in der Vorstellungsart.

POLARITÄT

Zwei Forderungen entstehn in uns bei Betrachtung der Naturerscheinungen: die Erscheinungen selbst vollständig kennenzulernen, und uns dieselben durch Nachdenken anzueignen. Zur Vollständigkeit führt die Ordnung, die Ordnung fordert Methode, und die Methode erleichtert die Vorstellungen. Wenn wir einen Gegenstand in allen seinen Teilen übersehen, recht fassen und ihn im Geiste wieder hervorbringen können, so dürfen wir sagen, daß wir ihn im eigentlichen und im höhern Sinne anschauen, daß er uns angehöre, daß wir darüber eine gewisse Herrschaft erlangen. Und so führt uns das Besondere immer zum Allgemeinen, das Allgemeine zum Besondern. Beide wirken bei jeder Betrachtung, bei jedem Vortrag durcheinander.

Einiges Allgemeine gehe hier voraus.

Dualität der Erscheinung als Gegensatz:

>   Wir und die Gegenstände
>   Licht und Finsternis
>   Leib und Seele
>   Zwei Seelen
>   Geist und Materie
>   Gott und die Welt
>   Gedanke und Ausdehnung
>   Ideales und Reales
>   Sinnlichkeit und Vernunft
>   Phantasie und Verstand
>   Sein und Sehnsucht.
>   Zwei Körperhälften
>   Rechts und Links
>   Atemholen.
>   Physische Erfahrung:
>   Magnet

Unsere Vorfahren bewunderten die Sparsamkeit der Natur. Man dachte sie als eine verständige Person, die, indessen andere mit vielem wenig hervorbringen, mit wenigem viel zu leisten geneigt ist. Wir bewundern mehr, wenn wir uns auch auf menschliche Weise ausdrücken, ihre Gewandtheit, wodurch sie, obgleich auf wenige Grundmaximen eingeschränkt, das Mannigfaltigste hervorzubringen weiß.

Sie bedient sich hierzu des Lebensprinzips, welches die Möglichkeit enthält, die einfachsten Anfänge der Erscheinungen durch Steigerung ins Unendliche und Unähnlichste zu vermannigfaltigen.

Was in die Erscheinung tritt, muß sich trennen, um nur zu erscheinen. Das Getrennte sucht sich wieder, und es kann sich wieder finden und vereinigen; im niedern Sinne, indem es sich nur mit seinem Entgegengestellten vermischt, mit demselben zusammentritt, wobei die Erscheinung Null oder wenigstens gleichgültig wird. Die Vereinigung kann aber auch im höhern Sinne geschehen, indem das Getrennte sich zuerst steigert und durch die Verbindung der gesteigerten Seiten ein Drittes, Neues, Höheres, Unerwartetes hervorbringt.

GLÜCKLICHES EREIGNIS

Genoß ich die schönsten Augenblicke meines Lebens zu gleicher Zeit, als ich der Metamorphose der Pflanzen nachforschte, als mir die Stufenfolge derselben klar geworden, begeistete mir diese Vorstellung den Aufenthalt von Neapel und Sizilien, gewann ich diese Art, das Pflanzenreich zu betrachten, immer mehr lieb, übte ich mich unausgesetzt daran auf Wegen und Stegen: so mußten mir diese vergnüglichen Bemühungen dadurch unschätzbar werden, indem sie Anlaß gaben zu einem der höchsten Verhältnisse, die mir das Glück in spätern Jahren bereitete. Die nähere Verbindung mit Schiller bin ich diesen erfreulichen Erscheinungen schuldig, sie beseitigten die Mißverhältnisse, welche mich lange Zeit von ihm entfernt hielten.

Nach meiner Rückkunft aus Italien, wo ich mich zu größerer Bestimmtheit und Reinheit in allen Kunstfächern auszubilden gesucht hatte, unbekümmert, was während der Zeit in Deutschland vorgegangen, fand ich neuere und ältere Dichterwerke in großem Ansehn, von ausgebreiteter Wirkung, leider solche, die mich äußerst anwiderten: ich nenne nur Heinses Ardinghello und Schillers Räuber. Jener war mir verhaßt, weil er Sinnlichkeit und abstruse Denkweisen durch bildende Kunst zu veredlen und aufzustutzen unternahm, dieser, weil ein kraftvolles, aber unreifes Talent gerade die ethischen und theatralischen Paradoxen, von denen ich mich zu reinigen gestrebt, recht im vollen hinreißenden Strome über das Vaterland ausgegossen hatte.

Beiden Männern von Talent verargte ich nicht, was sie unternommen und geleistet; denn der Mensch kann sich nicht versagen, nach seiner Art wirken zu wollen, er versucht es erst unbewußt, ungebildet, dann auf jeder Stufe der Bildung immer bewußter, daher denn so viel Treffliches und Albernes sich über die Welt verbreitet und Verwirrung aus Verwirrung sich entwickelt.

Das Rumoren aber, das im Vaterlande dadurch erregt, der Beifall, der jenen wunderlichen Ausgeburten allgemein so von wilden Studenten als der gebildeten Hofdame gezollt wird, der erschreckte mich; denn ich glaubte all mein Bemühen völlig verloren zu sehen, die Gegenstände, zu welchen, die Art und Weise, wie ich mich gebildet hatte, schienen mir beseitigt und gelähmt. Und was mich am meisten schmerzte: alle mit mir verbundenen Freunde, Heinrich Meyer und Moritz, sowie die im gleichen Sinne fortwaltenden Künstler Tischbein und Bury schienen mir gleichfalls gefährdet; ich war sehr betroffen. Die Betrachtung der bildenden Kunst, die Ausübung der Dichtkunst hätte ich gerne völlig aufgegeben, wenn es möglich gewesen wäre; denn wo war eine Aussicht, jene Produktionen von genialem Wert und wilder Form zu überbieten? Man denke sich meinen Zustand! Die reinsten Anschauungen suchte ich zu nähren und mitzuteilen, und nun fand ich mich zwischen Ardinghello und Franz Moor eingeklemmt.

Moritz, der aus Italien gleichfalls zurückkam und eine Zeitlang bei mir verweilte, bestärkte sich mit mir leidenschaftlich in diesen Gesinnungen; ich vermied Schillern, der, sich in Weimar aufhaltend, in meiner Nachbarschaft wohnte. Die Erscheinung des Don Carlos war nicht geeignet, mich ihm näher zu führen, alle Versuche von Personen, die ihm und mir gleich nahe standen, lehnte ich ab, und so lebten wir eine Zeitlang nebeneinander fort.

Forum Romanum, darüber
Akanthusblüten und Ahornblätter
Bleistift

Sein Aufsatz über Anmut und Würde war ebensowenig ein Mittel, mich zu versöhnen. Die Kantische Philosophie, welche das Subjekt so hoch erhebt, indem sie es einzuengen scheint, hatte er mit Freuden in sich aufgenommen; sie entwickelte das Außerordentliche, was die Natur in sein Wesen gelegt, und er, im höchsten Gefühl der Freiheit und Selbstbestimmung, war undankbar gegen die große Mutter, die ihn gewiß nicht stiefmütterlich behandelte. Anstatt sie selbständig, lebendig vom Tiefsten bis zum Höchsten, gesetzlich hervorbringend zu betrachten, nahm er sie von der Seite einiger empirischen menschlichen Natürlichkeiten. Gewisse harte Stellen sogar konnte ich direkt auf mich deuten, sie zeigten mein Glaubensbekenntnis in einem falschen Lichte; dabei fühlte ich, es sei noch schlimmer, wenn es ohne Beziehung auf mich gesagt worden; denn die ungeheure Kluft zwischen unsern Denkweisen klaffte nur desto entschiedener.

An keine Vereinigung war zu denken. Selbst das milde Zureden eines Dalberg, der Schillern nach Würden zu ehren verstand, blieb fruchtlos, ja meine Gründe, die ich jeder Vereinigung entgegensetzte, waren schwer zu widerlegen. Niemand konnte leugnen, daß zwischen zwei Geistesantipoden mehr als ein Erddiameter die Scheidung mache, da sie denn beiderseits als Pole gelten mögen, aber eben deswegen in eins nicht zusammenfallen können. Daß aber doch ein Bezug unter ihnen stattfinde, erhellt aus Folgendem. Schiller zog nach Jena, wo ich ihn ebenfalls nicht sah. Zu gleicher Zeit hatte Batsch durch unglaubliche Regsamkeit eine naturforschende Gesellschaft in Tätigkeit gesetzt, auf schöne Sammlungen, auf bedeutenden Apparat gegründet. Ihren periodischen Sitzungen wohnte ich gewöhnlich bei; einstmals fand ich Schillern daselbst, wir gingen zufällig beide zugleich heraus, ein Gespräch knüpfte sich an, er schien an dem Vorgetragenen teilzunehmen, bemerkte aber sehr verständig und einsichtig und mir sehr willkommen, wie eine so zerstückelte Art, die Natur zu behandeln, den Laien, der sich gern darauf einließe, keineswegs anmuten könne.

Ich erwiderte darauf, daß sie den Eingeweihten selbst vielleicht unheimlich bleibe und daß es doch wohl noch eine andere Weise geben könne, die Natur nicht gesondert und vereinzelt vorzunehmen, sondern sie wirkend und lebendig, aus dem Ganzen in die Teile strebend darzustellen. Er wünschte hierüber aufgeklärt zu sein, verbarg aber seine Zweifel nicht; er konnte nicht eingestehen, daß ein solches, wie ich behauptete, schon aus der Erfahrung hervorgehe.

Wir gelangten zu seinem Hause, das Gespräch lockte mich hinein; da trug ich die Metamorphose der Pflanzen lebhaft vor und ließ, mit manchen charakteristischen Federstrichen, eine symbolische Pflanze vor seinen Augen entstehen. Er vernahm und schaute das alles mit großer Teilnahme, mit entschiedener Fassungskraft; als ich aber geendet, schüttelte er den Kopf und sagte: »Das ist keine Erfahrung, das ist eine Idee.« Ich stutzte, verdrießlich einigermaßen; denn der Punkt, der uns trennte, war dadurch aufs strengste bezeichnet. Die Behauptung aus Anmut und Würde fiel mir wieder ein, der alte Groll wollte sich regen; ich nahm mich aber zusammen und versetzte: »Das kann mir sehr lieb sein, daß ich Ideen habe, ohne es zu wissen, und sie sogar mit Augen sehe.«

Schiller, der viel mehr Lebensklugheit und Lebensart hatte als ich und mich auch wegen der Horen, die er herauszugeben in Begriff stand, mehr anzuziehen als abzustoßen gedachte, erwiderte darauf als ein gebildeter Kantianer, und als aus meinem hartnäckigen Realismus mancher Anlaß zu lebhaftem Widerspruch entstand, so ward viel gekämpft und dann Stillstand gemacht; keiner von beiden konnte sich für den Sieger halten, beide hielten sich für unüberwindlich. Sätze wie folgender machten mich ganz unglücklich: »Wie kann jemals Erfahrung gegeben werden, die einer Idee angemessen sein sollte? Denn darin besteht eben das Eigentümliche der letzteren, daß ihr niemals eine Erfahrung kongruieren könne.« Wenn er das für eine Idee hielt, was ich als Erfahrung aussprach, so mußte doch zwischen beiden irgend etwas Vermittelndes, Bezügliches obwalten! Der erste Schritt war jedoch getan. Schillers Anziehungskraft war groß, er hielt alle fest, die sich ihm näherten; ich nahm teil an seinen Absichten und versprach zu den Horen manches, was bei mir verborgen lag, herzugeben; seine Gattin, die ich, von ihrer Kindheit auf, zu lieben und zu schätzen gewohnt war, trug das Ihrige bei zu dauerndem Verständnis, alle beiderseitigen Freunde waren froh, und so besiegelten wir, durch den größten, vielleicht nie ganz zu schlichtenden Wettkampf zwischen Objekt und Subjekt, einen Bund, der ununterbrochen gedauert und für uns und andere manches Gute gewirkt hat.

Nach diesem glücklichen Beginnen entwickelten sich im Verfolg eines zehnjährigen Umgangs die philosophischen Anlagen, inwiefern sie meine Natur enthielt, nach und nach; davon denke möglichst Rechenschaft zu geben, wenn schon die obwaltenden Schwierigkeiten jedem Kenner sogleich ins Auge fallen müssen. Denn diejenigen, welche von einem höheren Standpunkte die behagliche Sicherheit des Menschenverstandes überschauen, des einem gesunden Menschen angebornen Verstandes, der weder an den Gegenständen und ihrem Bezug, noch an dem eigenen Befugnis, sie zu erkennen, zu begreifen, zu beurteilen, zu schätzen, zu benutzen zweifelt, solche Männer werden gewiß gerne gestehen, daß ein fast Unmögliches unternommen werde, wenn man die Übergänge in einen geläuterten, freieren, selbstbewußten Zustand, deren es tausend und aber tausend geben muß, zu schildern unternimmt. Von Bildungsstufen kann die Rede nicht sein, wohl aber von Irr-, Schleif- und Schleichwegen und sodann von unbeabsichtigtem Sprung und belebtem Aufsprung zu einer höhern Kultur.

Und wer kann denn zuletzt sagen, daß er wissenschaftlich in der höchsten Region des Bewußtseins immer wandele, wo man das Äußere mit größter Bedächtigkeit, mit so scharfer als ruhiger Aufmerksamkeit betrachtet, wo man zugleich sein eigenes Innere mit kluger Umsicht, mit bescheidener Vorsicht walten läßt, in geduldiger Hoffnung eines wahrhaft reinen, harmonischen Anschauens? Trübt uns nicht die Welt, trüben wir uns nicht selbst solche Momente? Fromme Wünsche jedoch dürfen wir hegen, liebevolles Annähern an das Unerreichbare zu versuchen, ist nicht untersagt.

Was uns bei unsern Darstellungen zunächst gelingt, empfehlen wir längst verehrten Freunden und zugleich der deutschen nach dem Guten und Rechten hinstrebenden Jugend.

Möchten wir aus ihnen frische Teilnehmer und künftige Beförderer heranlocken und erwerben!

Die Phänomene, die wir andern auch wohl Fakta nennen, sind gewiß und bestimmt ihrer Natur nach, hingegen oft unbestimmt und schwankend, insofern sie erscheinen. Der Naturforscher sucht das Bestimmte der Erscheinungen zu fassen und festzuhalten, er ist in einzelnen Fällen aufmerksam nicht allein, wie die Phänomene erscheinen, sondern auch wie sie erscheinen sollten. Es gibt, wie ich besonders in dem Fache, das ich bearbeite, oft bemerken kann, viele empirische Brüche, die man wegwerfen muß, um ein reines konstantes Phänomen zu erhalten; allein sobald ich mir das erlaube, so stelle ich schon eine Art von Ideal auf.

Es ist aber dennoch ein großer Unterschied, ob man, wie Theoristen tun, einer Hypothese zu lieb, ganze Zahlen in die Brüche schlägt oder ob man einen empirischen Bruch der Idee des reinen Phänomens aufopfert.

Denn da der Beobachter nie das reine Phänomen mit Augen sieht, sondern vieles von seiner Geistesstimmung, von der Stimmung des Organs im Augenblick, von Licht, Luft, Witterung, Körpern, Behandlung und tausend andern Umständen abhängt, so ist ein Meer auszutrinken, wenn man sich an Individualität des Phänomens halten und diese beobachten, messen, wägen und beschreiben will.

. Bei meiner Naturbeobachtung und Betrachtung bin ich folgender Methode, soviel als möglich war, besonders in den letzten Zeiten treu geblieben.

Wenn ich die Konstanz und Konsequenz der Phänomene bis auf einen gewissen Grad erfahren habe, so ziehe ich daraus ein empirisches Gesetz und schreibe es den künftigen Erscheinungen vor. Passen Gesetz und Erscheinungen in der Folge völlig, so habe ich gewonnen; passen sie nicht ganz, so werde ich auf die Umstände der einzelnen Fälle aufmerksam gemacht und genötigt, neue Bedingungen zu suchen, unter denen ich die widersprechenden Versuche reiner darstellen kann; zeigt sich aber manchmal, unter gleichen Umständen, ein Fall, der meinem Gesetze widerspricht, so sehe ich, daß ich mit der ganzen Arbeit vorrucken und mir einen höhern Standpunkt suchen muß.

Dieses wäre also, nach meiner Erfahrung, derjenige Punkt, wo der menschliche Geist sich den Gegenständen in ihrer Allgemeinheit am meisten nähern, sie zu sich heranbringen, sich mit ihnen (wie wir es sonst in der gemeinen Empirie tun) auf eine rationelle Weise gleichsam amalgamieren kann.

Was wir also von unserer Arbeit vorzuweisen hätten, wäre:

1. Das empirische Phänomen,
das jeder Mensch in der Natur gewahr wird, und das nachher

2. zum wissenschaftlichen Phänomen
durch Versuche erhoben wird, indem man es unter andern Umständen und Bedingungen, als es zuerst bekannt gewesen, und in einer mehr oder weniger glücklichen Folge darstellt.

3. Das reine Phänomen
steht nun zuletzt als Resultat aller Erfahrungen und Versuche da. Es kann niemals isoliert sein, sondern es zeigt sich in einer stetigen Folge der Erscheinungen. Um es darzustellen, bestimmt der menschliche Geist das empirisch Wankende, schließt das Zufällige aus, sondert das Unreine, entwickelt das Verworrene, ja entdeckt das Unbekannte.

Hier wäre, wenn der Mensch sich zu bescheiden wüßte, vielleicht das letzte Ziel unserer Kräfte. Denn hier wird nicht nach Ursachen gefragt, sondern nach Bedingungen, unter welchen die Phänomene erscheinen; es wird ihre konsequente Folge, ihr ewiges Wiederkehren unter tausenderlei Umständen, ihre Einerleiheit und Veränderlichkeit angeschaut und angenommen, ihre Bestimmtheit anerkannt und durch den menschlichen Geist wieder bestimmt.

Eigentlich möchte diese Arbeit nicht spekulativ genannt werden, denn es sind am Ende doch nur, wie mich dünkt, die praktischen und sich selbst rektifizierenden Operationen des gemeinen Menschenverstandes, der sich in einer höhern Sphäre zu üben wagt.

Weimar, den 15. Januar 1798

BEDENKEN UND ERGEBUNG

Wir können bei Betrachtung des Weltgebäudes in seiner weitesten Ausdehnung, in seiner letzten Teilbarkeit uns der Vorstellung nicht erwehren, daß dem Ganzen eine Idee zum Grunde liege, wornach Gott in der Natur, die Natur in Gott von Ewigkeit zu Ewigkeit schaffen und wirken möge. Anschauung, Betrachtung, Nachdenken führen uns näher an jene Geheimnisse. Wir erdreisten uns und wagen auch Ideen; wir bescheiden uns und bilden Begriffe, die analog jenen Uranfängen sein möchten.

Hier treffen wir nun auf die eigene Schwierigkeit, die nicht immer klar ins Bewußtsein tritt, daß zwischen Idee und Erfahrung eine gewisse Kluft befestigt scheint, die zu überschreiten unsere ganze Kraft sich vergeblich bemüht. Demungeachtet bleibt unser ewiges Bestreben, diesen Hiatus mit Vernunft, Verstand, Einbildungskraft, Glauben, Gefühl, Wahn und, wenn wir sonst nichts vermögen, mit Albernheit zu überwinden.

Endlich finden wir bei redlich fortgesetzen Bemühungen, daß der Philosoph wohl möchte Recht haben, welcher behauptet, daß keine Idee der Erfahrung völlig kongruiere, aber wohl zugibt, daß Idee und Erfahrung analog sein können, ja müssen.

Die Schwierigkeit, Idee und Erfahrung miteinander zu verbinden, erscheint sehr hinderlich bei aller Naturforschung: die Idee ist unabhängig von Raum und Zeit, die Naturforschung ist in Raum und Zeit beschränkt; daher ist der Idee Simultanes und Sukzessives innigst verbunden, auf dem Standpunkt der Erfahrung hingegen immer getrennt, und eine Naturwirkung, die wir der Idee gemäß als simultan und sukzessiv zugleich denken sollen, scheint uns in eine Art Wahnsinn zu versetzen. Der Verstand kann nicht vereinigt denken, was die Sinnlichkeit ihm gesondert überlieferte, und so bleibt der Widerstreit zwischen Aufgefaßtem und Ideiertem immerfort unaufgelöst.

Deshalb wir uns denn billig zu einiger Befriedigung in die Sphäre der Dichtkunst flüchten und ein altes Liedchen mit einiger Abwechselung erneuern:

> *So schauet mit bescheidnem Blick*
> *Der ewigen Weberin Meisterstück,*
> *Wie ein Tritt tausend Fäden regt,*
> *Die Schifflein hinüber herüber schießen,*
> *Die Fäden sich begegnend fließen,*
> *Ein Schlag tausend Verbindungen schlägt.*
> *Das hat sie nicht zusammen gebettelt,*
> *Sie hat's von Ewigkeit angezettelt;*
> *Damit der ewige Meistermann*
> *Getrost den Einschlag werfen kann.*

EINWIRKUNG DER
NEUERN PHILOSOPHIE

Für Philosophie im eigentlichen Sinne hatte ich kein Organ; nur die fortdauernde Gegenwirkung, womit ich der eindringenden Welt zu widerstehen und sie mir anzueignen genötigt war, mußte mich auf eine Methode führen, durch die ich die Meinungen der Philosophen, eben auch als wären es Gegenstände, zu fassen und mich daran auszubilden suchte. Bruckers Geschichte der Philosophie liebte ich in meiner Jugend fleißig zu lesen, es ging mir aber dabei wie einem, der sein ganzes Leben den Sternhimmel über seinem Haupte drehen sieht, manches auffallende Sternbild unterscheidet, ohne etwas von der Astronomie zu verstehen, den großen Bären kennt, nicht aber den Polarstern.

Über Kunst und ihre theoretischen Forderungen hatte ich mit Moritz, in Rom, viel verhandelt; eine kleine Druckschrift zeugt noch heute von unserer damaligen fruchtbaren Dunkelheit. Fernerhin bei Darstellung des Versuchs der Pflanzenmetamorphose mußte sich eine naturgemäße Methode entwikkeln; denn als die Vegetation mir Schritt für Schritt ihr Verfahren vorbildete, konnte ich nicht irren, sondern mußte, indem ich sie gewähren ließ, die Wege und Mittel anerkennen, wie sie den eingehülltesten Zustand zur Vollendung nach und nach zu befördern weiß. Bei physischen Untersuchungen drängte sich mir die Überzeugung auf, daß bei aller Betrachtung der Gegenstände die höchste Pflicht sei, jede Bedingung, unter welcher ein Phänomen erscheint, genau aufzusuchen und nach möglichster Vollständigkeit der Phänomene zu trachten, weil sie doch zuletzt sich aneinander zu reihen oder vielmehr übereinander zu greifen genötigt werden und vor dem Anschauen des Forschers auch eine Art Organisation bilden, ihr inneres Gesamtleben manifestieren müssen. Indes war dieser Zustand immerfort nur dämmernd, nirgends fand ich Aufklärung nach meinem Sinne: denn am Ende kann doch nur ein jeder in seinem eignen Sinne aufgeklärt werden.

Kants Kritik der reinen Vernunft war schon längst erschienen, sie lag aber völlig außerhalb meines Kreises. Ich wohnte jedoch manchem Gespräch darüber bei, und mit einiger Aufmerksamkeit konnte ich bemerken, daß die alte Hauptfrage sich erneure, wieviel unser Selbst und wieviel die Außenwelt zu unserm geistigen Dasein beitrage. Ich hatte beide niemals gesondert, und wenn ich nach meiner Weise über Gegenstände philosophierte, so tat ich es mit unbewußter Naivetät und glaubte wirklich, ich sähe meine Meinungen vor Augen. Sobald aber jener Streit zur Sprache kam, mochte ich mich gern auf diejenige Seite stellen, welche dem Menschen am meisten Ehre macht, und gab allen Freunden vollkommen

Beifall, die mit Kant behaupteten: wenn gleich alle unsere Erkenntnis mit der Erfahrung angehe, so entspringe sie darum doch nicht eben alle aus der Erfahrung. Die Erkenntnisse a priori ließ ich mir auch gefallen, so wie die synthetischen Urteile a priori: denn hatte ich doch in meinem ganzen Leben, dichtend und beobachtend, synthetisch und dann wieder analytisch verfahren; die Systole und Diastole des menschlichen Geistes war mir, wie ein zweites Atemholen, niemals getrennt, immer pulsierend. Für alles dieses jedoch hatte ich keine Worte, noch weniger Phrasen, nun aber schien zum erstenmal eine Theorie mich anzulächeln. Der Eingang war es, der mir gefiel, ins Labyrinth selbst konnt' ich mich nicht wagen: bald hinderte mich die Dichtungsgabe, bald der Menschenverstand, und ich fühlte mich nirgend gebessert.

Unglücklicherweise war Herder zwar ein Schüler, doch ein Gegner Kants, und nun befand ich mich noch schlimmer: mit Herdern konnt' ich nicht übereinstimmen, Kanten aber auch nicht folgen. Indessen fuhr ich fort, der Bildung und Umbildung organischer Naturen ernstlich nachzuforschen, wobei mir die Methode, womit ich die Pflanzen behandelt, zuverlässig als Wegweiser diente. Mir entging nicht, die Natur beobachte stets analytisches Verfahren, eine Entwicklung aus einem lebendigen, geheimnisvollen Ganzen, und dann schien sie wieder synthetisch zu handeln, indem ja völlig fremdscheinende Verhältnisse einander angenähert und sie zusammen in eins verknüpft wurden. Aber und abermals kehrte ich daher zu der Kantischen Lehre zurück; einzelne Kapitel glaubt' ich vor andern zu verstehen und gewann gar manches zu meinem Hausgebrauch.

Nun aber kam die Kritik der Urteilskraft mir zuhanden, und dieser bin ich eine höchst frohe Lebensepoche schuldig. Hier sah ich meine disparatesten Beschäftigungen nebeneinander gestellt, Kunst- und Naturerzeugnisse eins behandelt wie das andere; ästhetische und teleologische Urteilskraft erleuchteten sich wechselsweise.

Wenn auch meine Vorstellungsart nicht eben immer dem Verfasser sich zu fügen möglich werden konnte, wenn ich hie und da etwas zu vermissen schien, so waren doch die großen Hauptgedanken des Werks meinem bisherigen Schaffen, Tun und Denken ganz analog; das innere Leben der Kunst sowie der Natur, ihr beiderseitiges Wirken von innen heraus war im Buche deutlich ausgesprochen. Die Erzeugnisse dieser zwei unendlichen Welten sollten um ihrer selbst willen da sein, und was nebeneinander stand, wohl füreinander, aber nicht absichtlich wegen einander.

Meine Abneigung gegen die Endursachen war nun geregelt und gerechtfertigt; ich konnte deutlich Zweck und Wirkung unterscheiden, ich begriff auch, warum der Menschenverstand beides oft verwechselt. Mich freute, daß Dichtkunst und vergleichende Naturkunde so nah miteinander verwandt seien, indem beide sich derselben Urteilskraft unterwerfen. Leidenschaftlich angeregt ging ich auf meinen Wegen nur desto rascher fort, weil ich selbst nicht wußte, wohin sie führten, und für das, was und wie ich mir's zugeeignet hatte, bei den Kantianern wenig Anklang fand. Denn ich sprach nur aus, was in mir aufgeregt war, nicht aber, was ich gelesen hatte. Auf mich selbst zurückgewiesen, studierte ich das Buch immer hin und wieder. Noch erfreuen mich in dem alten Exemplar die Stellen, die ich damals anstrich, sowie dergleichen in der Kritik der Vernunft, in welche tiefer einzudringen mir auch zu gelingen schien: denn beide Werke, aus einem Geist entsprungen, deuten immer eins aufs andere. Nicht ebenso gelang es mir, mich den Kantischen anzunähern: sie hörten mich wohl, konnten mir aber nichts erwidern noch irgend förderlich sein. Mehr als einmal begegnete es mir, daß einer oder der andere mit lächelnder Verwunderung zugestand: es sei freilich ein Analogon Kantischer Vorstellungsart, aber ein seltsames.

Wie wunderlich es denn auch damit gewesen sei, trat erst hervor, als mein Verhältnis zu Schillern sich belebte. Unsere

Gespräche waren durchaus produktiv oder theoretisch, gewöhnlich beides zugleich: er predigte das Evangelium der Freiheit, ich wollte die Rechte der Natur nicht verkürzt wissen. Aus freundschaftlicher Neigung gegen mich, vielleicht mehr als aus eigner Überzeugung, behandelte er in den ästhetischen Briefen die gute Mutter nicht mit jenen harten Ausdrücken, die mir den Aufsatz über Anmut und Würde so verhaßt gemacht hatten. Weil ich aber, von meiner Seite hartnäckig und eigensinnig, die Vorzüge der griechischen Dichtungsart, der darauf gegründeten und von dort herkömmlichen Poesie nicht allein hervorhob, sondern sogar ausschließlich diese Weise für die einzig rechte und wünschenswerte gelten ließ: so ward er zu schärferem Nachdenken genötigt, und eben diesem Konflikt verdanken wir die Aufsätze über naive und sentimentale Poesie. Beide Dichtungsweisen sollten sich bequemen, einander gegenüberstehend sich wechselsweise gleichen Rang zu vergönnen.

Er legte hierdurch den ersten Grund zur ganzen neuen Ästhetik: denn hellenisch und romantisch und was sonst noch für Synonymen mochten aufgefunden werden, lassen sich alle dorthin zurückführen, wo vom Übergewicht reeller oder ideeller Behandlung zuerst die Rede war.

Und so gewöhnt' ich mich nach und nach an eine Sprache, die mir völlig fremd gewesen und in die ich mich um desto leichter finden konnte, als ich durch die höhere Vorstellung von Kunst und Wissenschaft, welche sie begünstigte, mir selbst vornehmer und reicher dünken mochte, da wir andern vorher uns von den Popularphilosophen und von einer andern Art Philosophen, der ich keinen Namen zu geben weiß, gar unwürdig mußten behandeln lassen.

Weitere Fortschritte verdank' ich besonders Niethammern, der mit freundlichster Beharrlichkeit mir die Haupträtsel zu entsiegeln, die einzelnen Begriffe und Ausdrücke zu entwickeln und zu erklären trachtete. Was ich gleichzeitg und späterhin Fichten, Schellingen, Hegeln, den Gebrüdern von Humboldt und Schlegel schuldig geworden, möchte künftig dankbar zu entwickeln sein, wenn mir gegönnt wäre, jene für mich so bedeutende Epoche, das letzte Zehend des vergangenen Jahrhunderts, von meinem Standpunkte aus, wo nicht darzustellen, doch anzudeuten, zu entwerfen.

ANSCHAUENDE URTEILSKRAFT

Als ich die Kantische Lehre, wo nicht zu durchdringen, doch möglichst zu nutzen suchte, wollte mir manchmal dünken, der köstliche Mann verfahre schalkhaft ironisch, indem er bald das Erkenntnisvermögen aufs engste einzuschränken bemüht schien, bald über die Grenzen, die er selbst gezogen hatte, mit einem Seitenwink hinausdeutete. Er mochte freilich bemerkt haben, wie anmaßend und naseweis der Mensch verfährt, wenn er behaglich, mit wenigen Erfahrungen ausgerüstet, sogleich unbesonnen abspricht und voreilig etwas festzusetzen, eine Grille, die ihm durchs Gehirn läuft, den Gegenständen aufzuheften trachtet. Deswegen beschränkt unser Meister seinen Denkenden auf eine reflektierende diskursive Urteilskraft, untersagt ihm eine bestimmende ganz und gar. Sodann aber, nachdem er uns genugsam in die Enge getrieben, ja zur Verzweiflung gebracht, entschließt er sich zu den liberalsten Äußerungen und überläßt uns, welchen Gebrauch wir von der Freiheit machen wollen, die er einigermaßen zugesteht. In diesem Sinne war mir folgende Stelle höchst bedeutend:

»Wir können uns einen Verstand denken, der, weil er nicht wie der unsrige diskursiv, sondern intuitiv ist, vom synthetisch Allgemeinen, der Anschauung eines Ganzen als eines solchen, zum Besondern geht, das ist, von dem Ganzen zu den Teilen. – Hierbei ist gar nicht nötig zu beweisen, daß ein solcher intellectus archetypus möglich sei, sondern nur, daß wir in der Dagegenhaltung unseres diskursiven, der Bilder bedürftigen Verstandes (intellectus ectypus) und der Zufälligkeit einer solchen Beschaffenheit auf jene Idee eines intellectus archetypus geführt werden, diese auch keinen Widerspruch enthalte.«

Zwar scheint der Verfasser hier auf einen göttlichen Verstand zu deuten, allein wenn wir ja im Sittlichen, durch Glauben an Gott, Tugend und Unsterblichkeit uns in eine obere Region erheben und an das erste Wesen annähern sollen: so dürft' es wohl im Intellektuellen derselbe Fall sein, daß wir uns, durch das Anschauen einer immer schaffenden Natur zur geistigen Teilnahme an ihren Produktionen würdig machten. Hatte ich doch erst unbewußt und aus innerem Trieb auf jenes Urbildliche, Typische rastlos gedrungen, war es mir sogar geglückt, eine naturgemäße Darstellung aufzubauen, so konnte mich nunmehr nichts weiter verhindern, das Abenteuer der Vernunft, wie es der Alte vom Königsberge selbst nennt, mutig zu bestehen.

BEDEUTENDE FÖRDERNIS DURCH EIN EINZIGES GEISTREICHES WORT

Herr Dr. Heinroth in seiner Anthropologie, einem Werke, zu dem wir mehrmals zurückkommen werden, spricht von meinem Wesen und Wirken günstig, ja er bezeichnet meine Verfahrungsart als eine eigentümliche: daß nämlich mein Denkvermögen gegenständlich tätig sei, womit er aussprechen will: daß mein Denken sich von den Gegenständen nicht sondere; daß die Elemente der Gegenstände, die Anschauungen in dasselbe eingehen und von ihm auf das innigste durchdrungen werden; daß mein Anschauen selbst ein Denken, mein Denken ein Anschauen sei; welchem Verfahren genannter Freund seinen Beifall nicht versagen will.

Zu was für Betrachtungen jenes einzige Wort, begleitet von solcher Billigung, mich anregt, mögen folgende wenige Blätter aussprechen, die ich dem teilnehmenden Leser empfehle, wenn er vorher, Seite 389 des genannten Buches, mit dem Ausführlichern sich bekannt gemacht hat.

In dem gegenwärtigen wie in den früheren Heften (zur Morphologie) habe ich die Absicht verfolgt: auszusprechen, wie ich die Natur anschaue, zugleich aber gewissermaßen mich selbst, mein Inneres, meine Art zu sein, insofern es möglich wäre, zu offenbaren. Hiezu wird besonders ein älterer Aufsatz: Der Versuch als Vermittler zwischen Subjekt und Objekt, dienlich gefunden werden.

Hiebei bekenn' ich, daß mir von jeher die große und so bedeutend klingende Aufgabe: erkenne dich selbst, immer verdächtig vorkam, als eine List geheim verbündeter Priester, die den Menschen durch unerreichbare Forderungen verwirren und von der Tätigkeit gegen die Außenwelt zu einer innern falschen Beschaulichkeit verleiten wollten. Der Mensch kennt nur sich selbst, insofern er die Welt kennt, die er nur in sich und sich nur in ihr gewahr wird. Jeder neue Gegenstand, wohl beschaut, schließt ein neues Organ in uns auf.

Am allerfördersamsten aber sind unsere Nebenmenschen, welche den Vorteil haben, uns mit der Welt aus ihrem Standpunkt zu vergleichen und daher nähere Kenntnis von uns zu erlangen, als wir selbst gewinnen mögen.

Ich habe daher in reiferen Jahren große Aufmerksamkeit gehegt, inwiefern andere mich wohl erkennen möchten, damit ich in und an ihnen, wie an so viel Spiegeln, über mich selbst und über mein Inneres deutlicher werden könnte.

Widersacher kommen nicht in Betracht, denn mein Dasein ist ihnen verhaßt, sie verwerfen die Zwecke, nach welchen mein Tun gerichtet ist, und die Mittel dazu achten sie für ebensoviel falsches Bestreben. Ich weise sie daher ab und ignoriere sie, denn sie können mich nicht fördern, und das ist's, worauf im Leben alles ankommt; von Freunden aber lass' ich mich ebenso gern bedingen als ins Unendliche hinweisen, stets merk' ich auf sie mit reinem Zutrauen zu wahrhafter Erbauung.

Was nun von meinem gegenständlichen Denken gesagt ist, mag ich wohl auch ebenmäßig auf eine gegenständliche Dichtung beziehen. Mir drückten sich gewisse große Motive, Legenden, uraltgeschichtlich Überliefertes so tief in den Sinn, daß ich sie vierzig bis fünfzig Jahre lebendig und wirksam im Innern erhielt; mir schien der schönste Besitz, solche werte Bilder oft in der Einbildungskraft erneut zu sehen, da sie sich denn zwar immer umgestalteten, doch, ohne sich zu verändern, einer reineren Form, einer entschiednern Darstellung entgegen reiften. Ich will hievon nur die Braut von Korinth, den Gott und die Bajadere, den Grafen und die Zwerge, den Sänger und die Kinder, und zuletzt noch den baldigst mitzuteilenden Paria nennen.

Aus Obigem erklärt sich auch meine Neigung zu Gelegenheitsgedichten, wozu jedes Besondere irgend eines Zustandes mich unwiderstehlich aufregte. Und so bemerkt man denn auch an meinen Liedern, daß jedem etwas Eigenes zum Grunde liegt, daß ein gewisser Kern einer mehr oder weniger bedeutenden Frucht einwohne; deswegen sie auch mehrere Jahre nicht gesungen wurden, besonders die von entschiedenem Charakter, weil sie an den Vortragenden die Anforderung machen, er solle sich aus seinem allgemein gleichgültigen Zustande in eine besondere, fremde Anschauung und Stimmung versetzen, die Worte deutlich artikulieren, damit man auch wisse, wovon die Rede sei. Strophen sehnsüchtigen Inhalts dagegen fanden eher Gnade, und sie sind auch mit andern deutschen Erzeugnissen ihrer Art in einigen Umlauf gekommen.

An eben diese Betrachtung schließt sich die vieljährige Richtung meines Geistes gegen die Französische Revolution unmittelbar an, und es erklärt sich die grenzenlose Bemühung, dieses schrecklichste aller Ereignisse in seinen Ursachen und Folgen dichterisch zu gewältigen. Schau' ich in die vielen Jahre zurück, so seh ich klar, wie die Anhänglichkeit an diesen unübersehlichen Gegenstand so lange Zeit hier mein poetisches Vermögen fast unnützerweise aufgezehrt; und doch hat jener Eindruck so tief bei mir gewurzelt, daß ich nicht leugnen kann, wie ich noch immer an die Fortsetzung der Natürlichen Tochter denke, dieses wunderbare Erzeugnis in Gedanken ausbilde, ohne den Mut, mich im einzelnen der Ausführung zu widmen.

Wend' ich mich nun zu dem gegenständlichen Denken, das man mir zugesteht, so find' ich, daß ich eben dasselbe Verfahren auch bei naturhistorischen Gegenständen zu beobachten genötigt war. Welche Reihe von Anschauung und Nachdenken verfolgt' ich nicht, bis die Idee der Pflanzenmetamorphose in mir aufging! wie solches meine Italienische Reise den Freunden vertraute.

Ebenso war es mit dem Begriff, daß der Schädel aus Wirbelknochen bestehe. Die drei hintersten erkannt' ich bald, aber erst im Jahre 1790, als ich aus dem Sande des dünenhaften Judenkirchhofs von Venedig einen zerschlagenen Schöpsenkopf aufhob, gewahrt' ich augenblicklich, daß die Gesichtsknochen gleichfalls aus Wirbeln abzuleiten seien, indem ich den Übergang vom ersten Flügelbeine zum Siebbeine und den Muscheln ganz deutlich vor Augen sah; da hatt' ich denn das Ganze im Allgemeinsten beisammen. So viel möge diesmal das früher Geleistete aufzuklären hinreichen. Wie aber jener Ausdruck des wohlwollenden, einsichtigen Mannes mich auch in der Gegenwart fördert, davon noch kurze vorläufige Worte.

Schon einige Jahre such' ich meine geognostischen Studien zu revidieren, besonders in der Rücksicht, inwiefern ich sie und die daraus gewonnene Überzeugung der neuen, sich überall verbreitenden Feuerlehre nur einigermaßen annähern könnte, welches mir bisher unmöglich fallen wollte. Nun aber, durch das Wort gegenständlich, ward ich auf einmal aufgeklärt, indem ich deutlich vor Augen sah, daß alle Gegenstände, die ich seit fünfzig Jahren betrachtet und untersucht hatte, gerade die Vorstellung und Überzeugung in mir erregen mußten, von denen ich jetzt nicht ablassen kann. Zwar vermag ich für kurze Zeit mich auf jenen Standpunkt zu versetzen, aber ich muß doch immer, wenn es einigermaßen behaglich werden soll, zu meiner alten Denkweise wieder zurückkehren.

Aufgeregt nun durch eben diese Betrachtungen, fuhr ich fort, mich zu prüfen, und fand, daß mein ganzes Verfahren auf dem Ableiten beruhe; ich raste nicht, bis ich einen prägnanten Punkt finde, von dem sich vieles ableiten läßt, oder vielmehr der vieles freiwillig aus sich hervorbringt und mir entgegen trägt, da ich denn im Bemühen und Empfangen vorsichtig und treu zu Werke gehe. Findet sich in der Erfahrung irgendeine Erscheinung, die ich nicht abzuleiten weiß, so lass' ich sie als Problem liegen, und ich habe diese Verfahrungsart in einem langen Leben sehr vorteilhaft gefunden: denn wenn ich auch die Herkunft und Verknüpfung irgendeines Phänomens lange nicht enträtseln konnte, sondern es beiseite lassen mußte, so fand sich nach Jahren auf einmal alles aufgeklärt in dem schönsten Zusammenhange. Ich werde mir daher die Freiheit nehmen, meine bisherigen Erfahrungen und Bemerkungen und die daraus entspringende Sinnesweise fernerhin in diesen Blättern geschichtlich darzulegen; wenigstens ist dabei ein charakteristisches Glaubensbekenntnis zu erzwecken, Gegnern zur Einsicht, Gleichdenkenden zur Fördernis, der Nachwelt zur Kenntnis, und, wenn es glückt, zu einiger Ausgleichung.

METEORE DES LITERARISCHEN HIMMELS

Priorität · Antizipation · Präokkupation
Plagiat · Posseß · Usurpation

Den lateinischen Ursprung vorstehender Wörter wird man ihnen nicht verargen, indem sie Verhältnisse bezeichnen, die gewöhnlich nur unter Gelehrten stattfinden; man wird vielmehr, da sie sich schwerlich übersetzen lassen, nach ihrer Bedeutung forschen und diese recht ins Auge fassen, weil man sonst weder in alter noch neuer Literargeschichte, ebensowenig als in der Geschichte der Wissenschaften, irgend entschiedene Schritte zu tun, noch weniger andern seine Ansichten über mancherlei wiederkehrende Ereignisse bestimmt mitzuteilen vermag. Ich halte deshalb zu unserm Vorsatze sehr geraten, ausführlich anzuzeigen, was ich mir bei jenen Worten denke und in welchem Sinne ich sie künftig brauchen werde; und dies geschehe redlich und ohne weitern Rückhalt. Die allgemeine Freiheit, seine Überzeugungen durch den Druck zu verbreiten, möge auch mir zustatten kommen.

Priorität

Von Kindheit auf empfinden wir die größte Freude über Gegenstände, insofern wir sie lebhaft gewahr werden, daher die neugierigen Fragen der kleinen Geschöpfe, sobald sie nur irgend zum Bewußtsein kommen. Man belehrt und befriedigt sie für eine Zeitlang. Mit den Jahren aber wächst die Lust am Ergrübeln, Entdecken, Erfinden, und durch solche Tätigkeit wird nach und nach Wert und Würde des Subjekts gesteigert. Wer sodann in der Folge, beim Anlaß einer äußern Erscheinung, sich in seinem innern Selbst gewahr wird, der fühlt ein Behagen, ein eigenes Vertrauen, eine Lust, die zugleich eine befriedigende Beruhigung gibt; dies nennt man entdecken, erfinden. Der Mensch erlangt die Gewißheit seines eigenen Wesens dadurch, daß er das Wesen außer ihm als seinesgleichen, als gesetzlich anerkennt. Jedem einzelnen ist zu verzeihen, wenn er hierüber gloriiert, indem die ganze Nation teilnimmt an der Ehre und Freude, die ihrem Landsmann geworden ist.

Sich auf eine Entdeckung etwas zugute tun, ist ein edles rechtmäßiges Gefühl. Es wird jedoch sehr bald gekränkt; denn wie schnell erfährt ein junger Mann, daß die Altvordern ihm zuvor gekommen sind. Diesen erregten Verdruß nennen die Engländer sehr schicklich Mortifikation: denn es ist eine wahre Ertötung des alten Adams, wenn wir unser besonderes Verdienst aufgeben, uns zwar in der ganzen Menschheit selbst hochschätzen, unsere Eigentümlichkeit jedoch als Opfer hinliefern sollen. Man sieht sich unwillig doppelt, man findet sich mit der Menschheit und also mit sich selbst in Rivalität.

Indessen läßt sich nicht widerstreben. Wir werden auf die Geschichte hingewiesen, da erscheint uns ein neues Licht. Nach und nach lernen wir den großen Vorteil kennen, der uns dadurch zuwächst, daß wir bedeutende Vorgänger hatten, welche auf die Folgezeit bis zu uns heran wirkten. Uns wird ja dadurch die Sicherheit, daß wir, insofern wir etwas leisten, auch auf die Zukunft wirken müssen, und so beruhigen wir uns in einem heitern Ergeben.

Geschieht es aber, daß eine solche Entdeckung, über die wir uns im stillen freuen, durch Mitlebende, die nichts von uns, so wie wir nichts von ihnen wissen, aber auf denselben bedeutenden Gedanken geraten, früher in die Welt gefördert wird: so entsteht ein Mißbehagen, das viel verdrießlicher ist als im vorhergehenden Falle. Denn wenn wir der Vorwelt auch noch zur Not einige Ehre gönnen, weil wir uns späterer Vorzüge zu rühmen haben, so mögen wir den Zeitgenossen nicht gern erlauben, sich einer gleichen genialen Begünstigung anzumaßen. Dringen daher zu derselben Zeit große Wahrheiten aus verschiedenen Individuen hervor, so gibt es Händel und Kontestationen, weil niemand so leicht bedenkt, daß er auf die Mitwelt denselben Bezug hat wie zu Vor- und Nachwelt. Personen, Schulen, ja Völkerschaften führen hierüber nicht beizulegende Streitigkeiten.

Und doch ziehen manchmal gewisse Gesinnungen und Gedanken schon in der Luft umher, so daß mehrere sie erfassen können. Immanet aër sicut anima communis quae omnibus praesto est et qua omnes communicant invicem. Quapropter multi sagaces spiritus ardentes subito ex aëre persentiscunt quod cogitat alter homo. Oder, um weniger mystisch zu reden, gewisse Vorstellungen werden reif durch eine Zeitreihe. Auch in verschiedenen Gärten fallen Früchte zu gleicher Zeit vom Baume.

Weil aber von Mitlebenden, besonders von denen, die in einem Fach arbeiten, schwer auszumitteln ist, ob nicht etwa einer von dem andern schon gewußt und ihm also vorsätzlich vorgegriffen habe: so tritt jenes ideelle Mißbehagen ins gemeine Leben, und eine höhere Gabe wird, wie ein anderer irdischer Besitz, zum Gegenstand von Streit und Hader. Nicht allein das betroffene Individuum selbst, sondern auch seine Freunde und Landsleute stehen auf und nehmen Anteil am Streit. Unheilbarer Zwiespalt entspringt, und keine Zeit vermag das Leidenschaftliche von dem Ereignis zu trennen. Man erinnere sich der Händel zwischen Leibniz und Newton; bis auf den heutigen Tag sind vielleicht nur die Meister in diesem Fache imstand, sich von jenen Verhältnissen genaue Rechenschaft zu geben.

Präokkupation

Daher ist die Grenze, wo dieses Wort gebraucht werden darf, schwer auszumitteln; denn die eigentliche Entdeckung und Erfindung ist ein Gewahrwerden, dessen Ausbildung nicht sogleich erfolgt. Es liegt in Sinn und Herz; wer es mit sich herumträgt, fühlt sich gedrückt. Er muß davon sprechen, er sucht andern seine Überzeugungen aufzudringen, er wird nicht anerkannt. Endlich ergreift es ein Fähiger und bringt es mehr oder weniger als sein Eigenes vor.

Bei dem Wiedererwachen der Wissenschaften, wo so manches zu entdecken war, half man sich durch Logogryphen. Wer einen glücklichen folgereichen Gedanken hatte und ihn nicht gleich offenbaren wollte, gab ihn versteckt in einem Worträtsel ins Publikum. Späterhin legte man dergleichen Entdeckungen bei den Akademien nieder, um der Ehre eines geistigen Besitzes gewiß zu sein; woher denn bei den Engländern, die, wie billig, aus allem Nutzen und Vorteil ziehen, die Patente den Ursprung nahmen, wodurch auf eine gewisse Zeit die Nachbildung irgendeines Erfundenen verboten wird.

Der Verdruß aber, den die Präokkupation erregt, wächst höchst leidenschaftlich; er bezieht sich auf den Menschen, der uns bevorteilt, und nährt sich in unversöhnlichem Haß.

Plagiat

nennt man die gröbste Art von Okkupation, wozu Kühnheit und Unverschämtheit gehört und die auch wohl deshalb eine Zeitlang glücken kann. Wer geschriebene, gedruckte, nur nicht allzu bekannte Werke benutzt und für sein Eigentum ausgibt, wird ein Plagiarier genannt. Armseligen Menschen verzeihen wir solche Kniffe; werden sie aber, wie es auch wohl geschieht, von talentvollen Personen ausgeübt, so erregt es in uns, auch bei fremden Angelegenheiten, ein Mißbehagen, weil durch schlechte Mittel Ehre gesucht worden, Ansehen durch niedriges Beginnen.

Dagegen müssen wir den bildenden Künstler in Schutz nehmen, welcher nicht verdient Plagiarier genannt zu werden, wenn er schon vorhandene, gebrauchte, ja bis auf einen gewissen Grad gesteigerte Motive nochmals behandelt.

Die Menge, die einen falschen Begriff von Originalität hat, glaubt ihn deshalb tadeln zu dürfen, anstatt daß er höchlich zu loben ist, wenn er irgend etwas schon Vorhandenes auf einen höhern, ja den höchsten Grad der Bearbeitung bringt. Nicht allein den Stoff empfangen wir von außen, auch fremden

Gehalt dürfen wir uns aneignen, wenn nur eine gesteigerte, wo nicht vollendete Form uns angehört.

Ebenso kann und muß auch der Gelehrte seine Vorgänger benutzen, ohne jedesmal ängstlich anzudeuten, woher es ihm gekommen; versäumen wird er aber niemals, seine Dankbarkeit gelegentlich auszudrücken gegen die Wohltäter, welche die Welt ihm aufgeschlossen; es mag nun sein, daß er ihnen Ansicht über das Ganze oder Einsicht ins Einzelne verdankt.

Posseß

Nicht alle sind Erfinder, doch will jedermann dafür gehalten sein; um so verdienstlicher handeln diejenigen, welche, gern und gewissenhaft, anerkannte Wahrheiten fortpflanzen. Freilich folgen darauf auch weniger begabte Menschen, die am Eingelernten festhalten, am Herkömmlichen, am Gewohnten. Auf diese Weise bildet sich eine sogenannte Schule und in derselben eine Sprache, in der man sich nach seiner Art versteht, sie deswegen aber nicht ablegen kann, ob sich gleich das Bezeichnete durch Erfahrung längst verändert hat.

Mehrere Männer dieser Art regieren das wissenschaftliche Gildewesen, welches wie ein Handwerk, das sich von der Kunst entfernt, immer schlechter wird, je mehr man das eigentümliche Schauen und das unmittelbare Denken vernachlässigt.

Da jedoch dergleichen Personen von Jugend auf in solchen Glaubensbekenntnissen unterrichtet sind, und im Vertrauen auf ihre Lehrer das mühsam Erworbene in Beschränktheit und Gewohnheit hartnäckig behaupten, so läßt sich vieles zu ihrer Entschuldigung sagen, und man empfinde ja keinen Unwillen gegen sie. Derjenige aber, der anders denkt, der vorwärts will, mache sich deutlich, daß nur ein ruhiges, folgerechtes Gegenwirken die Hindernisse, die sie in den Weg legen, obgleich spät, doch endlich überwinden könne und müsse.

Jede Besitzergreifung, die nicht mit vollkommenem Recht geschieht, nenne wir Usurpation, deswegen in Kunst und Wissenschaft im strengen Sinne Usurpation nicht stattfindet: denn um irgendeine Wirkung hervorzubringen, ist Kraft nötig, welche jederzeit Achtung verdient. Ist aber, wie es in allem, was auf die Menschen sittlich wirkt, leicht geschehen kann, die Wirkung größer, als die Kraft verdiente: so kann demjenigen, der sie hervorbringt, weder verdacht werden, wenn er die Menschen im Wahn läßt, oder auch wohl sich selbst mehr dünkt, als er sollte.

Endlich kommt ein auf diese Weise erhaltener Ruf bei der Menge gelegentlich in Verdacht, und wenn sie sich darüber gar zuletzt aufklärt, so schilt sie auf einen solchen usurpierten Ruhm, anstatt daß sie auf sich selbst schelten sollte: denn sie ist es ja, die ihn erteilt hat.

Im Ästhetischen ist es leichter, sich Beifall und Namen zu erwerben: denn man braucht nur zu gefallen, und was gefällt nicht eine Weile? Im Wissenschaftlichen wird Zustimmung und Ruhm immer bis auf einen gewissen Grad verdient, und die eigentliche Usurpation liegt nicht in Ergreifung, sondern in Behauptung eines unrechtmäßigen Besitzes. Diese findet statt bei allen Universitäten, Akademien und Sozietäten. Man hat sich einmal zu irgendeiner Lehre bekannt, man muß sie behaupten, wenn man auch ihre Schwächen empfindet. Nun heiligt der Zweck alle Mittel, ein kluger Nepotismus weiß die Angehörigen emporzuheben. Fremdes Verdienst wird beseitigt, die Wirkung durch Verneinen, Verschweigen gelähmt. Besonders macht sich das Falsche dadurch stark, daß man es mit oder ohne Bewußtsein wiederholt, als wenn es das Wahre wäre.

Unredlichkeit und Arglist wird nun zuletzt der Hauptcharakter dieses falsch und unrecht gewordenen Besitzes. Die Gegenwirkung wird immer schwerer: Scharfsinn verläßt geistreiche Menschen nie, am wenigsten, wenn sie unrecht haben. Hier sehen wir nun oft Haß und Grimm in dem Herzen neu Strebender entstehen, es zeigen sich die heftigsten Äußerungen, deren sich die Usurpatoren, weil das schwachgesinnte, schwankende Publikum, dem es nach tausend Unschicklichkeiten endlich einfällt, einmal für Schicklichkeit zu stimmen, dergleichen Schritte beseitigen mag, zu ihrem Vorteil und zu Befestigung des Reiches gar wohl zu bedienen wissen.

ZUR PHILOSOPHIE

Selbstanschauung potenziert
1. Des sich selbst Begrenzens.
2. Anschauung (b) der Begrenztheit (a). Bloß empfindend.
   Kennt kein Objekt. Ist bloß Empfindung der Beschränktheit.
   Erscheint das Objekt. Frage, wo die Beschränktheit herkommt.
   Produktive Anschauung
   Ableitung der Materie (ideelles Substrat der produktiven Anschauung.)
3. Anschauung (c) des Anschauens (b) der Begrenztheit (a).
   Es soll sich als empfindend anschaun. (Ich soll mir als innerer Sinn bewußt werden.)
   Raum und Zeit
   Erste Kategorie. Substanz und Akzidenz.
   beharrend   vorübergehend.
   Zweite Kategorie. Sukzession. Ursache und Wirkung als Bedingung der Substanz und Akzidenz.
   Dritte Kategorie. Wechselwirkung als Bedingung des Bewußtseins von seinem Sukzedieren.
   Universum. Organismus.

4. Absolute Reflexion.

Transzendentale Reflexion. Das Ich wird sich des bewußtlosen Produzierens bewußt.

Transzendentaler Schematismus

Wie scheiden sich die Begriffe von den Objekten.

Urteil: Begriffe werden auf Anschauungen bezogen vermittelst des Schemas.

Weise, wie das Objekt zustande kommt, der Begriff.

Diese angeschaut ist das Schema.

Logik

5. Absolute Selbstbestimmung (f). Als Bedingung derselben Intelligenzen.

Selbstbestimmen

wo das Subjekt sich über alles Objekt erhebt.

Das Ich wird sich als handelnd und bewußtseiend bewußt.

Bewußtsein eines bewußten Handelns, des freien Produzierens.

Bedingung: Intelligenz außer dem Ich. Zweckbegriff.

6. Bewußtsein (g) des absoluten Selbstbestimmens (f).

Selbstbestimmung muß ins Objekt übergehen, freies Handeln unser Objekt.

Wie ist zwischen dem freien Selbstbestimmen und der Natur (oder Objekt) eine Übereinstimmung möglich?

Schicksal   Vorsehung

Respekt vor dem Objekt

Religion

7. Bewußtsein der Identität der bewußten (g) und bewußtlosen (f) Tätigkeit.

Theoretische Philosophie beantwortet die Frage: wie wird das Objekt zum Gedanken.

Der Gedanke und das Objekt sind eines (identisch), sie werden zugleich abgeleitet.

Gedanke und Objekt sind eines.

175

Freiheit und Notwendigkeit sind Erscheinungen neben
der absoluten Identität.

Freiheit, Fatalism, Moral, Naturrecht, Religion.

Prästabilierte Harmonie.

Absolute Identität.

Relative Synthese   Absolute Synthese

Partielle das gemeine (?) dynamisch

Das Objekt selbst ein Handeln und zwar das bewußtlose
Handeln.

Einbildungskraft, Ideen, Antinomien, Ideale.

Willkür

Moral

Forderung des reinen
Selbstbestimmens.   Forderung des Triebs.

Kategorischer Imperativ

Indifferentismus

Wie kann das Wollen ein Handeln werden?
Teleologie der Natur und der Kunst. Zweck.

Transzendentale Abstraktion
Trennung der Anschauung und des Begriffs.
angewendet auf die Kategorien.

1. Substanz und Akzidenz   ohne Anschauung
   Subjekt und Prädikat   ohne Begriff
   der bloße Raum. Ausdehnung.
2. Ursache und Wirkung   ohne Anschauung
   Grund und Folge   ohne Begriff
   Sukzession.
3. Wechselwirkung.
                Zeit. Transzendentales Schema.
            (das vorhergehende dynamische Kategorie)
                    die der Relation.

Mathematische Kategorien.

Die Reflexion geht aufs Subjekt als

Anschauend	Empfindend
Kategorie der Quantität	der Qualität
Einheit, Vielheit, Allheit	Realität, Negation, Limitation

auf Objekt und Subjekt zugleich

Modalität.

Wirklichkeit, Möglichkeit, Notwendigkeit.

Absolute Reflexion liegt nicht notwendig in der Intelligenz.

Wissen

1. Subjekt. Idealismus. Vom absolut nicht objektiv ist im Wissen [?] sich selbst Objekt wird. Ich = Ich, A = A (Logik), Intellektuelle Anschauung. Das Ich setzt sich, es wird sich Objekt. (Sinnliche Anschauung, wo ich das Objekt nicht produziere.) Absolut. Bedingungslos. Außer Zeit und Raum. Aller Empirie widerstrebend.

Das Sehende ist das Absolute. Unbegrenzte Tätigkeit (könnte das innige Ansich sein, ohne Bewußtsein). Das Gesehene ist insofern begrenzt fixiert. Grenze, ideelle reelle. Transzendental. Real-Idealismus. Bewußtsein. In der intellektuellen Anschauung wird das Sehende das Gesehene.

2. Objekt. Dogmatismus. Geht vom

Geistigen zum Materiellen	Materiellen zum Geistigen
Dogmatischer Idealismus	Materialismus, Mechanismus
(Leibniz, Spinoza)	Epikur

Der Dogmatist, der das Objekt entgegenbringt, schafft kein Bewußtsein.

Intelligenz muß mit der Schranke gedacht werden. Unendliche Tätigkeit – Anschaun derselben. Hemmungen. Schranken. Unendliches Werden.

Empfindungsformen

1. Zentripete, passive, ganz ohne Inhalt denkbar.

Unbedingte Einsamkeit. Entfernung von Geräusch. Unberührtes Altertum. Grabeshügel. Tiefe Langeweile, Gefühl mangelnden Inhalts. Einmischung physischer Bedürfnisse.

Furcht. Verlorene Unschuld. Sich selbst zurechnend. Formlose Symbolik, Bild zum Gefühl. Trauer ohne Gegenstand. Erwartung des Geliebten ohne Gegenstand. Wöhnlichkeit der Natur. Alles in der freien Natur auf das Individuum bezogen. Schwäche des Träumenden. Unangenehme Ereignisse im Traum.

2. Zentrifuge, aktive, am Inhalt manchmal sich manifestierend.

Sehnsucht. Sehnsuchtsvolle unbekannte. Eifersucht. Gewissen. Hoch angerechnet Verbrechen. An dem Lieblingsdichter das Beste verstehen. Lust zum Reisen. Pflanzung auf die Zukunft, sachte Erwartung. Heftiges Vorgreifen, hoher Bäume Pflanzen. Ahnung von Glück, – Unglück, – Ereignissen. Wunsch, die Mannigfaltigkeiten des Organisierten zu begreifen. Gefühl, daß man auch sein Leben überschauen müsse. Empfindung den Gegenständen zugeschrieben. Schießen, Fischen, Vogelstellen, Reiten. Bauen, Anlagen und Wege machen, Hütten bauen.

Nachahmung. In Bild verwandeln. Trieb, Versuch die Empfindung als Talent zu behandeln.

Nacheiferung. In Wirkung ohne Zweck und Inhalt. Wettlaufen. Reiten.

Erläuterung zu dem aphoristischen
Aufsatz ›die Natur‹

Jener Aufsatz ist mir vor kurzem aus der brieflichen Verlassenschaft der ewig verehrten Herzogin Anna Amalia mitgeteilt
worden; er ist von einer wohlbekannten Hand geschrieben,
deren ich mich in den achtziger Jahren in meinen Geschäften zu
bedienen pflegte.

Daß ich diese Betrachtungen verfaßt, kann ich mich faktisch
zwar nicht erinnern, allein sie stimmen mit den Vorstellungen
wohl überein, zu denen sich mein Geist damals ausgebildet
hatte. Ich möchte die Stufe damaliger Einsicht einen Komparativ nennen, der seine Richtung gegen einen noch nicht erreichten Superlativ zu äußern gedrängt ist. Man sieht die Neigung
zu einer Art von Pantheismus, indem den Welterscheinungen
ein unerforschliches, unbedingtes, humoristisches, sich selbst
widersprechendes Wesen zum Grunde gedacht ist, und mag als
Spiel, dem es bitterer Ernst ist, gar wohl gelten.

Die Erfüllung aber, die ihm fehlt, ist die Anschauung der
zwei großen Triebräder aller Natur: der Begriff von Polarität
und von Steigerung, jene der Materie, insofern wir sie materiell, diese ihr dagegen, insofern wir sie geistig denken,
angehörig; jene ist in immerwährendem Anziehen und Absto
ßen, diese in immerstrebendem Aufsteigen. Weil aber die
Materie nie ohne Geist, der Geist nie ohne Materie existiert
und wirksam sein kann, so vermag auch die Materie sich zu
steigern, so wie sich's der Geist nicht nehmen läßt, anzuziehen
und abzustoßen; wie derjenige nur allein zu denken vermag,
der genugsam getrennt hat, um zu verbinden, genugsam
verbunden hat, um wieder trennen zu mögen.

In jenen Jahren, wohin gedachter Aufsatz fallen möchte, war
ich hauptsächlich mit vergleichender Anatomie beschäftigt
und gab mir 1786 unsägliche Mühe, bei anderen an meiner
Überzeugung: dem Menschen dürfe der Zwischenknochen
nicht abgesprochen werden, Teilnahme zu erregen. Die Wich-

tigkeit dieser Behauptung wollten selbst sehr gute Köpfe nicht einsehen, die Richtigkeit leugneten die besten Beobachter, und ich mußte, wie in so vielen andern Dingen, im stillen meinen Weg für mich fortgehen.

Die Versatilität der Natur im Pflanzenreiche verfolgte ich unablässig, und es glückte mir Anno 1788 in Sizilien die Metamorphose der Pflanzen, so im Anschauen wie im Begriff, zu gewinnen. Die Metamorphose des Tierreichs lag nahe dran, und im Jahre 1790 offenbarte sich mir in Venedig der Ursprung des Schädels aus Wirbelknochen; ich verfolgte nun eifriger die Konstruktion des Typus, diktierte das Schema im Jahre 1795 an Max Jacobi in Jena und hatte bald die Freude, von deutschen Naturforschern mich in diesem Fache abgelöst zu sehen.

Vergegenwärtigt man sich die hohe Ausführung, durch welche die sämtlichen Naturerscheinungen nach und nach vor dem menschlichen Geiste verkettet worden, und liest alsdann obigen Aufsatz, von dem wir ausgingen, nochmals mit Bedacht, so wird man nicht ohne Lächeln jenen Komparativ, wie ich ihn nannte, mit dem Superlativ, mit dem hier abgeschlossen wird, vergleichen und eines fünfzigjährigen Fortschreitens sich erfreuen.

Weimar, 24. Mai 1828

Goethe an den Kanzler von Müller

DIE NATUR

Fragment [von Christof Tobler]

Natur! Wir sind von ihr umgeben und umschlungen – unvermögend aus ihr herauszutreten, und unvermögend tiefer in sie hinein zu kommen. Ungebeten und ungewarnt nimmt sie uns in den Kreislauf ihres Tanzes auf und treibt sich mit uns fort, bis wir ermüdet sind und ihrem Arme entfallen.

Sie schafft ewig neue Gestalten; was da ist, war noch nie, was war, kommt nicht wieder – alles ist neu, und doch immer das Alte.

Wir leben mitten in ihr und sind ihr fremde. Sie spricht unaufhörlich mit uns und verrät uns ihr Geheimnis nicht. Wir wirken beständig auf sie und haben doch keine Gewalt über sie.

Sie scheint alles auf Individualität angelegt zu haben und macht sich nichts aus den Individuen. Sie baut immer und zerstört immer, und ihre Werkstätte ist unzugänglich.

Sie lebt in lauter Kindern, und die Mutter, wo ist sie? – Sie ist die einzige Künstlerin: aus dem simpelsten Stoff zu den größten Kontrasten; ohne Schein der Anstrengung zu der größten Vollendung – zur genausten Bestimmtheit, immer mit etwas Weichem überzogen. Jedes ihrer Werke hat ein eigenes Wesen, jedoch ihrer Erscheinungen den isoliertesten Begriff, und doch macht alles eins aus.

Sie spielt ein Schauspiel: ob sie es selbst sieht, wissen wir nicht, und doch spielt sie's für uns, die wir in der Ecke stehen.

Es ist ein ewiges Leben, Werden und Bewegen in ihr, und doch rückt sie nicht weiter. Sie verwandelt sich ewig, und ist kein Moment Stillestehen in ihr. Fürs Bleiben hat sie keinen Begriff, und ihren Fluch hat sie ans Stillestehen gehängt. Sie ist fest. Ihr Tritt ist gemessen, ihre Ausnahmen selten, ihre Gesetze unwandelbar.

Seebucht und Kastell auf Steilufer (komponierte Landschaft)
Bleistift, Feder mit Sepia, Sepialavierung

Gedacht hat sie und sinnt beständig; aber nicht als ein Mensch, sondern als Natur. Sie hat sich einen eigenen allumfassenden Sinn vorbehalten, den ihr niemand abmerken kann.

Die Menschen sind alle in ihr und sie in allen. Mit allen treibt sie ein freundliches Spiel und freut sich, je mehr man ihr abgewinnt. Sie treibt's mit vielen so im Verborgenen, daß sie's zu Ende spielt, ehe sie's merken.

Auch das Unnatürlichste ist Natur, auch die plumpste Philisterei hat etwas von ihrem Genie. Wer sie nicht allenthalben sieht, sieht sie nirgendwo recht.

Sie liebt sich selber und haftet ewig mit Augen und Herzen ohne Zahl an sich selbst. Sie hat sich auseinandergesetzt, um sich selbst zu genießen. Immer läßt sie neue Genießer erwachsen, unersättlich, sich mitzuteilen.

Sie freut sich an der Illusion. Wer diese in sich und andern

zerstört, den straft sie als der strengste Tyrann. Wer ihr zutraulich folgt, den drückt sie wie ein Kind an ihr Herz.

Ihre Kinder sind ohne Zahl. Keinem ist sie überall karg, aber sie hat Lieblinge, an die sie viel verschwendet und denen sie viel aufopfert. Ans Große hat sie ihren Schutz geknüpft.

Sie spritzt ihre Geschöpfe aus dem Nichts hervor und sagt ihnen nicht, woher sie kommen und wohin sie gehen. Sie sollen nur laufen; die Bahn kennt sie.

Sie hat wenige Triebfedern, aber nie abgenutzte, immer wirksam, immer mannigfaltig.

Ihr Schauspiel ist immer neu, weil sie immer neue Zuschauer schafft. Leben ist ihre schönste Erfindung, und der Tod ist ihr Kunstgriff, viel Leben zu haben.

Sie hüllt den Menschen in Dumpfheit ein und spornt ihn ewig zum Lichte. Sie macht ihn abhängig zur Erde, träg und schwer, und schüttelt ihn immer wieder auf.

Sie gibt Bedürfnisse, weil sie Bewegung liebt. Wunder, daß sie alle diese Bewegung mit so wenigem erreicht. Jedes Bedürfnis ist Wohltat; schnell befriedigt, schnell wieder erwachsend. Gibt sie eins mehr, so ist's ein neuer Quell der Lust; aber sie kommt bald ins Gleichgewicht.

Sie setzt alle Augenblicke zum längsten Lauf an, und ist alle Augenblicke am Ziele.

Sie ist die Eitelkeit selbst, aber nicht für uns, denen sie sich zur größten Wichtigkeit gemacht hat.

Sie läßt jedes Kind an sich künsteln, jeden Toren über sich richten, Tausende stumpf über sich hingehen und nichts sehen, und hat an allen ihre Freude und findet bei allen ihre Rechnung.

Man gehorcht ihren Gesetzen, auch wenn man ihnen widerstrebt; man wirkt mit ihr, auch wenn man gegen sie wirken will.

Sie macht alles, was sie gibt, zur Wohltat, denn sie macht es erst unentbehrlich. Sie säumet, daß man sie verlange; sie eilet, daß man sie nicht satt werde.

Sie hat keine Sprache noch Rede, aber sie schafft Zungen und Herzen, durch die sie fühlt und spricht.

Ihre Krone ist die Liebe. Nur durch sie kommt man ihr nahe. Sie macht Klüfte zwischen allen Wesen, und alles will sich verschlingen. Sie hat alles isoliert, um alles zusammenzuziehen. Durch ein paar Züge aus dem Becher der Liebe hält sie für ein Leben voll Mühe schadlos.

Sie ist alles. Sie belohnt sich selbst und bestraft sich selbst, erfreut und quält sich selbst. Sie ist rauh und gelinde, lieblich und schrecklich, kraftlos und allgewaltig. Alles ist immer da in ihr. Vergangenheit und Zukunft kennt sie nicht. Gegenwart ist ihr Ewigkeit. Sie ist gütig. Ich preise sie mit allen ihren Werken. Sie ist weise und still. Man reißt ihr keine Erklärung vom Leibe, trutzt ihr kein Geschenk ab, das sie nicht freiwillig gibt. Sie ist listig, aber zu gutem Ziele, und am besten ist's, ihre List nicht zu merken.

Sie ist ganz, und doch immer unvollendet. So wie sie's treibt, kann sie's immer treiben.

Jedem erscheint sie in einer eignen Gestalt. Sie verbirgt sich in tausend Namen und Termen, und ist immer dieselbe.

Sie hat mich hereingestellt, sie wird mich auch herausführen. Ich vertraue mich ihr. Sie mag mit mir schalten. Sie wird ihr Werk nicht hassen. Ich sprach nicht von ihr. Nein, was wahr ist und was falsch ist, alles hat sie gesprochen. Alles ist ihre Schuld, alles ist ihr Verdienst.

Ich hörte von Verwandtschaften lesen, und da dacht ich eben gleich an meine Verwandten, an ein paar Vettern, die mir gerade in diesem Augenblick zu schaffen machen. Meine Aufmerksamkeit kehrt zu deiner Vorlesung zurück; ich höre, daß von ganz leblosen Dingen die Rede ist, und blicke dir ins Buch, um mich wieder zurechtzufinden.

Es ist eine Gleichnisrede, die dich verführt und verwirrt hat, sagte Eduard. Hier wird freilich nur von Erden und Mineralien gehandelt, aber der Mensch ist ein wahrer Narziß: er bespiegelt sich überall gern selbst; er legt sich als Folie der ganzen Welt unter.

Jawohl! fuhr der Hauptmann fort: so behandelt er alles, was er außer sich findet; seine Weisheit wie seine Torheit, seinen Willen wie seine Willkür leiht er den Tieren, den Pflanzen, den Elementen und den Göttern.

Möchtet ihr mich, versetzte Charlotte, da ich euch nicht zu weit von dem augenblicklichen Interesse wegführen will, nur kürzlich belehren, wie es eigentlich hier mit den Verwandtschaften gemeint sei?

Das will ich wohl gerne tun, erwiderte der Hauptmann, gegen den sich Charlotte gewendet hatte; freilich nur so gut, als ich es vermag, wie ich es etwa vor zehn Jahren gelernt, wie ich es gelesen habe. Ob man in der wissenschaftlichen Welt noch so darüber denkt, ob es zu den neuern Lehren paßt, wüßte ich nicht zu sagen.

Es ist schlimm genug, rief Eduard, daß man jetzt nichts mehr für sein ganzes Leben lernen kann. Unsre Vorfahren hielten sich an den Unterricht, den sie in ihrer Jugend empfangen; wir aber müssen jetzt alle fünf Jahre umlernen, wenn wir nicht ganz aus der Mode kommen wollen.

Wir Frauen, sagte Charlotte, nehmen es nicht so genau; und wenn ich aufrichtig sein soll, so ist es mir eigentlich nur um den Wortverstand zu tun: denn es macht in der Gesellschaft nichts lächerlicher, als wenn man ein fremdes, ein Kunst-Wort falsch anwendet. Deshalb möchte ich nur wissen, in welchem Sinne dieser Ausdruck eben bei diesen Gegenständen gebraucht wird. Wie es wissenschaftlich damit zusammenhänge, wollen wir den Gelehrten überlassen, die übrigens, wie ich habe bemerken können, sich wohl schwerlich jemals vereinigen werden.

Wo fangen wir aber nun an, um am schnellsten in die Sache zu kommen? fragte Eduard nach einer Pause den Hauptmann, der, sich ein wenig bedenkend, bald darauf erwiderte:

Wenn es mir erlaubt ist, dem Scheine nach weit auszuholen, so sind wir bald am Platze.

Sein Sie meiner ganzen Aufmerksamkeit versichert, sagte Charlotte, indem sie ihre Arbeit beiseite legte.

Und so begann der Hauptmann: An allen Naturwesen, die wir gewahr werden, bemerken wir zuerst, daß sie einen Bezug auf sich selbst haben. Es klingt freilich wunderlich, wenn man etwas ausspricht, was sich ohnehin versteht; doch nur indem man sich über das Bekannte völlig verständigt hat, kann man miteinander zum Unbekannten fortschreiten.

Ich dächte, fiel ihm Eduard ein, wir machten ihr und uns die Sache durch Beispiele bequem. Stelle dir nur das Wasser, das Öl, das Quecksilber vor, so wirst du eine Einigkeit, einen Zusammenhang ihrer Teile finden. Diese Einung verlassen sie nicht, außer durch Gewalt oder sonstige Bestimmung. Ist diese beseitigt, so treten sie gleich wieder zusammen.

Ohne Frage, sagte Charlotte beistimmend. Regentropfen vereinigen sich schnell zu Strömen. Und schon als Kinder spielen wir erstaunt mit dem Quecksilber, indem wir es in Kügelchen trennen und es wieder zusammenlaufen lassen.

Und so darf ich wohl, fügte der Hauptmann hinzu, eines bedeutenden Punktes im flüchtigen Vorbeigehen erwähnen, daß nämlich dieser völlig reine, durch Flüssigkeit mögliche Bezug sich entschieden und immer durch die Kugelgestalt auszeichnet. Der fallende Wassertropfen ist rund; von den Quecksilberkügelchen haben Sie selbst gesprochen; ja, ein fallendes geschmolzenes Blei, wenn es Zeit hat, völlig zu erstarren, kommt unten in Gestalt einer Kugel an.

Lassen Sie mich voreilen, sagte Charlotte, ob ich treffe, wo Sie hin wollen. Wie jedes gegen sich selbst einen Bezug hat, so muß es auch gegen andere ein Verhältnis haben.

Und das wird nach Verschiedenheit der Wesen verschieden sein, fuhr Eduard eilig fort. Bald werden sie sich als Freunde und alte Bekannte begegnen, die schnell zusammentreten, sich vereinigen, ohne aneinander etwas zu verändern, wie sich Wein mit Wasser vermischt. Dagegen werden andre fremd nebeneinander verharren und selbst durch mechanisches Mischen und Reiben sich keineswegs verbinden; wie Öl und Wasser zusammengerüttelt sich den Augenblick wieder auseinander sondert.

Es fehlt nicht viel, sagte Charlotte, so sieht man in diesen einfachen Formen die Menschen, die man gekannt hat; besonders aber erinnert man sich dabei der Sozietäten, in denen man lebte. Die meiste Ähnlichkeit jedoch mit diesen seelenlosen Wesen haben die Massen, die in der Welt sich einander gegenüber stellen, die Stände, die Berufsbestimmungen, der Adel und der dritte Stand, der Soldat und der Zivilist.

Und doch, versetzte Eduard, wie diese durch Sitten und Gesetze vereinbar sind, so gibt es auch in unserer chemischen Welt Mittelglieder, dasjenige zu verbinden, was sich einander abweist.

So verbinden wir, fiel der Hauptmann ein, das Öl durch Laugensalz mit dem Wasser.

Nur nicht zu geschwind mit Ihrem Vortrag, sagte Charlotte, damit ich zeigen kann, daß ich Schritt halte. Sind wir nicht hier schon zu den Verwandtschaften gelangt?

Ganz richtig, erwiderte der Hauptmann, und wir werden sie gleich in ihrer vollen Kraft und Bestimmtheit kennen lernen. Diejenigen Naturen, die sich beim Zusammentreffen einander schnell ergreifen und wechselseitig bestimmen, nennen wir verwandt. An den Alkalien und Säuren, die obgleich einander entgegengesetzt und vielleicht eben deswegen, weil sie einander entgegengesetzt sind, sich am entschiedensten suchen und fassen, sich modifizieren und zusammen einen neuen Körper bilden, ist diese Verwandtschaft auffallend genug. Gedenken wir nur des Kalks, der zu allen Säuren eine große Neigung, eine entschiedene Vereinigungslust äußert. Sobald unser chemisches Kabinett ankommt, wollen wir Sie verschiedene Versuche sehen lassen, die sehr unterhaltend sind und einen bessern Begriff geben als Worte, Namen und Kunstausdrücke.

Lassen Sie mich gestehen, sagte Charlotte, wenn Sie diese Ihre wunderlichen Wesen verwandt nennen, so kommen sie mir nicht sowohl als Blutsverwandte, vielmehr als Geistes- und Seelenverwandte vor. Auf eben diese Weise können unter Menschen wahrhaft bedeutende Freundschaften entstehen: denn entgegengesetzte Eigenschaften machen eine innigere Vereinigung möglich. Und so will ich denn abwarten, was Sie mir von diesen geheimnisvollen Wirkungen vor die Augen bringen werden. Ich will dich – sagte sie zu Eduard gewendet – jetzt im Vorlesen nicht weiter stören und, um so viel besser unterrichtet, deinen Vortrag mit Aufmerksamkeit vernehmen.

Da du uns einmal aufgerufen hast, versetzte Eduard, so kommst du so leicht nicht los: denn eigentlich sind die verwickelten Fälle die interessantesten. Erst bei diesen lernt man die Grade der Verwandtschaften, die nähern, stärkern, entferntern, geringern Beziehungen kennen; die Verwandtschaften werden erst interessant, wenn sie Scheidungen bewirken.

Kommt das traurige Wort, rief Charlotte, das man leider in der Welt jetzt so oft hört, auch in der Naturlehre vor?

Allerdings, erwiderte Eduard. Es war sogar ein bezeichnender Ehrentitel der Chemiker, daß man sie Scheidekünstler nannte.

Das tut man also nicht mehr, versetzte Charlotte, und tut sehr wohl daran. Das Vereinigen ist eine größere Kunst, ein größeres Verdienst. Ein Einungskünstler wäre in jedem Fache der ganzen Welt willkommen. – Nun, so laßt mich denn, weil ihr doch einmal im Zuge seid, ein paar solche Fälle wissen.

So schließen wir uns denn gleich, sagte der Hauptmann, an dasjenige wieder an, was wir oben schon benannt und besprochen haben. Z. B. was wir Kalkstein nennen, ist eine mehr oder weniger reine Kalkerde, innig mit einer zarten Säure verbunden, die uns in Luftform bekannt geworden ist. Bringt man ein Stück solchen Steines in verdünnte Schwefelsäure, so ergreift diese den Kalk und erscheint mit ihm als Gips; jene zarte luftige Säure hingegen entflieht. Hier ist eine Trennung, eine neue Zusammensetzung entstanden, und man glaubt sich nunmehr berechtigt, sogar das Wort Wahlverwandtschaft anzuwenden, weil es wirklich aussieht, als wenn ein Verhältnis dem andern vorgezogen, eins vor dem andern erwählt würde.

Verzeihen Sie mir, sagte Charlotte, wie ich dem Naturforscher verzeihe; aber ich würde hier niemals eine Wahl, eher eine Naturnotwendigkeit erblicken, und diese kaum: denn es ist am Ende vielleicht gar nur die Sache der Gelegenheit. Gelegenheit macht Verhältnisse, wie sie Diebe macht; und wenn von Ihren Naturkörpern die Rede ist, so scheint mir die Wahl bloß in den Händen des Chemikers zu liegen, der diese Wesen zusammenbringt. Sind sie aber einmal beisammen, dann gnade ihnen Gott! In dem gegenwärtigen Falle dauert mich nur die arme Luftsäure, die sich wieder im Unendlichen herumtreiben muß.

Es kommt nur auf sie an, versetzte der Hauptmann, sich mit

dem Wasser zu verbinden und als Mineralquelle Gesunden und Kranken zur Erquickung zu dienen.

Der Gips hat gut reden, sagte Charlotte, der ist nun fertig, ist ein Körper, ist versorgt, anstatt daß jenes ausgetriebene Wesen noch manche Not haben kann, bis es wieder unterkommt.

Ich müßte sehr irren, sagte Eduard lächelnd, oder es steckt eine kleine Tücke hinter deinen Reden. Gesteh nur deine Schalkheit! Am Ende bin ich in deinen Augen der Kalk, der vom Hauptmann, als einer Schwefelsäure, ergriffen, deiner anmutigen Gesellschaft entzogen und in einen refraktären Gips verwandelt wird.

Wenn das Gewissen, versetzte Charlotte, dich solche Betrachtungen machen heißt, so kann ich ohne Sorge sein. Diese Gleichnisreden sind artig und unterhaltend, und wer spielt nicht gern mit Ähnlichkeiten? Aber der Mensch ist doch um so manche Stufe über jene Elemente erhöht, und wenn er hier mit den schönen Worten Wahl und Wahlverwandtschaft etwas freigebig gewesen, so tut er wohl, wieder in sich selbst zurückzukehren und den Wert solcher Ausdrücke bei diesem Anlaß recht zu bedenken. Mir sind leider Fälle genug bekannt, wo eine innige, unauflöslich scheinende Verbindung zweier Wesen durch gelegentliche Zugesellung eines dritten aufgehoben, und eins der erst so schön verbundenen ins lose Weite hinausgetrieben ward.

Da sind die Chemiker viel galanter, sagte Eduard: sie gesellen ein viertes dazu, damit keines leer ausgehe.

Jawohl! versetzte der Hauptmann: diese Fälle sind allerdings die bedeutendsten und merkwürdigsten, wo man das Anziehen, das Verwandtsein, dieses Verlassen, dieses Vereinigen gleichsam übers Kreuz wirklich darstellen kann; wo vier, bisher je zwei zu zwei verbundene Wesen, in Berührung gebracht, ihre bisherige Vereinigung verlassen und sich aufs neue verbinden. In diesem Fahrenlassen und Ergreifen, in diesem Fliehen und Suchen glaubt man wirklich eine höhere Bestimmung zu sehen; man traut solchen Wesen eine Art von

Wollen und Wählen zu und hält das Kunstwort Wahlverwandtschaften für vollkommen gerechtfertigt.

Beschreiben Sie mir einen solchen Fall, sagte Charlotte.

Man sollte dergleichen, versetzte der Hauptmann, nicht mit Worten abtun. Wie schon gesagt! sobald ich Ihnen die Versuche selbst zeigen kann, wird alles anschaulicher und angenehmer werden. Jetzt müßte ich Sie mit schrecklichen Kunstworten hinhalten, die Ihnen doch keine Vorstellung gäben. Man muß diese totscheinenden und doch zur Tätigkeit innerlich immer bereiten Wesen wirkend vor seinen Augen sehen, mit Teilnahme schauen, wie sie einander suchen, sich anziehen, ergreifen, zerstören, verschlingen, aufzehren und sodann aus der innigsten Verbindung wieder in erneuter, neuer, unerwarteter Gestalt hervortreten: dann traut man ihnen erst ein ewiges Leben, ja wohl gar Sinn und Verstand zu, weil wir unsere Sinne kaum genügend fühlen, sie recht zu beobachten, und unsre Vernunft kaum hinlänglich, sie zu fassen.

Ich leugne nicht, sagte Eduard, daß die seltsamen Kunstwörter demjenigen, der nicht durch sinnliches Anschauen, durch Begriffe mit ihnen versöhnt ist, beschwerlich, ja lächerlich werden müssen. Doch könnten wir leicht mit Buchstaben einstweilen das Verhältnis ausdrücken, wovon hier die Rede war.

Wenn Sie glauben, daß es nicht pedantisch aussieht, versetzte der Hauptmann, so kann ich wohl in der Zeichensprache mich kürzlich zusammenfassen. Denken Sie sich ein A, das mit einem B innig verbunden ist, durch viele Mittel und durch manche Gewalt nicht von ihm zu trennen; denken Sie sich ein C, das sich ebenso zu einem D verhält; bringen Sie nun die beiden Paare in Berührung: A wird sich zu D, C zu B werfen, ohne daß man sagen kann, wer das andere zuerst verlassen, wer sich mit dem andern zuerst wieder verbunden habe.

Nun denn! fiel Eduard ein: bis wir alles dieses mit Augen sehen, wollen wir diese Formel als Gleichnisrede betrachten, woraus wir uns eine Lehre zum unmittelbaren Gebrauch ziehen. Du stellst das A vor, Charlotte, und ich dein B: denn eigentlich hänge ich doch nur von dir ab und folge dir, wie dem A das B. Das C ist ganz deutlich der Kapitän, der mich für diesmal dir einigermaßen entzieht. Nun ist es billig, daß, wenn du nicht ins Unbestimmte entweichen sollst, dir für ein D gesorgt werde, und das ist ganz ohne Frage das liebenswürdige Dämchen Ottilie, gegen deren Annäherung du dich nicht länger verteidigen darfst.

Gut! versetzte Charlotte; wenn auch das Beispiel, wie mir scheint, nicht ganz auf unsern Fall paßt, so halte ich es doch für ein Glück, daß wir heute einmal völlig zusammentreffen, und daß diese Natur- und Wahlverwandtschaften unter uns eine vertrauliche Mitteilung beschleunigen.

Aus den Wahlverwandtschaften

[GESTALT UND TYPUS]

Morphologie

Ruht auf der Überzeugung, daß alles was sei, sich auch andeuten und zeigen müsse. Von den ersten physischen und chemischen Elementen an, bis zur geistigen Äußerung des Menschen lassen wir diesen Grundsatz gelten.

Wir wenden uns gleich zu dem, was Gestalt hat. Das Unorganische, das Vegetative, das Animale, das Menschliche deutet sich alles selbst an, es erscheint, als was es ist, unserm äußern, unserm inneren Sinn.

Die Gestalt ist ein Bewegliches, ein Werdendes, ein Vergehendes. Gestaltenlehre ist Verwandlungslehre. Die Lehre der Metamorphose ist der Schlüssel zu allen Zeichen der Natur.

Wir betrachten den organischen Körper insofern, als seine Teile noch Form haben, eine gewisse entschiedene Bestimmung bezeichnen und mit andern Teilen in Verhältnis stehen. Alles, was die Form des Teils zerstört, was den Muskel in Muskelfasern zertrennt, was den Knochen in Gallerte auflöst, wird von uns nicht angewandt. Nicht als ob wir jene weitere Zergliederung nicht kennen wollten und nicht zu schätzen wüßten, sondern weil wir, schon indem wir unsern ausgesprochenen Endzweck verfolgen, ein großes und unbegrenztes Tagewerk vor uns sehen.

[Aufgabe der Morphologie]

Physiologie schwebt dem Menschen als ein Zweck vor, der vielleicht nie zu erreichen ist. Ihre Dienerinnen, welche im einzelnen für sie arbeiten, sind:

1. Naturgeschichte, welche den ganzen Vorrat mehr oder weniger ausgebildeter Naturgeschöpfe zusammengestellt und besonders die Kennzeichen ihrer äußerlichen Gestalt bemerklich macht.

2. Anatomie, welche den innern Zusammenhang des Gebäudes lehrt über Anatomie des Menschen und der Tiere.

3. Chemie. Trennung der verschiednen Stoffe und Reduktion auf dieselben; diese beiden sind scheidend.

4. Allgemeine Naturlehre, besonders wegen der Lehre von der Bewegung.

5. Zoonomie. Betrachtet die organische Natur als ein belebtes Ganzes; ihre Betrachtungen sind teils physiologisch, teils psychologisch.

6. Physiognomik. Betrachtet die Gestalt, insofern sie gewisse Eigenschaften andeutet; man könnte sie in die Semiotik, welche den physischen Teil behandelte, und in eigentliche Physiognomik, welche sich des geistigen und sittlichen Teils annähme, einteilen.

Zu diesen allen ist unsere Absicht, noch die

7. Morphologie hinzuzusetzen, die sich hauptsächlich mit organischen Gestalten, ihrem Unterschied, ihrer Bildung und Umbildung abgibt.

Wie sie sich von den übrigen verwandten Wissenschaften unterscheidet, wird am deutlichsten eingesehen, wenn wir betrachten, was sie von einer jeden nutzt, und welchen Nutzen sie ihr dagegen wieder gewähren kann.

Von der Naturgeschichte nimmt sie die Kennzeichen der Gestalten im ganzen und dankt ihr die Bequemlichkeit, die Naturprodukte in einer gewissen Ordnung schnell übersehen zu können; dagegen läßt sich die Morphologie nicht wie jene in das einzelne ein, vielmehr hält sie sich besonders anfangs bei Klassen und deren Haupteinteilungen, bis künftige Ausarbeitungen ihr auch erlauben werden, weiter hinab zu steigen. Der Naturhistoriker hingegen nimmt zu dem Morphologen seine Zuflucht, wenn schwankende Gestalten ihn in Verlegenheit setzen, und wird sowohl in Absicht auf Kenntnis als aufs Ordnen manche Beihilfe bei dem Morphologen finden.

Von den Anatomen hat der Morpholog viel zu lernen und zu nehmen; die Übersicht der Teile, der äußern und innern, ist er ihm schuldig, und die Vergleichung derselben in den verschiedensten Naturen wird ihm erleichtert; allein wenn der Anatom fühlen muß, daß er sich in seinem eignen Reichtume gleichsam verwirrt, so gibt der Morpholog ihm Anlaß, seine Schätze zu ordnen und zu stellen, damit der große Vorrat übersehbar werde. Der Morpholog ist es, der die vergleichende Anatomie gründen muß.

Von dem Naturforscher nimmt der Morpholog die allgemeinen und besondern Gesetze der Bewegung, und indem er erfährt, daß in der organischen Natur sich manches auf mechanische Gesetze zurückführen läßt, so wird er desto mehr von der Eminenz des Lebens überzeugt, welches über, ja oft gegen mechanische Gesetze wirkt.

Übrigens hält sich der Physiker zu sehr im Allgemeinen und Unorganischen auf, als daß der Morpholog hoffen sollte, ihm sonderliche Dienste leisten zu können.

Zu dem Chemiker hat der Morpholog ein großes Vertrauen, und er holt sich oft Rat bei ihm in der Überzeugung, daß die verschiednen Organe verschiedne Stoffe verschieden bearbeiten, und daß verschiedene Säfte sich das Organ, in dem sie sich sammeln, wieder wechselsweise ausbilden; dagegen bereitet er dem Chemiker die Versuche gleichsam vor und macht ihn aufmerksam, wohin er sie, durch die Gestalt angereizt, eigentlich zu leiten habe.

Willkommen ist dem Morphologen der Zoonom, der die organische Natur als ein belebtes Ganzes ansieht. Er nimmt von ihm den Begriff der reinen und ungeteilten Wirkung und warnt ihn dagegen, daß er sich nicht bloß in allgemeinen Betrachtungen verlieren, sondern auf die Gestalt und Eigenschaft der einzelnen Teile und ihrer Veränderungen immer achthabe.

Der Semiotiker und Physiognom steht dem Morphologen zunächst. Die Gestalt wird eigentlich durch den Sinn des Auges gefaßt, und sie dreie geben sich am eigentlichsten mit der Gestalt und ihrer Bedeutsamkeit ab; sie sind nur in dem

Umfang, den sie ihren Arbeiten geben, und ihren Zwecken verschieden. Die Semiotik gibt sich hauptsächlich mit den physiologischen und pathologischen Zuständen des Menschen ab, insofern solche mit dem Sinne des Auges gefaßt werden. Der Physiognome richtet seine Aufmerksamkeit vorzüglich auf geistige und moralische Anzeichen; von jenen lernt der Morpholog die Aufmerksamkeit auf die zartesten Veränderungen der organischen Natur, nicht allein der Gestalt, sondern auch der Farbe nach; vom Physiognomen nimmt er die Aufmerksamkeit auf die unendlich bestimmte so dauernde als vorübergehende Wirkung geistiger Veränderung auf physische Organe; es kann nicht fehlen, daß der Morpholog bei seinen allgemeinen Arbeiten nicht etwas bringen sollte, das dem Semiotiker in seinem beschränkteren Kreise angenehm und nützlich wäre. Den Physiognomen wird er in dem Glauben an die Bedeutsamkeit der Gestalt bestärken und den Grund aufbauen, worauf die geistigen und genialischen Aperçüs, insofern sie . . . [bricht ab]

Alles was den Raum füllt, nimmt, insofern es solidesziert, sogleich eine Gestalt an; diese regelt sich mehr oder weniger und hat gegen die Umgebung gleiche Bezüge mit andern gleichgestalteten Wesen.

Form	Figur
Gestalt	Bildung
gestaltet	gebildet
geformt	
gemacht	gewachsen.

Nicht allein der freie Stoff, sondern auch das Derbe und Dichte drängt sich zur Gestalt; ganze Massen sind von Natur und Grund aus kristallinisch; in einer gleichgültigen formlosen Masse entsteht durch stöchiometrische Annäherung und Übereinandergreifen die porphyrartige Erscheinung, welche durch alle Formationen durchgeht.

Die schönste Metamorphose des unorganischen Reiches ist, wenn beim Entstehen das Amorphe sich ins Gestaltete verwandelt. Jede Masse hat hiezu Trieb und Recht. Der Glimmerschiefer verwandelt sich in Granaten und bildet oft Gebirgsmassen, in denen der Glimmer beinahe ganz aufgehoben ist und nur als geringes Bindungsmittel sich zwischen jenen Kristallen befindet.

Gestaltung einer Masse setzt nicht allein voraus, daß sie sich in Teile trenne, sondern daß sie auf eine entschiedene Weise in unterscheidbare, untereinander ähnliche Teile sich trenne.

Die Gestalt steht in bezug auf die ganze Organisation, wozu der Teil gehört, und somit auch auf die Außenwelt, von welcher das vollständig organisierte Wesen als ein Teil betrachtet werden muß.

(. . .)

Freilich beachten wir das Maß nicht als ein vorzügliches Kennzeichen, so wenig als die Masse; aber die Gestaltung, worauf alles ankommt, läßt sich ohne Maß und Masse nicht denken. Und Funktion bezieht sich nicht etwa nur auf Gestaltung, sondern beide sind identisch. Ein erhabener Alter sagt: die Tiere werden durch ihre Organe belehrt, und spricht alles aus, was über den Instinkt der Tiere gesagt werden kann.

Funktion und Gestalt notwendig verbunden.

Die Funktion ist das Dasein in Tätigkeit gedacht.

(. . .)

[Parthenonpferde:]

An dem Elginschen Pferdekopf, einem der herrlichsten Reste der höchsten Kunstzeit, finden sich die Augen frei hervorstehend und gegen das Ohr gerückt, wodurch die beiden Sinne, Gesicht und Gehör, unmittelbar zusammen zu wirken scheinen und das erhabene Geschöpf durch geringe

Bewegung sowohl hinter sich zu hören als zu blicken fähig wird. Es sieht so übermächtig und geisterartig aus, als wenn es gegen die Natur gebildet wäre, und doch jener Beobachtung gemäß hat der Künstler eigentlich ein Urpferd geschaffen, mag er solches mit Augen gesehen oder im Geiste verfaßt haben; uns wenigstens scheint es im Sinne der höchsten Poesie und Wirklichkeit dargestellt zu sein.

Das Hirn selbst nur ein großes Hauptganglion. Die Organisation des Gehirns wird in jedem Ganglion wiederholt, so daß jedes Ganglion [als] ein kleines subordiniertes Gehirn anzusehen ist.

Die Frage über die Instinkte der Tiere läßt sich nur durch den Begriff von Monaden und Entelechien auflösen.
    Jede Monas ist eine Entelechie, die unter gewissen Bedingungen zur Erscheinung kommt.

Die Tiere werden durch ihre Organe belehrt.
    Der Mensch belehrt die Organe.

NATURFORMEN DER DICHTUNG

Es gibt nur drei echte Naturformen der Poesie: die klar erzählende, die enthusiastisch aufgeregte und die persönlich handelnde: *Epos, Lyrik* und *Drama*. Diese drei Dichtweisen können zusammen oder abgesondert wirken. In dem kleinsten Gedicht findet man sie oft beisammen, und sie bringen eben durch diese Vereinigung im engsten Raume das herrlichste Gebild hervor, wie wir an den schätzenswertesten Balladen aller Völker deutlich gewahr werden. Im älteren griechischen Trauerspiel sehen wir sie gleichfalls alle drei verbunden, und erst in einer gewissen Zeitfolge sondern sie sich. Solange der Chor die Hauptperson spielt, zeigt sich Lyrik obenan; wie der

Chor mehr Zuschauer wird, treten die andern hervor, und zuletzt, wo die Handlung sich persönlich und häuslich zusammenzieht, findet man den Chor unbequem und lästig. Im französischen Trauerspiel ist die Exposition episch, die Mitte dramatisch, und den fünften Akt, der leidenschaftlich und enthusiastisch ausläuft, kann man lyrisch nennen.

Das Homerische Heldengedicht ist rein episch; der Rhapsode waltet immer vor, was sich ereignet, erzählt er; niemand darf den Mund auftun, dem er nicht vorher das Wort verliehen, dessen Rede und Antwort er nicht angekündigt. Abgebrochene Wechselreden, die schönste Zierde des Dramas, sind nicht zulässig.

Höre man aber nun den modernen Improvisator auf öffentlichem Markte, der einen geschichtlichen Gegenstand behandelt; er wird, um deutlich zu sein, erst erzählen, dann, um Interesse zu erregen, als handelnde Person sprechen, zuletzt enthusiastisch auflodern und die Gemüter hinreißen. So wunderlich sind, diese Elemente zu verschlingen, die Dichtarten bis ins Unendliche mannigfaltig; und deshalb auch so schwer eine Ordnung zu finden, wornach man sie neben oder nach einander aufstellen könnte. Man wird sich aber einigermaßen dadurch helfen, daß man die drei Hauptelemente in einem Kreis gegen einander über stellt und sich Musterstücke sucht, wo jedes Element einzeln obwaltet. Alsdann sammle man Beispiele, die sich nach der einen oder nach der andern Seite hinneigen, bis endlich die Vereinigung von allen dreien erscheint und somit der ganze Kreis in sich geschlossen ist.

Auf diesem Wege gelangt man zu schönen Ansichten, sowohl der Dichtarten, als des Charakters der Nationen und ihres Geschmacks in einer Zeitfolge. Und obgleich diese Verfahrungsart mehr zu eigener Belehrung, Unterhaltung und Maßregel als zum Unterricht anderer geeignet sein mag, so wäre doch vielleicht ein Schema aufzustellen, welches zugleich die äußeren zufälligen Formen und diese inneren notwendigen Uranfänge in faßlicher Ordnung darbrächte. Der Versuch jedoch wird immer so schwierig sein als in der Naturkunde das Bestreben, den Bezug auszufinden der äußeren Kennzeichen von Mineralien und Pflanzen zu ihren inneren Bestandteilen, um eine naturgemäße Ordnung dem Geiste darzustellen.

Noten und Abhandlungen zu besserem Verständnis
des westöstlichen Divans

BILDUNG UND UMBILDUNG
ORGANISCHER NATUREN

Siehe er geht vor mir über ehe ich's
gewahr werde, und verwandelt
sich ehe ich's merke. *Hiob.*

Das Unternehmen wird entschuldigt

Wenn der zur lebhaften Beobachtung aufgeforderte Mensch
mit der Natur einen Kampf zu bestehen anfängt, so fühlt er
zuerst einen ungeheuern Trieb, die Gegenstände sich zu unterwerfen. Es dauert aber nicht lange, so dringen sie dergestalt
gewaltig auf ihn ein, daß er wohl fühlt wie sehr er Ursache hat,
auch ihre Macht anzuerkennen und ihre Einwirkung zu verehren. Kaum überzeugt er sich von diesem wechselseitigen
Einfluß, so wird er ein doppelt Unendliches gewahr, an den
Gegenständen die Mannigfaltigkeit des Seins und Werdens
und der sich lebendig durchkreuzenden Verhältnisse, an sich
selbst aber die Möglichkeit einer unendlichen Ausbildung,
indem er seine Empfänglichkeit sowohl als sein Urteil immer
zu neuen Formen des Aufnehmens und Gegenwirkens
geschickt macht. Diese Zustände geben einen hohen Genuß
und würden das Glück des Lebens entscheiden, wenn nicht
innre und äußre Hindernisse dem schönen Lauf zur Vollendung sich entgegen stellten. Die Jahre, die erst brachten,
fangen an zu nehmen; man begnügt sich in seinem Maß mit
dem Erworbenen, und ergötzt sich daran um so mehr im
stillen, als von außen eine aufrichtige, reine, belebende Teilnahme selten ist.

   Wie wenige fühlen sich von dem begeistert, was eigentlich
nur dem Geist erscheint. Die Sinne, das Gefühl, das Gemüt
üben weit größere Macht über uns aus, und zwar mit Recht:
denn wir sind aufs Leben und nicht auf die Betrachtung angewiesen.

Leider findet man aber auch bei denen, die sich dem Erkennen, dem Wissen ergeben, selten eine wünschenswerte Teilnahme. Dem Verständigen, auf das Besondere Merkenden, genau Beobachtenden, Auseinandertrennenden ist gewissermaßen das zur Last, was aus einer Idee kommt und auf sie zurückführt. Er ist in seinem Labyrinth auf eine eigene Weise zu Hause, ohne daß er sich um einen Faden bekümmerte, der schneller durch und durch führte; und solchem scheint ein Metall, das nicht ausgemünzt ist, nicht aufgezählt werden kann, ein lästiger Besitz; dahingegen der, der sich auf höhern Standpunkten befindet, gar leicht das einzelne verachtet und dasjenige, was nur gesondert ein Leben hat, in eine tötende Allgemeinheit zusammenreißt.

In diesem Konflikt befinden wir uns schon seit langer Zeit. Es ist darin gar manches getan, gar manches zerstört worden, und ich würde nicht in Versuchung kommen meine Ansichten der Natur, in einem schwachen Kahn, dem Ozean der Meinungen zu übergeben, hätten wir nicht in den erstvergangenen Stunden der Gefahr so lebhaft gefühlt, welchen Wert Papiere für uns behalten, in welche wir früher einen Teil unseres Daseins niederzulegen bewogen worden.

Mag daher das, was ich mir in jugendlichem Mute öfters als ein Werk träumte, nun als Entwurf, ja als fragmentarische Sammlung hervortreten, und als das, was es ist, wirken und nutzen.

So viel hatte ich zu sagen, um diese vieljährige Skizzen, davon jedoch einzelne Teile mehr oder weniger ausgeführt sind, dem Wohlwollen meiner Zeitgenossen zu empfehlen. Gar manches, was noch zu sagen sein möchte, wird im Fortschritte des Unternehmens am besten eingeführt werden.

Jena, 1807

Wenn wir Naturgegenstände, besonders aber die lebendigen, dergestalt gewahr werden, daß wir uns eine Einsicht in den Zusammenhang ihres Wesens und Wirkens zu verschaffen wünschen, so glauben wir zu einer solchen Kenntnis am besten durch Trennung der Teile gelangen zu können, wie denn auch wirklich dieser Weg uns sehr weit zu führen geeignet ist. Was Chemie und Anatomie zur Ein- und Übersicht der Natur beigetragen haben, dürfen wir nur mit wenig Worten den Freunden des Wissens ins Gedächtnis zurückrufen.

Aber diese trennenden Bemühungen, immer und immer fortgesetzt, bringen auch manchen Nachteil hervor. Das Lebendige ist zwar in Elemente zerlegt, aber man kann es aus diesen nicht wieder zusammenstellen und beleben. Dieses gilt schon von vielen anorganischen, geschweige von organischen Körpern.

Es hat sich daher auch in dem wissenschaftlichen Menschen zu allen Zeiten ein Trieb hervorgetan, die lebendigen Bildungen als solche zu erkennen, ihre äußern sichtbaren, greiflichen Teile im Zusammenhange zu erfassen, sie als Andeutungen des Innern aufzunehmen und so das Ganze in der Anschauung gewissermaßen zu beherrschen. Wie nah dieses wissenschaftliche Verlangen mit dem Kunst- und Nachahmungstriebe zusammenhänge, braucht wohl nicht umständlich ausgeführt zu werden.

Man findet daher in dem Gange der Kunst, des Wissens und der Wissenschaft mehrere Versuche, eine Lehre zu gründen und auszubilden, welche wir die Morphologie nennen möchten. Unter wie mancherlei Formen diese Versuche erscheinen, davon wird in dem geschichtlichen Teile die Rede sein.

Der Deutsche hat für den Komplex des Daseins eines wirklichen Wesens das Wort Gestalt. Er abstrahiert bei diesem Ausdruck von dem Beweglichen, er nimmt an, daß ein Zusammengehöriges festgestellt, abgeschlossen und in seinem Charakter fixiert sei.

Betrachten wir aber alle Gestalten, besonders die organischen, so finden wir, daß nirgends ein Bestehendes, nirgends ein Ruhendes, ein Abgeschlossenes vorkommt, sondern daß vielmehr alles in einer steten Bewegung schwanke. Daher unsere Sprache das Wort Bildung sowohl von dem Hervorgebrachten, als von dem Hervorgebrachtwerdenden gehörig genug zu brauchen pflegt.

Wollen wir also eine Morphologie einleiten, so dürfen wir nicht von Gestalt sprechen, sondern wenn wir das Wort brauchen, uns allenfalls dabei nur die Idee, den Begriff oder ein in der Erfahrung nur für den Augenblick Festgehaltenes denken.

Das Gebildete wird sogleich wieder umgebildet, und wir haben uns, wenn wir einigermaßen zum lebendigen Anschaun der Natur gelangen wollen, selbst so beweglich und bildsam zu erhalten, nach dem Beispiele mit dem sie uns vorgeht.

Wenn wir einen Körper auf dem anatomischen Wege in seine Teile zerlegen und diese Teile wieder in das, worin sie sich trennen lassen, so kommen wir zuletzt auf solche Anfänge, die man Similarteile genannt hat. Von diesen ist hier nicht die Rede; wir machen vielmehr auf eine höhere Maxime des Organismus aufmerksam, die wir folgendermaßen aussprechen.

Jedes Lebendige ist kein Einzelnes, sondern eine Mehrheit; selbst insofern es uns als Individuum erscheint, bleibt es doch eine Versammlung von lebendigen selbständigen Wesen, die der Idee, der Anlage nach, gleich sind, in der Erscheinung aber gleich oder ähnlich, ungleich oder unähnlich werden können. Diese Wesen sind teils ursprünglich schon verbunden, teils finden und vereinigen sie sich. Sie entzweien sich und suchen sich wieder und bewirken so eine unendliche Produktion auf alle Weise und nach allen Seiten.

Je unvollkommener das Geschöpf ist, desto mehr sind diese

Teile einander gleich oder ähnlich, und desto mehr gleichen sie dem Ganzen. Je vollkommner das Geschöpf wird, desto unähnlicher werden die Teile einander. In jenem Falle ist das Ganze den Teilen mehr oder weniger gleich, in diesem das Ganze den Teilen unähnlich. Je ähnlicher die Teile einander sind, desto weniger sind sie einander subordiniert. Die Subordination der Teile deutet auf ein vollkommneres Geschöpf.

Da in allen allgemeinen Sprüchen, sie mögen noch so gut durchdacht sein, etwas Unfaßliches für denjenigen liegt, der sie nicht anwenden, der ihnen die nötigen Beispiele nicht unterlegen kann, so wollen wir zum Anfang nur einige geben, da unsere ganze Arbeit der Aus- und Durchführung dieser und andern Ideen und Maximen gewidmet ist.

Daß eine Pflanze, ja ein Baum, die uns doch als Individuum erscheinen, aus lauter Einzelheiten bestehn, die sich untereinander und dem Ganzen gleich und ähnlich sind, daran ist wohl kein Zweifel. Wie viele Pflanzen werden durch Absenker fortgepflanzt. Das Auge der letzten Varietät eines Obstbaumes treibt einen Zweig, der wieder eine Anzahl gleicher Augen hervorbringt; und auf ebendiesem Wege geht die Fortpflanzung durch Samen vor sich. Sie ist die Entwicklung einer unzähligen Menge gleicher Individuen aus dem Schoße der Mutterpflanze.

Man sieht hier sogleich, daß das Geheimnis der Fortpflanzung durch Samen innerhalb jener Maxime schon ausgesprochen ist; und man bemerke, man bedenke nur erst recht, so wird man finden, daß selbst das Samenkorn, das uns als eine individuelle Einheit vorzuliegen scheint, schon eine Versammlung von gleichen und ähnlichen Wesen ist. Man stellt die Bohne gewöhnlich als ein deutliches Muster der Keimung auf. Man nehme eine Bohne, noch ehe sie keimt, in ihrem ganz eingewickelten Zustande, und man findet nach Eröffnung derselben erstlich die zwei Samenblätter, die man nicht glücklich mit dem Mutterkuchen vergleicht: denn es sind zwei wahre, nur aufgetriebene und mehlig ausgefüllte Blätter, welche auch an Licht und Luft grün werden. Ferner entdeckt man schon das Federchen, welches abermals zwei ausgebildetere und weiterer Ausbildung fähige Blätter sind. Bedenkt man dabei, daß hinter jedem Blattstiele ein Auge, wo nicht in der Wirklichkeit, doch in der Möglichkeit ruht, so erblickt man in dem uns einfach scheinenden Samen schon eine Versammlung von mehrern Einzelheiten, die man einander in der Idee gleich und in der Erscheinung ähnlich nennen kann.

Pflanzenstudie
*Bleistift, Feder mit Tusche, Tuschlavierung,
mit Bleiweiß gehöht*

Daß nun das, was der Idee nach gleich ist, in der Erfahrung entweder als gleich, oder als ähnlich, ja sogar als völlig ungleich und unähnlich erscheinen kann, darin besteht eigentlich das bewegliche Leben der Natur, das wir in unsern Blättern zu entwerfen gedenken.

Eine Instanz aus dem Tierreich der niedrigsten Stufe führen wir noch zu mehrerer Anleitung hier vor. Es gibt Infusionstiere, die sich in ziemlich einfacher Gestalt vor unserm Auge in der Feuchtigkeit bewegen, sobald diese aber aufgetrocknet, zerplatzen und eine Menge Körner ausschütten, in die sie wahrscheinlich bei einem naturgemäßen Gange sich auch in der Feuchtigkeit zerlegt und so eine unendliche Nachkommenschaft hervorgebracht hätten. Doch genug hievon an dieser Stelle, da bei unserer ganzen Darstellung diese Ansicht wieder hervortreten muß.

Wenn man Pflanzen und Tiere in ihrem unvollkommensten Zustande betrachtet, so sind sie kaum zu unterscheiden. Ein Lebenspunkt, starr, beweglich oder halbbeweglich, ist das was unserm Sinne kaum bemerkbar ist. Ob diese ersten Anfänge, nach beiden Seiten determinabel, durch Licht zur Pflanze, durch Finsternis zum Tier hinüber zu führen sind, getrauten wir uns nicht zu entscheiden, ob es gleich hierüber an Bemerkungen und Analogie nicht fehlt. Soviel aber können wir sagen, daß die aus einer kaum zu sondernden Verwandtschaft als Pflanzen und Tiere nach und nach hervortretenden Geschöpfe nach zwei entgegengesetzten Seiten sich vervollkommnen, so daß die Pflanze sich zuletzt im Baum dauernd und starr, das Tier im Menschen zur höchsten Beweglichkeit und Freiheit sich verherrlicht.

Gemmation und Prolifikation sind abermals zwei Hauptmaximen des Organismus, die aus jenem Hauptsatz der Koexistenz mehrerer gleichen und ähnlichen Wesen sich herschreiben und eigentlich jene nur auf doppelte Weise aussprechen. Wir werden diese beiden Wege durch das ganze organische Reich durchzuführen suchen, wodurch sich manches auf eine höchst anschauliche Weise reihen und ordnen wird.

Indem wir den vegetativen Typus betrachten, so stellt sich uns bei demselben sogleich ein Unten und Oben dar. Die untere Stelle nimmt die Wurzel ein, deren Wirkung nach der Erde hingeht, der Feuchtigkeit und der Finsternis angehört, da in gerade entgegengesetzter Richtung der Stengel, der Stamm oder was dessen Stelle bezeichnet, gegen den Himmel, das Licht und die Luft emporstrebt.

Wie wir nun einen solchen Wunderbau betrachten und die Art wie er hervorsteigt, näher einsehen lernen, so begegnet uns abermals ein wichtiger Grundsatz der Organisation: daß kein Leben auf einer Oberfläche wirken und daselbst seine hervorbringende Kraft äußern könne; sondern die ganze Lebenstätigkeit verlangt eine Hülle, die gegen das äußere rohe Element, es sei Wasser oder Luft oder Licht, sie schütze, ihr zartes Wesen bewahre, damit sie das, was ihrem Innern spezifisch obliegt, vollbringe. Diese Hülle mag nun als Rinde, Haut oder Schale erscheinen; alles was zum Leben hervortreten, alles was lebendig wirken soll, muß eingehüllt sein. Und so gehört auch alles, was nach außen gekehrt ist, nach und nach frühzeitig dem Tode, der Verwesung an. Die Rinden der Bäume, die Häute der Insekten, die Haare und Federn der Tiere, selbst die Oberhaut des Menschen, sind ewig sich absondernde, abgestoßene, dem Unleben hingegebene Hüllen, hinter denen immer neue Hüllen sich bilden, unter welchen sodann, oberflächlicher oder tiefer, das Leben sein schaffendes Gewebe hervorbringt.

Jena, 1807

Der Inhalt bevorwortet

Von gegenwärtiger Sammlung ist nur gedruckt der Aufsatz über Metamorphose der Pflanzen, welcher, im Jahre 1790 einzeln erscheinend, kalte, fast unfreundliche Begegnung zu erfahren hatte. Solcher Widerwille jedoch war ganz natürlich: die Einschachtelungslehre, der Begriff von Präformation, von sukzessiver Entwicklung des von Adams Zeiten her schon Vorhandenen hatten sich selbst der besten Köpfe im allgemeinen bemächtigt; auch hatte Linné geisteskräftig, bestimmend wie entscheidend, in besonderem Bezug auf Pflanzenbildung, eine dem Zeitgeist gemäßere Vorstellungsart auf die Bahn gebracht.

Mein redliches Bemühen blieb daher ganz ohne Wirkung, und, vergnügt, den Leitfaden für meinen eigenen stillen Weg gefunden zu haben, beobachtete ich nur sorgfältiger das Verhältnis, die Wechselwirkung der normalen und abnormen Erscheinungen, beachtete genau was Erfahrung einzeln, gutwillig hergab, und brachte zugleich einen ganzen Sommer mit einer Folge von Versuchen hin, die mich belehren sollten, wie durch Übermaß der Nahrung die Frucht unmöglich zu machen, wie durch Schmälerung sie zu beschleunigen sei.

Die Gelegenheit ein Gewächshaus nach Belieben zu erhellen oder zu verfinstern, benutzte ich, um die Wirkung des Lichts auf die Pflanzen kennen zu lernen, die Phänomene des Abbleichens und Abweißens beschäftigten mich vorzüglich, Versuche mit farbigen Glasscheiben wurden gleichfalls angestellt.

Als ich mir genugsame Fertigkeit erworben, das organische Wandeln und Umwandeln der Pflanzenwelt in den meisten Fällen zu beurteilen, die Gestaltenfolge zu erkennen und abzuleiten, fühlte ich mich gedrungen, die Metamorphose der Insekten gleichfalls näher zu kennen.

Diese leugnet niemand: der Lebenslauf solcher Geschöpfe ist ein fortwährendes Umbilden, mit Augen zu sehen und mit Händen zu greifen. Meine frühere, aus mehrjähriger Erziehung der Seidenwürmer geschöpfte Kenntnis war mir geblieben, ich erweiterte sie indem ich mehrere Gattungen und Arten, vom Ei bis zum Schmetterling, beobachtete und abbilden ließ, wovon mir die schätzenswertesten Blätter geblieben sind.

Hier fand sich kein Widerspruch mit dem was uns in Schriften überliefert wird, und ich brauchte nur ein Schema tabellarisch auszubilden, wonach man die einzelnen Erfahrungen folgerecht aufreihen und den wunderbaren Lebensgang solcher Geschöpfe deutlich überschauen konnte.

Auch von diesen Bemühungen werde ich suchen Rechenschaft zu geben, ganz unbefangen, da meine Ansicht keiner andern entgegen steht.

Gleichzeitig mit diesem Studium war meine Aufmerksamkeit der vergleichenden Anatomie der Tiere, vorzüglich der Säugetiere zugewandt, es regte sich zu ihr schon ein großes Interesse. Buffon und Daubenton leisteten viel, Camper erschien als Meteor von Geist, Wissenschaft, Talent und Tätigkeit, Sömmerring zeigte sich bewundernswürdig, Merck wandte sein immer reges Bestreben auf solche Gegenstände; mit allen dreien stand ich im besten Verhältnis, mit Camper briefweise, mit beiden andern in persönlicher, auch in Abwesenheit fortdauernder Berührung.

Im Laufe der Physiognomik mußte Bedeutsamkeit und Beweglichkeit der Gestalten unsre Aufmerksamkeit wechselsweise beschäftigen, auch war mit Lavatern gar manches hierüber gesprochen und gearbeitet worden.

Später konnte ich mich, bei meinem öftern und längern Aufenthalt in Jena, durch die unermüdliche Belehrungsgabe Loders, gar bald einiger Einsicht in tierische und menschliche Bildung erfreuen.

Jene bei Betrachtung der Pflanzen und Insekten einmal angenommene Methode leitete mich auf diesem Weg: denn bei Sonderung und Vergleichung der Gestalten mußte Bildung und Umbildung auch hier wechselweise zur Sprache kommen.

Die damalige Zeit jedoch war dunkler, als man sich es jetzt vorstellen kann. Man behauptete zum Beispiel, es hange nur vom Menschen ab, bequem auf allen Vieren zu gehen, und Bären, wenn sie sich eine Zeitlang aufrecht hielten, könnten zu Menschen werden. Der verwegene Diderot wagte gewisse Vorschläge, wie man ziegenfüßige Faune hervorbringen könne, um solche in Livree, zu besonderm Staat und Auszeichnung, den Großen und Reichen auf die Kutsche zu stiften.

Lange Zeit wollte sich der Unterschied zwischen Menschen und Tieren nicht finden lassen, endlich glaubte man den Affen dadurch entschieden von uns zu trennen, weil er seine vier Schneidezähne in einem empirisch wirklich abzusondernden Knochen trage, und so schwankte das ganze Wissen, ernst- und scherzhaft, zwischen Versuchen das Halbwahre zu bestätigen, dem Falschen irgend einen Schein zu verleihen, sich aber dabei in willkürlicher, grillenhafter Tätigkeit zu beschäftigen und zu erhalten. Die größte Verwirrung jedoch brachte der Streit hervor, ob man die Schönheit als etwas Wirkliches, den

Objekten Inwohnendes, oder als relativ, konventionell, ja individuell dem Beschauer und Anerkenner zuschreiben müsse.

Ich hatte mich indessen ganz der Knochenlehre gewidmet; denn im Gerippe wird uns ja der entschiedne Charakter jeder Gestalt sicher und für ewige Zeiten aufbewahrt. Ältere und neuere Überbleibsel versammelte ich um mich her, und auf Reisen spähte ich sorgfältig in Museen und Kabinetten nach solchen Geschöpfen, deren Bildung im ganzen oder einzelnen mir belehrend sein könnte.

Hiebei fühlte ich bald die Notwendigkeit einen Typus aufzustellen, an welchem alle Säugetiere nach Übereinstimmung und Verschiedenheit zu prüfen wären, und wie ich früher die Urpflanze aufgesucht, so trachtete ich nunmehr das Urtier zu finden, das heißt denn doch zuletzt: den Begriff, die Idee des Tiers.

Meine mühselige, qualvolle Nachforschung ward erleichtert, ja versüßt, indem Herder die Ideen zur Geschichte der Menschheit aufzuzeichnen unternahm. Unser tägliches Gespräch beschäftigte sich mit den Uranfängen der Wasser-Erde und der darauf von altersher sich entwickelnden organischen Geschöpfe. Der Uranfang und dessen unablässiges Fortbilden ward immer besprochen und unser wissenschaftlicher Besitz durch wechselseitiges Mitteilen und Bekämpfen, täglich geläutert und bereichert.

Mit andern Freunden unterhielt ich mich gleichfalls auf das lebhafteste über diese Gegenstände, die mich leidenschaftlich beschäftigten, und nicht ohne Einwirkung und wechselseitigen Nutzen blieben solche Gespräche. Ja es ist vielleicht nicht anmaßlich, wenn wir uns einbilden, manches von daher Entsprungene, durch Tradition in der wissenschaftlichen Welt Fortgepflanzte trage nun Früchte deren wir uns erfreuen, ob man gleich nicht immer den Garten benamset, der die Pfropfreiser hergegeben.

Gegenwärtig ist bei mehr und mehr sich verbreitender

Erfahrung, durch mehr sich vertiefende Philosophie manches zum Gebrauch gekommen, was zur Zeit als die nachstehenden Aufsätze geschrieben wurden, mir und andern unzugänglich war. Man sehe daher den Inhalt dieser Blätter, wenn man sie auch jetzt für überflüssig halten sollte, geschichtlich an, da sie denn als Zeugnisse einer stillen, beharrlichen, folgerechten Tätigkeit gelten mögen.

———

In tausend Formen magst du dich verstecken,
Doch, Allerliebste, gleich erkenn ich dich;
Du magst mit Zauberschleiern dich bedecken,
Allgegenwärtge, gleich erkenn ich dich.

An der Zypresse reinstem, jungen Streben,
Allschöngewachsne, gleich erkenn ich dich;
In des Kanales reinem Wellenleben,
Allschmeichelhafte, wohl erkenn ich dich.

Wenn steigend sich der Wasserstrahl entfaltet,
Allspielende, wie froh erkenn ich dich;
Wenn Wolke sich gestaltend umgestaltet,
Allmannigfaltge, dort erkenn ich dich.

An des geblümten Schleiers Wiesenteppich,
Allbuntbesternte, schön erkenn ich dich;
Und greift umher ein tausendarmger Eppich,
O! Allumklammernde, da kenn ich dich.

Wenn am Gebirg der Morgen sich entzündet,
Gleich, Allerheiternde, begrüß ich dich,
Dann über mir der Himmel rein sich ründet,
Allherzerweiternde, dann athm ich dich.

Was ich mit äußerm Sinn, mit innerm kenne,
Du Allbelehrende, kenn ich durch dich;
Und wenn ich Allahs Namenhundert nenne,
Mit jedem klingt ein Name nach für dich.

AUS DEN HEFTEN ZUR MORPHOLOGIE

Ersten Bandes viertes Heft · 1822

Das Höchste, was wir von Gott und der Natur erhalten haben, ist das Leben, die rotierende Bewegung der Monas um sich selbst, welche weder Rast noch Ruhe kennt; der Trieb, das Leben zu hegen und zu pflegen, ist einem jeden unverwüstlich eingeboren, die Eigentümlichkeit desselben jedoch bleibt uns und andern ein Geheimnis.

Die zweite Gunst der von oben wirkenden Wesen ist das Erlebte, das Gewahrwerden, das Eingreifen der lebendig-beweglichen Monas in die Umgebungen der Außenwelt, wodurch sie sich erst selbst als innerlich Grenzenloses, als äußerlich Begrenztes gewahr wird. Über dieses Erlebte können wir, obgleich Anlage, Aufmerksamkeit und Glück dazu gehört, in uns selbst klar werden; andern bleibt aber auch dies immer ein Geheimnis.

Als Drittes entwickelt sich nun dasjenige, was wir als Handlung und Tat, als Wort und Schrift gegen die Außenwelt richten; dieses gehört derselben mehr an als uns selbst, so wie sie sich darüber auch eher verständigen kann, als wir es selbst vermögen; jedoch fühlt sie, daß sie, um recht klar darüber zu werden, auch von unserm Erlebten soviel als möglich zu erfahren habe. Weshalb man auch auf Jugendanfänge, Stufen der Bildung, Lebenseinzelnheiten, Anekdoten und dergleichen höchst begierig ist.

Dieser Wirkung nach außen folgt unmittelbar eine Rückwirkung, es sei nun, daß Liebe uns zu fördern suche oder Haß uns zu hindern wisse. Dieser Konflikt bleibt sich im Leben ziemlich gleich, indem ja der Mensch sich gleich bleibt und ebenso alles dasjenige, was Zuneigung oder Abneigung an seiner Art zu sein empfinden muß.

Was Freunde mit und für uns tun, ist auch ein Erlebtes; denn es stärkt und fördert unsere Persönlichkeit. Was Feinde gegen uns unternehmen, erleben wir nicht, wir erfahren's nur, lehnen's ab und schützen uns dagegen wie gegen Frost, Sturm, Regen und Schlossenwetter oder sonst äußere Übel, die zu erwarten sind.

Man mag nicht mit jedem leben, und so kann man auch nicht für jeden leben; wer das recht einsieht, wird seine Freunde höchlich zu schätzen wissen, seine Feinde nicht hassen noch verfolgen; vielmehr erlangt der Mensch nicht leicht einen größeren Vorteil, als wenn er die Vorzüge seiner Widersacher gewahr werden kann: dies gibt ihm ein entschiedenes Übergewicht über sie.

Gehen wir in die Geschichte zurück, so finden wir überall Persönlichkeiten, mit denen wir uns vertrügen, andere, mit denen wir uns gewiß in Widerstreit befänden.

Das Wichtigste bleibt jedoch das Gleichzeitige, weil es sich in uns am reinsten abspiegelt, wir uns in ihm.

Cato ward in seinem Alter gerichtlich angeklagt, da er denn in seiner Verteidigungsrede hauptsächlich hervorhob, man könne sich vor niemand verteidigen als vor denen, mit denen man gelebt habe. Und er hat vollkommen recht: wie will eine Jury aus Prämissen urteilen, die ihr ganz abgehen? wie will sie sich über Motive beraten, die schon längst hinter ihr liegen?

Das Erlebte weiß jeder zu schätzen, am meisten der Denkende und Nachsinnende im Alter; er fühlt mit Zuversicht und Behaglichkeit, daß ihm das niemand rauben kann.

So ruhen meine Naturstudien auf der reinen Basis des Erlebten; wer kann mir nehmen, daß ich 1749 geboren bin, daß ich (um vieles zu überspringen) mich aus Erxlebens Naturlehre erster Ausgabe treulich unterrichtet, daß ich den Zuwachs der übrigen Editionen, die sich durch Lichtenbergs Aufmerksamkeit grenzenlos anhäuften, nicht etwa im Druck zuerst gesehen, sondern jede neue Entdeckung im Fortschreiten sogleich vernommen und erfahren; daß ich, Schritt für Schritt folgend, die großen Entdeckungen der zweiten Hälfte des achtzehnten Jahrhunderts bis auf den heutigen Tag wie einen Wunderstern nach dem andern vor mir aufgehen sehe? Wer kann mir die heimliche Freude nehmen, wenn ich mir bewußt bin, durch fortwährendes aufmerksames Bestreben mancher großen weltüberraschenden Entdeckung selbst so nahe gekommen zu sein, daß ihre Erscheinung gleichsam aus meinem eignen Innern hervorbrach und ich nun die wenigen Schritte klar vor mir liegen sah, welche zu wagen ich in düsterer Forschung versäumt hatte?

Wer die Entdeckung der Luftballone miterlebt hat, wird ein Zeugnis geben, welche Weltbewegung daraus entstand, welcher Anteil die Luftschiffer begleitete, welche Sehnsucht in soviel tausend Gemütern hervordrang, an solchen längst vorausgesetzten, vorausgesagten, immer geglaubten und immer unglaublichen, gefahrvollen Wanderungen teilzunehmen, wie frisch und umständlich jeder einzelne glückliche Versuch die Zeitungen füllte, zu Tagesheften und Kupfern Anlaß gab, welchen zarten Anteil man an diesen unglücklichen Opfern solcher Versuche genommen. Dies ist unmöglich selbst in der Erinnerung wieder herzustellen, so wenig, als wie lebhaft man sich für einen vor dreißig Jahren ausgebrochenen, höchst bedeutenden Krieg interessierte.

Die schönste Metempsychose ist die, wenn wir uns im andern wieder auftreten sehn.

Professor Zaupers Deutsche Poetik aus Goethe, sowie der Nachtrag zu derselben, Wien 1822, darf dem Dichter wohl einen angenehmen Eindruck machen; es ist ihm, als wenn er an Spiegeln vorbeiginge und sich im günstigen Lichte dargestellt erblickte.

Und wäre es denn anders? Was der junge Freund an uns erlebt, ist ja gerade Handlung und Tat, Wort und Schrift, die von uns in glücklichen Momenten ausgegangen sind, zu denen wir uns immer gern bekennen.

Gar selten tun wir uns selbst genug; desto tröstender ist es, andern genug getan zu haben.

Wir sehen in unser Leben doch nur als ein Zerstückeltes zurück, weil das Versäumte, Mißlungene uns immer zuerst entgegentritt und das Geleistete, Erreichte in der Einbildungskraft überwiegt.

Davon kommt dem teilnehmenden Jüngling nichts zur Erscheinung; er sieht, genießt, benutzt die Jugend eines Vorfahren und erbaut sich selbst daran aus dem Innersten heraus, als wenn er schon einmal gewesen wäre, was er ist.

Auf ähnliche, ja gleiche Weise erfreuen mich die mannigfaltigen Anklänge, die aus fremden Ländern zu mir gelangen. Fremde Nationen lernen erst später unsere Jugendarbeiten kennen; ihre Jünglinge, ihre Männer, strebend und tätig, sehen ihr Bild in unserm Spiegel, sie erfahren, daß wir das, was sie wollen, auch wollten, ziehen uns in ihre Gemeinschaft und täuschen mit dem Schein einer rückkehrenden Jugend.

Die Wissenschaft wird dadurch sehr zurückgehalten, daß man sich abgibt mit dem, was nicht wissenswert, und mit dem, was nicht wißbar ist.

Die höhere Empirie verhält sich zur Natur wie der Menschenverstand zum praktischen Leben.

Vor den Urphänomenen, wenn sie unseren Sinnen enthüllt erscheinen, fühlen wir eine Art von Scheu, bis zur Angst. Die sinnlichen Menschen retten sich ins Erstaunen; geschwind aber kommt der tätige Kuppler Verstand und will auf seine Weise das Edelste mit dem Gemeinsten vermitteln.

Die wahre Vermittlerin ist die Kunst. Über Kunst sprechen heißt die Vermittlerin vermitteln wollen, und doch ist uns daher viel Köstliches erfolgt.

Es ist mit den Ableitungsgründen wie mit den Einteilungsgründen: sie müssen durchgehen, oder es ist gar nichts dran.

Auch in Wissenschaften kann man eigentlich nichts wissen, es will immer getan sein.

Alles wahre Aperçu kommt aus einer Folge und bringt Folge. Es ist ein Mitglied einer großen, produktiv aufsteigenden Kette.

Die Wissenschaft hilft uns vor allem, daß sie das Staunen, wozu wir von Natur berufen sind, einigermaßen erleichtere; sodann aber, daß sie dem immer gesteigerten Leben neue Fertigkeiten erwecke zu Abwendung des Schädlichen und Einleitung des Nutzbaren.

Man klagt über wissenschaftliche Akademien, daß sie nicht frisch genug ins Leben eingreifen; das liegt aber nicht an ihnen, sondern an der Art, die Wissenschaften zu behandeln, überhaupt.

AUS DEN HEFTEN
ZUR NATURWISSENSCHAFT

Zweiten Bandes erstes Heft · 1823
Älteres, beinahe Veraltetes

Wenn ein Wissen reif ist, Wissenschaft zu werden, so muß
notwendig eine Krise entstehen; denn es wird die Differenz
offenbar zwischen denen, die das Einzelne trennen und
getrennt darstellen, und solchen, die das Allgemeine im Auge
haben und gern das Besondere an- und einfügen möchten. Wie
nun aber die wissenschaftliche, ideelle, umgreifendere Behandlung sich mehr und mehr Freunde, Gönner und Mitarbeiter wirbt, so bleibt auf der höheren Stufe jene Trennung zwar
nicht so entschieden, aber doch genugsam merklich.

Diejenigen, welche ich die Universalisten nennen möchte,
sind überzeugt und stellen sich vor: daß alles überall, obgleich
mit unendlichen Abweichungen und Mannigfaltigkeiten, vorhanden und vielleicht auch zu finden sei; die andern, die ich
Singularisten benennen will, gestehen den Hauptpunkt im
allgemeinen zu, ja sie beobachten, bestimmen und lehren
hiernach; aber immer wollen sie Ausnahmen finden da, wo der
ganze Typus nicht ausgesprochen ist, und darin haben sie
recht. Ihr Fehler aber ist nur, daß sie die Grundgestalt verkennen, wo sie sich verhüllt, und leugnen, wenn sie sich verbirgt.
Da nun beide Vorstellungsweisen ursprünglich sind und sich
einander ewig gegenüberstehen werden, ohne sich zu vereinigen oder aufzuheben, so hüte man ja sich vor aller Kontroverse
und stelle seine Überzeugung klar und nackt hin.

So wiederhole ich die meinige: daß man auf diesen höheren
Stufen nicht wissen kann, sondern tun muß; so wie an einem
Spiele wenig zu wissen und alles zu leisten ist. Die Natur hat
uns das Schachbrett gegeben, aus dem wir nicht hinaus wirken
können noch wollen, sie hat uns die Steine geschnitzt, deren

Wert, Bewegung und Vermögen nach und nach bekannt werden: nun ist es an uns, Züge zu tun, von denen wir uns Gewinn versprechen; dies versucht nun ein jeder auf seine Weise und läßt sich nicht gern einreden. Mag das also geschehen, und beobachten wir nur vor allem genau, wie nah oder fern ein jeder von uns stehe, und vertragen uns sodann vorzüglich mit denjenigen, die sich zu der Seite bekennen, zu der wir uns halten. Ferner bedenke man, daß man immer mit einem unauflöslichen Problem zu tun habe, und erweise sich frisch und treu, alles zu beachten, was irgend auf eine Art zur Sprache kommt, am meisten dasjenige, was uns widerstrebt; denn dadurch wird man am ersten das Problematische gewahr, welches zwar in den Gegenständen selbst, mehr aber noch in den Menschen liegt. Ich bin nicht gewiß, ob ich in diesem so wohl bearbeiteten Felde persönlich weiter wirke, doch behalte ich mir vor, auf diese oder jene Wendung des Studiums, auf diese oder jene Schritte der Einzelnen aufmerksam zu sein und aufmerksam zu machen.

Allein kann der Mensch nicht wohl bestehen, daher schlägt er sich gern zu einer Partei, weil er da, wenn auch nicht Ruhe, doch Beruhigung und Sicherheit findet.

Es gibt wohl zu diesem oder jenem Geschäft von Natur unzulängliche Menschen; Übereilung und Dünkel jedoch sind gefährliche Dämonen, die den Fähigsten unzulänglich machen, alle Wirkung zum Stocken bringen, freie Fortschritte lähmen. Dies gilt von weltlichen Dingen, besonders auch von Wissenschaften.

Im Reich der Natur waltet Bewegung und Tat, im Reiche der Freiheit Anlage und Willen. Bewegung ist ewig und tritt bei jeder günstigen Bedingung unwiderstehlich in die Erscheinung. Anlagen entwickeln sich zwar auch naturgemäß, müssen aber erst durch den Willen geübt und nach und nach gesteigert werden. Deswegen ist man des freiwilligen Willens so gewiß nicht als der selbständigen Tat: diese tut sich selbst, er aber wird getan; denn er muß, um vollkommen zu werden und zu wirken, sich im Sittlichen dem Gewissen, das nicht irrt, im Kunstreiche aber der Regel fügen, die nirgends ausgesprochen ist. Das Gewissen bedarf keines Ahnherrn, mit ihm ist alles gegeben; es hat nur mit der innern eigenen Welt zu tun. Das Genie bedürfte auch keine Regel, wäre sich selbst genug, gäbe sich selbst die Regel; da es aber nach außen wirkt, so ist es vielfach bedingt durch Stoff und Zeit, und an beiden muß es notwendig irre werden; deswegen es mit allem, was eine Kunst ist, mit dem Regiment wie mit Gedicht, Statue und Gemälde, durchaus so wunderlich und unsicher aussieht.

Es ist eine schlimme Sache, die doch manchem Beobachter begegnet, mit einer Anschauung sogleich eine Folgerung zu verknüpfen und beide für gleichgeltend zu achten.

Die Geschichte der Wissenschaften zeigt uns bei allem, was für dieselben geschieht, gewisse Epochen, die bald schneller, bald langsamer aufeinander folgen. Eine bedeutende Ansicht, neu oder erneut, wird ausgesprochen; sie wird anerkannt, früher oder später; es finden sich Mitarbeiter; das Resultat geht in die Schüler über; es wird gelehrt und fortgepflanzt, und wir bemerken leider, daß es gar nicht darauf ankommt, ob die Ansicht wahr oder falsch sei: beides macht denselben Gang, beides wird zuletzt eine Phrase, beides prägt sich als totes Wort dem Gedächtnis ein.

Zur Verewigung des Irrtums tragen die Werke besonders bei, die enzyklopädisch das Wahre und Falsche des Tages überliefern. Hier kann die Wissenschaft nicht bearbeitet werden, sondern was man weiß, glaubt, wähnt, wird aufgenommen; deswegen sehen solche Werke nach fünfzig Jahren gar wunderlich aus.

Zuerst belehre man sich selbst, dann wird man Belehrung von andern empfangen.

Theorien sind gewöhnlich Übereilungen eines ungeduldigen Verstandes, der die Phänomene gern los sein möchte und an ihrer Stelle deswegen Bilder, Begriffe, ja oft nur Worte einschiebt. Man ahnet, man sieht auch wohl, daß es nur ein Behelf ist; liebt sich nicht aber Leidenschaft und Parteigeist jederzeit Behelfe? Und mit Recht, da sie ihrer so sehr bedürfen.

Unsere Zustände schreiben wir bald Gott, bald dem Teufel zu und fehlen ein wie das anderemal: in uns selbst liegt das Rätsel, die wir Ausgeburt zweier Welten sind. Mit der Farbe geht's ebenso: bald sucht man sie im Lichte, bald draußen im Weltall, und kann sie gerade da nicht finden, wo sie zu Hause ist.

Es wird eine Zeit kommen, wo man eine pathologische Experimentalphysik vorträgt und alle jene Spiegelfechtereien ans Tageslicht bringt, welche den Verstand hintergehen, sich eine Überzeugung erschleichen und, was das Schlimmste daran ist, durchaus jeden praktischen Fortschritt verhindern. Die Phänomene müssen ein für allemal aus der düstern empirisch-mechanisch-dogmatischen Marterkammer vor die Jury des gemeinen Menschenverstandes gebracht werden.

Daß Newton bei seinen prismatischen Versuchen die Öffnung so klein als möglich nahm, um eine Linie zum Lichtstrahl bequem zu symbolisieren, hat eine unheilbare Verirrung über die Welt gebracht, an der vielleicht noch Jahrhunderte leiden.

Durch dieses kleine Löchlein ward Malus zu einer abenteuerlichen Theorie getrieben, und wäre Seebeck nicht so umsichtig, so mußte er verhindert werden, den Urgrund dieser Erscheinungen, die entoptischen Figuren und Farben zu entdecken.

Was aber das Allersonderbarste ist: der Mensch, wenn er auch den Grund des Irrtums aufdeckt, wird den Irrtum selbst deshalb doch nicht los. Mehrere Engländer, besonders Dr. Reade, sprechen gegen Newton leidenschaftlich aus: das prismatische Bild sei keineswegs das Sonnenbild, sondern das Bild der Öffnung unseres Fensterladens, mit Farbensäumen geschmückt; im prismatischen Bilde gebe es kein ursprünglich Grün, dieses entstehe durch das Übereinandergreifen des Blauen und Gelben, so daß ein schwarzer Streif ebensogut als ein weißer in Farben aufgelöst scheinen könne, wenn man hier von Auflösen reden wolle. Genug, alles, was wir seit vielen Jahren dargetan haben, legt dieser gute Beobachter gleichfalls vor. Nun aber läßt ihn die fixe Idee einer diversen Refrangibilität nicht los, doch kehrt er sie um und ist wo möglich noch befangener als sein großer Meister. Anstatt, durch diese neue Ansicht begeistert, aus jenem Chrysalidenzustande sich herauszureißen, sucht er die schon erwachsenen und entfalteten Glieder aufs neue in die alten Puppenschalen unterzubringen.

Das unmittelbare Gewahrwerden der Urphänomene versetzt uns in eine Art von Angst: wir fühlen unsere Unzulänglichkeit; nur durch das ewige Spiel der Empirie belebt, erfreuen sie uns.

Der Magnet ist ein Urphänomen, das man nur aussprechen darf, um es erklärt zu haben; dadurch wird es denn auch ein Symbol für alles übrige, wofür wir keine Worte noch Namen zu suchen brauchen.

Alles Lebendige bildet eine Atmosphäre um sich her.

Die außerordentlichen Männer des sechzehnten und siebzehnten Jahrhunderts waren selbst Akademien, wie Humboldt zu unserer Zeit. Als nun das Wissen so ungeheuer überhand nahm, taten sich Privatleute zusammen, um, was den Einzelnen unmöglich wird, vereinigt zu leisten. Von Ministern,

Fürsten und Königen hielten sie sich fern. Wie suchte nicht das französische stille Konventikel die Herrschaft Richelieus abzulehnen! Wie verhinderte der englische Oxforder und Londoner Verein den Einfluß der Lieblinge Karls des Zweiten!

Da es aber einmal geschehen war und die Wissenschaften sich als ein Staatsglied im Staatskörper fühlten, einen Rang bei Prozessionen und andern Feierlichkeiten erhielten, war bald der höhere Zweck aus den Augen verloren; man stellte seine Person vor, und die Wissenschaften hatten auch Mäntelchen um und Käppchen auf. In meiner Geschichte der Farbenlehre habe ich dergleichen weitläufig angeführt. Was aber geschrieben steht, es steht deswegen da, damit es immerfort erfüllt werde.

Die Natur auffassen und sie unmittelbar benutzen ist wenig Menschen gegeben; zwischen Erkenntnis und Gebrauch erfinden sie sich gern ein Luftgespinst, das sie sorgfältig ausbilden und darüber den Gegenstand zugleich mit der Benutzung vergessen.

Ebenso begreift man nicht leicht, daß in der großen Natur das geschieht, was auch im kleinsten Zirkel vorgeht. Dringt es ihnen die Erfahrung auf, so lassen sie sich's zuletzt gefallen. Spreu, von geriebenem Bernstein angezogen, steht mit dem ungeheuersten Donnerwetter in Verwandtschaft, ja ist eine und eben dieselbe Erscheinung. Dieses Mikromegische gestehen wir auch in einigen andern Fällen zu, bald aber verläßt uns der reine Naturgeist, und der Dämon der Künstelei bemächtigt sich unser und weiß sich überall geltend zu machen.

Die Natur hat sich soviel Freiheit vorbehalten, daß wir mit Wissen und Wissenschaft ihr nicht durchgängig beikommen oder sie in die Enge treiben können.

Mit den Irrtümern der Zeit ist schwer sich abzufinden: widerstrebt man ihnen, so steht man allein; läßt man sich davon befangen, so hat man auch weder Ehre noch Freude davon.

AUS WILHELM MEISTERS
WANDERJAHREN

Wer sich mit reiner Erfahrung begnügt und darnach handelt, der hat Wahres genug. Das heranwachsende Kind ist weise in diesem Sinne.

Die Theorie an und für sich ist nichts nütze, als insofern sie uns an den Zusammenhang der Erscheinungen glauben macht.

Alles Abstrakte wird durch Anwendung dem Menschenverstand genähert, und so gelangt der Menschenverstand durch Handeln und Beobachten zur Abstraktion.

Wer zu viel verlangt, wer sich am Verwickelten erfreut, der ist den Verirrungen ausgesetzt.

Nach Analogien denken ist nicht zu schelten: die Analogie hat den Vorteil, daß sie nicht abschließt und eigentlich nichts Letztes will; dagegen die Induktion verderblich ist, die einen vorgesetzten Zweck im Auge trägt und, auf denselben losarbeitend, Falsches und Wahres mit sich fortreißt.

Gewöhnliches Anschauen, richtige Ansicht der irdischen Dinge ist ein Erbteil des allgemeinen Menschenverstandes; reines Anschauen des Äußern und Innern ist sehr selten.

Es äußert sich jenes im praktischen Sinn, im unmittelbaren Handeln; dieses symbolisch, vorzüglich durch Mathematik, in Zahlen und Formeln, durch Rede, uranfänglich, tropisch, als Poesie des Genies, als Sprichwörtlichkeit des Menschenverstandes.

Die Wirksamkeiten, auf die wir achten müssen, wenn wir wahrhaft gefördert sein wollen, sind:

vorbereitende,
begleitende,
mitwirkende,
nachhelfende,
fördernde,
verstärkende,
hindernde,
nachwirkende.

Im Betrachten wie im Handeln ist das Zugängliche von dem Unzugänglichen zu unterscheiden; ohne dies läßt sich im Leben wie im Wissen wenig leisten.

»Le sens commun est le génie de l'humanité.«

Der Gemeinverstand, der als Genie der Menschheit gelten soll, muß vorerst in seinen Äußerungen betrachtet werden. Forschen wir, wozu ihn die Menschheit benutzt, so finden wir folgendes:

Die Menschheit ist bedingt durch Bedürfnisse. Sind diese nicht befriedigt, so erweist sie sich ungeduldig; sind sie befriedigt, so erscheint sie gleichgültig. Der eigentliche Mensch bewegt sich also zwischen beiden Zuständen, und seinen Verstand, den sogenannten Menschenverstand, wird er anwenden, seine Bedürfnisse zu befriedigen; ist es geschehen, so hat er die Aufgabe, die Räume der Gleichgültigkeit auszufüllen. Beschränkt sich dieses in die nächsten und notwendigsten Grenzen, so gelingt es ihm auch. Erheben sich aber die Bedürfnisse, treten sie aus dem Kreise des Gemeinen heraus, so ist der Gemeinverstand nicht mehr hinreichend, er ist kein Genius mehr, die Region des Irrtums ist der Menschheit aufgetan.

Es geschieht nichts Unvernünftiges, das nicht Verstand oder Zufall wieder in die Richte brächten; nichts Vernünftiges, das Unverstand und Zufall nicht mißleiten könnten.

Jede große Idee, sobald sie in die Erscheinung tritt, wirkt tyrannisch; daher die Vorteile, die sie hervorbringt, sich nur allzubald in Nachteile verwandeln. Man kann deshalb eine jede Institution verteidigen und rühmen, wenn man an ihre Anfänge erinnert und darzutun weiß, daß alles, was von ihr im Anfange gegolten, auch jetzt noch gelte.

Die Geschichte der Wissenschaften ist eine große Fuge, in der die Stimmen der Völker nach und nach zum Vorschein kommen.

Man kann in den Naturwissenschaften über manche Probleme nicht gehörig sprechen, wenn man die Metaphysik nicht zu Hülfe ruft; aber nicht jene Schul- und Wortweisheit: es ist dasjenige, was vor, mit und nach der Physik war, ist und sein wird.

Autorität, daß nämlich etwas schon einmal geschehen, gesagt oder entschieden worden sei, hat großen Wert; aber nur der Pedant fordert überall Autorität.

Altes Fundament ehrt man, darf aber das Recht nicht aufgeben, irgendwo wieder einmal von vorn zu gründen.

Beharre, wo du stehst! – Maxime, notwendiger als je, indem einerseits die Menschen in große Parteien gerissen werden, sodann aber auch jeder Einzelne nach individueller Einsicht und Vermögen sich geltend machen will.

Man tut immer besser, daß man sich grad ausspricht, wie man denkt, ohne viel beweisen zu wollen; denn alle Beweise, die wir vorbringen, sind doch nur Variationen unserer Meinungen, und die Widriggesinnten hören weder auf das eine noch auf das andere.

Da ich mit der Naturwissenschaft, wie sie sich von Tag zu Tage vorwärts bewegt, immer mehr bekannt und verwandt werde, so dringt sich mir gar manche Betrachtung auf über die Vor- und Rückschritte, die zu gleicher Zeit geschehen. Eines nur sei hier ausgesprochen: daß wir sogar anerkannte Irrtümer aus der Wissenschaft nicht los werden. Die Ursache hievon ist ein offenbares Geheimnis.

Einen Irrtum nenn' ich, wenn irgendein Ereignis falsch ausgelegt, falsch angeknüpft, falsch abgeleitet wird. Nun ereignet sich aber im Gange des Erfahrens und Denkens, daß eine Erscheinung folgerecht angeknüpft, richtig abgeleitet wird. Das läßt man sich wohl gefallen, legt aber keinen besondern Wert darauf und läßt den Irrtum ganz ruhig daneben liegen, und ich kenne ein kleines Magazin von Irrtümern, die man sorgfältig aufbewahrt.

Da nun den Menschen eigentlich nichts interessiert als seine Meinung, so sieht jedermann, der eine Meinung vorträgt, sich rechts und links nach Hülfsmitteln um, damit er sich und andere bestärken möge. Des Wahren bedient man sich, solange es brauchbar ist; aber leidenschaftlich-rhetorisch ergreift man das Falsche, sobald man es für den Augenblick nutzen, damit als einem Halbargumente blenden, als mit einem Lückenbüßer das Zerstückelte scheinbar vereinigen kann. Dieses zu erfahren war mir erst ein Ärgernis, dann betrübte ich mich darüber, und nun macht es mir Schadenfreude: ich habe mir das Wort gegeben, ein solches Verfahren niemals wieder aufzudecken.

Jedes Existierende ist ein Analogon alles Existierenden; daher erscheint uns das Dasein immer zu gleicher Zeit gesondert und verknüpft. Folgt man der Analogie zu sehr, so fällt alles identisch zusammen; meidet man sie, so zerstreut sich alles ins Unendliche. In beiden Fällen stagniert die Betrachtung, einmal als überlebendig, das andere Mal als getötet.

Die Vernunft ist auf das Werdende, der Verstand auf das Gewordene angewiesen; jene bekümmert sich nicht: wozu? dieser fragt nicht: woher? – Sie erfreut sich am Entwickeln; er wünscht alles festzuhalten, damit er es nutzen könne.

Es ist eine Eigenheit dem Menschen angeboren und mit seiner Natur innigst verwebt: daß ihm zur Erkenntnis das Nächste nicht genügt; da doch jede Erscheinung, die wir selbst gewahr werden, im Augenblick das Nächste ist und wir von ihr fordern können, daß sie sich selbst erkläre, wenn wir kräftig in sie dringen.

Das werden aber die Menschen nicht lernen, weil es gegen ihre Natur ist; daher die Gebildeten es selbst nicht lassen können, wenn sie an Ort und Stelle irgendein Wahres erkannt haben, es nicht nur mit dem Nächsten, sondern auch mit dem Weitesten und Fernsten zusammenzuhängen, woraus denn Irrtum über Irrtum entspringt. Das nahe Phänomen hängt aber mit dem fernen nur in dem Sinne zusammen, daß sich alles auf wenige große Gesetze bezieht, die sich überall manifestieren.

> Was ist das Allgemeine
> Der einzelne Fall.
> Was ist das Besondere?
> Millionen Fälle.

Die Analogie hat zwei Verirrungen zu fürchten: einmal, sich dem Witz hinzugeben, wo sie in nichts zerfließt, die andere, sich mit Tropen und Gleichnissen zu umhüllen, welches jedoch weniger schädlich ist.

Weder Mythologie noch Legenden sind in der Wissenschaft zu dulden. Lasse man diese den Poeten, die berufen sind, sie zu Nutz und Freude der Welt zu behandeln. Der wissenschaftliche Mann beschränke sich auf die nächste klarste Gegenwart.

Wollte derselbe jedoch gelegentlich als Rhetor auftreten, so sei ihm jenes auch nicht verwehrt.

Um mich zu retten, betrachte ich alle Erscheinungen als unabhängig voneinander und suche sie gewaltsam zu isolieren; dann betrachte ich sie als Korrelate, und sie verbinden sich zu einem entschiedenen Leben. Dies bezieh' ich vorzüglich auf Natur; aber auch in bezug auf die neueste, um uns her bewegte Weltgeschichte ist diese Betrachtungsweise fruchtbar.

Alles, was wir Erfinden, Entdecken im höheren Sinne nennen, ist die bedeutende Ausübung, Betätigung eines originalen Wahrheitsgefühles, das, im stillen längst ausgebildet, unversehens, mit Blitzesschnelle zu einer fruchtbaren Erkenntnis führt. Es ist eine aus dem Innern am Äußern sich entwickelnde Offenbarung, die den Menschen seine Gottähnlichkeit vorahnen läßt. Es ist eine Synthese von Welt und Geist, welche von der ewigen Harmonie des Daseins die seligste Versicherung gibt.

Der Mensch muß bei dem Glauben verharren, daß das Unbegreifliche begreiflich sei; er würde sonst nicht forschen.

Begreiflich ist jedes Besondere, das sich auf irgend eine Weise anwenden läßt. Auf diese Weise kann das Unbegreifliche nützlich werden.

Es gibt eine zarte Empirie, die sich mit dem Gegenstand innigst identisch macht und dadurch zur eigentlichen Theorie wird. Diese Steigerung des geistigen Vermögens aber gehört einer hochgebildeten Zeit an.

Am widerwärtigsten sind die kricklichen Beobachter und grilligen Theoristen; ihre Versuche sind kleinlich und kompliziert, ihre Hypothesen abstrus und wunderlich.

Es gibt Pedanten, die zugleiche Schelme sind, und das sind die allerschlimmsten.

Um zu begreifen, daß der Himmel überall blau ist, braucht man nicht um die Welt zu reisen.

Das Allgemeine und Besondere fallen zusammen: das Besondere ist das Allgemeine, unter verschiedenen Bedingungen erscheinend.

Man braucht nicht alles selbst gesehen noch erlebt zu haben; willst du aber dem andern und seinen Darstellungen vertrauen, so denke, daß du es nun mit dreien zu tun hast: mit dem Gegenstand und zwei Subjekten.

Grundeigenschaft der lebendigen Einheit: sich zu trennen, sich zu vereinen, sich ins Allgemeine zu ergehen, im Besondern zu verharren, sich zu verwandeln, sich zu spezifizieren und, wie das Lebendige unter tausend Bedingungen sich dartun mag, hervorzutreten und zu verschwinden, zu solideszieren und zu schmelzen, zu erstarren und zu fließen, sich auszudehnen und sich zusammenzuziehen. Weil nun alle diese Wirkungen im gleichen Zeitmoment zugleich vorgehen, so kann alles und jedes zu gleicher Zeit eintreten. Entstehen und Vergehen, Schaffen und Vernichten, Geburt und Tod, Freud und Leid, alles wirkt durcheinander, in gleichem Sinn und gleicher Maße; deswegen denn auch das Besonderste, das sich ereignet, immer als Bild und Gleichnis des Allgemeinsten auftritt.

Ist das ganze Dasein ein ewiges Trennen und Verbinden, so folgt auch, daß die Menschen im Betrachten des ungeheuren Zustandes auch bald trennen, bald verbinden werden.

Als getrennt muß sich darstellen: Physik von Mathematik. Jene muß in einer entschiedenen Unabhängigkeit bestehen und mit allen liebenden, verehrenden, frommen Kräften in die

Natur und das heilige Leben derselben einzudringen suchen, ganz unbekümmert, was die Mathematik von ihrer Seite leistet und tut. Diese muß sich dagegen unabhängig von allem Äußern erklären, ihren eigenen großen Geistesgang gehen und sich selber reiner ausbilden, als es geschehen kann, wenn sie wie bisher sich mit dem Vorhandenen abgibt und diesem etwas abzugewinnen oder anzupassen trachtet.

Tempelchen im Park
Bleistift, Feder mit Sepia,
Tuschlavierung

In der Naturforschung bedarf es eines kategorischen Imperativs so gut als im Sittlichen; nur bedenke man, daß man dadurch nicht am Ende, sondern erst am Anfang ist.
Das Höchste wäre: zu begreifen, daß alles Faktische schon Theorie ist. Die Bläue des Himmels offenbart uns das Grundgesetz der Chromatik. Man suche nur nichts hinter den Phänomenen: sie selbst sind die Lehre.

In den Wissenschaften ist viel Gewisses, sobald man sich von den Ausnahmen nicht irre machen läßt und die Probleme zu ehren weiß.

Wenn ich mich beim Urphänomen zuletzt beruhige, so ist es doch auch nur Resignation; aber es bleibt ein großer Unterschied, ob ich mich an den Grenzen der Menschheit resigniere oder innerhalb einer hypothetischen Beschränktheit meines bornierten Individuums.

Wenn man die Probleme des Aristoteles ansieht, so erstaunt man über die Gabe des Bemerkens und für was alles die Griechen Augen gehabt haben. Nur begehen sie den Fehler der Übereilung, da sie von dem Phänomen unmittelbar zur Erklärung schreiten, wodurch denn ganz unzulängliche theoretische Aussprüche zum Vorschein kommen. Dieses ist jedoch der allgemeine Fehler, der noch heutzutage begangen wird.

Hypothesen sind Wiegenlieder, womit der Lehrer seine Schüler einlullt; der denkende treue Beobachter lernt immer mehr seine Beschränkung kennen, er sieht: je weiter sich das Wissen ausbreitet, desto mehr Probleme kommen zum Vorschein.

Unser Fehler besteht darin, daß wir am Gewissen zweifeln und das Ungewisse fixieren möchten. Meine Maxime bei der Naturforschung ist, das Gewisse festzuhalten und dem Ungewissen aufzupassen.

Läßliche Hypothese nenn' ich eine solche, die man gleichsam schalkhaft aufstellt, um sich von der ernsthaften Natur widerlegen zu lassen.

Wie wollte einer als Meister in seinem Fach erscheinen, wenn er nichts Unnützes lehrte!

Das Närrischste ist, daß jeder glaubt, überliefern zu müssen, was man gewußt zu haben glaubt.

Weil zum didaktischen Vortrag Gewißheit verlangt wird,

indem der Schüler nichts Unsicheres überliefert haben will, so darf der Lehrer kein Problem stehen lassen und sich etwa in einiger Entfernung da herum bewegen. Gleich muß etwas bestimmt sein (»bepaalt« sagt der Holländer), und nun glaubt man eine Weile, den unbekannten Raum zu besitzen, bis ein anderer die Pfähle wieder ausreißt und sogleich enger oder weiter abermals wieder bepfählt.

Lebhafte Frage nach der Ursache, Verwechslung von Ursache und Wirkung, Beruhigung in einer falschen Theorie sind von großer, nicht zu entwickelnder Schädlichkeit.

Wenn mancher sich nicht verpflichtet fühlt, das Unwahre zu wiederholen, weil er's einmal gesagt hat, so wären es ganz andere Leute geworden.

Das Falsche hat den Vorteil, daß man immer darüber schwätzen kann; das Wahre muß gleich genutzt werden, sonst ist es nicht da.

Wer nicht einsieht, wie das Wahre praktisch erleichtert, mag gern daran mäkeln und häkeln, damit er nur sein irriges mühseliges Treiben einigermaßen beschönigen könne.

Die Deutschen, und sie nicht allein, besitzen die Gabe, die Wissenschaften unzugänglich zu machen.

Der Engländer ist ein Meister, das Entdeckte gleich zu nutzen, bis es wieder zu neuer Entdeckung und frischer Tat führt. Man frage nun, warum sie uns überall voraus sind.

Der denkende Mensch hat die wunderliche Eigenschaft, daß er an die Stelle, wo das unaufgelöste Problem liegt, gerne ein Phantasiebild hinfabelt, das er nicht los werden kann, wenn das Problem auch aufgelöst und die Wahrheit am Tage ist.

Es gehört eine eigene Geisteswendung dazu, um das gestalt-lose Wirkliche in seiner eigensten Art zu fassen und es von Hirngespinsten zu unterscheiden, die sich denn doch auch mit einer gewissen Wirklichkeit lebhaft aufdringen.

Bei Betrachtung der Natur im großen wie im kleinen hab' ich unausgesetzt die Frage gestellt: Ist es der Gegenstand oder bist du es, der sich hier ausspricht? Und in diesem Sinne betrachtete ich auch Vorgänger und Mitarbeiter.

Ein jeder Mensch sieht die fertige und geregelte, gebildete, vollkommene Welt doch nur als ein Element an, woraus er sich eine besondere, ihm angemessene Welt zu erschaffen bemüht ist. Tüchtige Menschen ergreifen sie ohne Bedenken und suchen damit, wie es gehen will, zu gebaren, andere zaudern an ihr herum, einige zweifeln sogar an ihrem Dasein.

Wer sich von dieser Grundwahrheit recht durchdrungen fühlte, würde mit niemanden streiten, sondern nur die Vor-stellungsart eines andern wie seine eigene als ein Phänomen betrachten. Denn wir erfahren fast täglich, daß der eine mit Bequemlichkeit denken mag, was dem andern zu denken unmöglich ist, und zwar nicht etwa in Dingen, die auf Wohl und Wehe nur irgend einen Einfluß hätten, sondern in Dingen, die für uns völlig gleichgültig sind.

Man weiß eigentlich das, was man weiß, nur für sich selbst. Spreche ich mit einem andern von dem, was ich zu wissen glaube, unmittelbar glaubt er's besser zu wissen, und ich muß mit meinem Wissen immer wieder in mich selbst zurück-kehren.

Das Wahre fördert; aus dem Irrtum entwickelt sich nichts, er verwickelt uns nur.

Der Mensch findet sich mitten unter Wirkungen und kann sich nicht enthalten, nach den Ursachen zu fragen; als ein bequemes Wesen greift er nach der nächsten als der besten und beruhigt sich dabei; besonders ist dies die Art des allgemeinen Menschenverstandes.

Sieht man ein Übel, so wirkt man unmittelbar darauf, das heißt, man kuriert unmittelbar aufs Symptom los.

Die Vernunft hat nur über das Lebendige Herrschaft; die entstandene Welt, mit der sich die Geognosie abgibt, ist tot. Daher kann es keine Geologie geben; denn die Vernunft hat hier nichts zu tun.

Wenn ich ein zerstreutes Gerippe finde, so kann ich es zusammenlesen und aufstellen; denn hier spricht die ewige Vernunft durch ein Analogon zu mir, und wenn es das Riesenfaultier wäre.

Was nicht mehr entsteht, können wir uns als entstehend nicht denken; das Entstandene begreifen wir nicht.

Der allgemeine neuere Vulkanismus ist eigentlich ein kühner Versuch, die gegenwärtige unbegreifliche Welt an eine vergangene unbekannte zu knüpfen.

Gleiche oder wenigstens ähnliche Wirkungen werden auf verschiedene Weise durch Naturkräfte hervorgebracht.

Nichts ist widerwärtiger als die Majorität; denn sie besteht aus wenigen kräftigen Vorgängern, aus Schelmen, die sich akkomodieren, aus Schwachen, die sich assimilieren, und der Masse, die nachtrollt, ohne nur im mindesten zu wissen, was sie will.

Die Mathematik ist wie die Dialektik ein Organ des inneren höheren Sinnes; in der Ausübung ist sie eine Kunst wie die Beredsamkeit. Für beide hat nichts Wert als die Form; der Gehalt ist ihnen gleichgültig. Ob die Mathematik Pfennige oder Guineen berechne, die Rhetorik Wahres oder Falsches verteidige, ist beiden vollkommen gleich.

Hier aber kommt es nun auf die Natur des Menschen an, der ein solches Geschäft betreibt, eine solche Kunst ausübt. Ein durchgreifender Advokat in einer gerechten Sache, ein durchdringender Mathematiker vor dem Sternenhimmel erscheinen beide gleich gottähnlich.

Was ist an der Mathematik exakt als die Exaktheit? Und diese, ist sie nicht eine Folge des innern Wahrheitsgefühls?

Die Mathematik vermag kein Vorurteil wegzuheben, sie kann den Eigensinn nicht lindern, den Parteigeist nicht beschwichtigen, nichts von allem Sittlichen vermag sie.

Der Mathematiker ist nur insofern vollkommen, als er ein vollkommener Mensch ist, als er das Schöne des Wahren in sich empfindet; dann erst wird er gründlich, durchsichtig, umsichtig, rein, klar, anmutig, ja elegant wirken. Das alles gehört dazu, um La Grange ähnlich zu werden.

Nicht die Sprache an und für sich ist richtig, tüchtig, zierlich, sondern der Geist ist es, der sich darin verkörpert, und so kommt es nicht auf einen jeden an, ob er seinen Rechnungen, Reden oder Gedichten die wünschenswerten Eigenschaften verleihen will: es ist die Frage, ob ihm die Natur hiezu die geistigen und sittlichen Eigenschaften verliehen hat. Die geistigen: das Vermögen der An- und Durchschauung, die sittlichen: daß er die bösen Dämonen ablehne, die ihn hindern könnten, dem Wahren die Ehre zu geben.

Das Einfache durch das Zusammengesetzte, das Leichte durch das Schwierige erklären zu wollen ist ein Unheil, das in dem ganzen Körper der Wissenschaft verteilt ist, von den Einsichtigen wohl anerkannt, aber nicht überall eingestanden.

Man sehe die Physik genau durch, und man wird finden, daß die Phänomene sowie die Versuche, worauf sie gebaut ist, verschiedenen Wert haben.

Auf die primären, die Urversuche kommt alles an, und das Kapitel, das hierauf gebaut ist, steht sicher und fest. Aber es gibt auch sekundäre, tertiäre und so weiter; gesteht man diesen das gleiche Recht zu, so verwirren sie nur das, was von den ersten aufgeklärt war.

Ein großes Übel in den Wissenschaften, ja überall entsteht daher, daß Menschen, die kein Ideenvermögen haben, zu theoretisieren sich vermessen, weil sie nicht begreifen, daß noch so vieles Wissen hiezu nicht berechtigt. Sie gehen im Anfange wohl mit einem löblichen Menschenverstand zu Werke, dieser aber hat seine Grenzen, und wenn er sie überschreitet, kommt er in Gefahr, absurd zu werden. Des Menschenverstandes angewiesenes Gebiet und Erbteil ist der Bezirk des Tun und Handelns. Tätig wird er sich selten verirren; das höhere Denken, Schließen und Urteilen jedoch ist nicht seine Sache.

Die Erfahrung nutzt erst der Wissenschaft, sodann schadet sie, weil die Erfahrung Gesetz und Ausnahme gewahr werden läßt. Der Durchschnitt von beiden gibt keineswegs das Wahre.

Man sagt, zwischen zwei entgegengesetzten Meinungen liege die Wahrheit mitten inne. Keineswegs! Das Problem liegt dazwischen, das Unschaubare, das ewig tätige Leben, in Ruhe gedacht.

Wir Menschen sind auf Ausdehnung und Bewegung angewiesen; diese beiden allgemeinen Formen sind es, in welchen sich alle übrigen Formen, besonders die sinnlichen offenbaren. Eine geistige Form wird aber keineswegs verkürzt, wenn sie in der Erscheinung hervortritt, vorausgesetzt, daß ihr Hervortreten eine wahre Zeugung, eine wahre Fortpflanzung sei. Das Gezeugte ist nicht geringer als das Zeugende, ja es ist der Vorteil lebendiger Zeugung, daß das Gezeugte vortrefflicher sein kann als das Zeugende.

Dieses weiter auszuführen und vollkommen anschaulich, ja, was mehr ist, durchaus praktisch zu machen würde von wichtigem Belang sein. Eine umständliche folgerechte Ausführung aber möchte den Hörern übergroße Aufmerksamkeit zumuten.

Was einem angehört wird man nicht los, und wenn man es wegwürfe.

Verschiedene Sprüche der Alten, die man sich öfters zu wiederholen pflegt, hatten eine ganz andere Bedeutung, als man ihnen in späteren Zeiten geben möchte.

Das Wort, es solle kein mit der Geometrie Unbekannter, der Geometrie Fremder in die Schule des Philosophen treten, heißt nicht etwa, man solle ein Mathematiker sein, um ein Weltweiser zu werden.

Geometrie ist hier in ihren ersten Elementen gedacht, wie sie uns im Euklid vorliegt, und wie wir sie einen jeden Anfänger beginnen lassen. Alsdann aber ist sie die vollkommenste Vorbereitung, ja Einleitung in die Philosophie.

Wenn der Knabe zu begreifen anfängt, daß einem sichtbaren Punkte ein unsichtbarer vorhergehen müsse, daß der nächste

Weg zwischen zwei Punkten schon als Linie gedacht werde, ehe sie mit dem Bleistift aufs Papier gezogen wird, so fühlt er einen gewissen Stolz, ein Behagen. Und nicht mit Unrecht; denn ihm ist die Quelle alles Denkens aufgeschlossen, Idee und Verwirklichtes, »potentia et actu« ist ihm klar geworden; der Philosoph entdeckt ihm nichts Neues, dem Geometer war von seiner Seite der Grund alles Denkens aufgegangen.

Nehmen wir sodann das bedeutende Wort vor: Erkenne dich selbst, so müssen wir es nicht im asketischen Sinne auslegen. Es ist keineswegs die Heautognosie unserer modernen Hypochondristen, Humoristen und Heautontimorumenen damit gemeint; sondern es heißt ganz einfach: Gib einigermaßen acht auf dich selbst, nimm Notiz von dir selbst, damit du gewahr werdest, wie du zu deinesgleichen und der Welt zu stehen kommst. Hiezu bedarf es keiner psychologischen Quälereien; jeder tüchtige Mensch weiß und erfährt, was es heißen soll; es ist ein guter Rat, der einem jeden praktisch zum größten Vorteil gedeiht.

Man denke sich das Große der Alten, vorzüglich der Sokratischen Schule, daß sie Quelle und Richtschnur alles Lebens und Tuns vor Augen stellt, nicht zu leerer Spekulation, sondern zu Leben und Tat auffordert.

Wir haben das unabweichliche, täglich zu erneuernde, grundernstliche Bestreben, das Wort mit dem Empfundenen, Geschauten, Gedachten, Erfahrenen, Imaginierten, Vernünftigen möglichst unmittelbar zusammentreffend zu erfassen.

Jeder prüfe sich, und er wird finden, daß dies viel schwerer sei, als man denken möchte; denn leider sind dem Menschen die Worte gewöhnlich Surrogate: er denkt und weiß es meistenteils besser, als er sich ausspricht.

Es ist nicht genug zu wissen, man muß auch anwenden; es ist nicht genug zu wollen, man muß auch tun.

Es gibt keine patriotische Kunst und keine patriotische Wissenschaft. Beide gehören wie alles hohe Gute der ganzen Welt an und können nur durch allgemeine freie Wechselwirkung aller zugleich Lebenden in steter Rücksicht auf das, was uns vom Vergangenen übrig und bekannt ist, gefördert werden.

Wissenschaften entfernen sich im ganzen immer vom Leben und kehren nur durch einen Umweg wieder dahin zurück.

Denn sie sind eigentlich Kompendien des Lebens: sie bringen die äußern und innern Erfahrungen ins Allgemeine, in einen Zusammenhang.

Das Interesse an ihnen wird im Grunde nur in einer besonderen Welt, in der wissenschaftlichen erregt; denn daß man auch die übrige Welt dazu beruft und ihr davon Notiz gibt, wie es in der neuern Zeit geschieht, ist ein Mißbrauch und bringt mehr Schaden als Nutzen.

Nur durch eine erhöhte Praxis sollten die Wissenschaften auf die äußere Welt wirken; denn eigentlich sind sie alle esoterisch und können nur durch Verbessern irgendeines Tuns exoterisch werden. Alle übrige Teilnahme führt zu nichts.

Die Wissenschaften, auch in ihrem innern Kreise betrachtet, werden mit augenblicklichem jedesmaligem Interesse behandelt. Ein starker Anstoß, besonders von etwas Neuem und Unerhörtem oder wenigstens mächtig Gefördertem, erregt eine allgemeine Teilnahme, die jahrelang dauern kann und die besonders in den letzten Zeiten sehr fruchtbar geworden ist.

Ein bedeutendes Faktum, ein geniales Aperçu beschäftigt eine sehr große Anzahl Menschen, erst nur um es zu kennen, dann um es zu erkennen, dann es zu bearbeiten und weiterzuführen.

Die Menge fragt bei einer jeden neuen bedeutenden Erscheinung, was sie nutze, und sie hat nicht unrecht; denn sie kann bloß durch den Nutzen den Wert einer Sache gewahr werden.

Die wahren Weisen fragen, wie sich die Sache verhalte in sich selbst und zu andern Dingen, unbekümmert um den Nutzen, das heißt, um die Anwendung auf das Bekannte und zum Leben Notwendige, welche ganz andere Geister, scharfsinnige, lebenslustige, technisch geübte und gewandte, schon finden werden.

Die Afterweisen suchen von jeder neuen Entdeckung nur so geschwind als möglich für sich einigen Vorteil zu ziehen, indem sie einen eitlen Ruhm bald in Fortpflanzung, bald in Vermehrung, bald in Verbesserung, geschwinder Besitznahme, vielleicht gar durch Präokkupation, zu erwerben suchen und durch solche Unreifheiten die wahre Wissenschaft unsicher machen und verwirren, ja ihre schönste Folge, die praktische Blüte derselben, offenbar verkümmern.

Das schädlichste Vorurteil ist, daß irgendeine Art Naturuntersuchung mit dem Bann belegt werden könne.

Jeder Forscher muß sich durchaus ansehen als einer, der zu einer Jury berufen ist. Er hat nur darauf zu achten, inwiefern der Vortrag vollständig sei und durch klare Belege auseinandergesetzt. Er faßt hiernach seine Überzeugung zusammen und gibt seine Stimme, es sei nun, daß seine Meinung mit der des Referenten übereintreffe, oder nicht.

Dabei bleibt er ebenso beruhigt, wenn ihm die Majorität beistimmt, als wenn er sich in der Minorität befindet; denn er

hat das Seinige getan, er hat seine Überzeugung ausgesprochen, er ist nicht Herr über die Geister noch über die Gemüter.

In der wissenschaftlichen Welt haben aber diese Gesinnungen
niemals gelten wollen; durchaus ist es auf Herrschen und
Beherrschen angesehen, und weil sehr wenige Menschen
eigentlich selbständig sind, so zieht die Menge den Einzelnen
nach sich.

Die Geschichte der Philosophie, der Wissenschaften, der Religion, alles zeigt, daß die Meinungen massenweis sich verbreiten, immer aber diejenige den Vorrang gewinnt, welche
faßlicher, das heißt, dem menschlichen Geiste in seinem
gemeinen Zustande gemäß und bequem ist. Ja derjenige, der
sich in höherem Sinne ausgebildet, kann immer voraussetzen,
daß er die Majorität gegen sich habe.

Wäre die Natur in ihren leblosen Anfängen nicht so gründlich
stereometrisch, wie wollte sie zuletzt zum unberechenbaren
und unermeßlichen Leben gelangen?

Der Mensch an sich selbst, insofern er sich seiner gesunden
Sinne bedient, ist der größte und genaueste physikalische
Apparat, den es geben kann, und das ist eben das größte Unheil
der neuern Physik, daß man die Experimente gleichsam vom
Menschen abgesondert hat und bloß in dem, was künstliche
Instrumente zeigen, die Natur erkennen, ja, was sie leisten
kann, dadurch beschränken und beweisen will.

Ebenso ist es mit dem Berechnen. Es ist vieles wahr, was sich
nicht berechnen läßt, sowie sehr vieles, was sich nicht bis zum
entschiedenen Experiment bringen läßt.

Dafür steht ja aber der Mensch so hoch, daß sich das sonst
Undarstellbare in ihm darstellt. Was ist denn eine Saite und alle

mechanische Teilung derselben gegen das Ohr des Musikers? Ja man kann sagen: was sind die elementaren Erscheinungen der Natur selbst gegen den Menschen, der sie bald erst bändigen und modifizieren muß, um sie sich einigermaßen assimilieren zu können?

Es ist von einem Experiment zu viel gefordert, wenn es alles leisten soll. Konnte man doch die Elektrizität erst nur durch Reiben darstellen, deren höchste Erscheinung jetzt durch bloße Berührung hervorgebracht wird.

Wie man der französischen Sprache niemals den Vorzug streitig machen wird, als ausgebildete Hof- und Weltsprache, sich immer mehr aus- und fortbildend, zu wirken, so wird es niemand einfallen, das Verdienst der Mathematiker gering zu schätzen, welches sie, in ihrer Sprache die wichtigsten Angelegenheiten verhandlend, sich um die Welt erwerben, indem sie alles, was der Zahl und dem Maß im höchsten Sinne unterworfen ist, zu regeln, zu bestimmen und zu entscheiden wissen.

Jeder Denkende, der seinen Kalender ansieht, nach seiner Uhr blickt, wird sich erinnern, wem er diese Wohltaten schuldig ist. Wenn man sie aber auch auf ehrfurchtsvolle Weise in Zeit und Raum gewähren läßt, so werden sie erkennen, daß wir etwas gewahr werden, was weit darüber hinausgeht, welches allen angehört, und ohne welches sie selbst weder tun noch wirken könnten: Idee und Liebe.

»Wer weiß etwas von Elektrizität«, sagte ein heiterer Naturforscher, »als wenn er im Finstern eine Katze streichelt oder Blitz und Donner neben ihm niederleuchten und rasseln? Wie viel und wie wenig weiß er alsdann davon?«

Lichtenbergs Schriften können wir uns als der wunderbarsten Wünschelrute bedienen: wo er einen Spaß macht, liegt ein Problem verborgen.

In den großen leeren Weltraum zwischen Mars und Jupiter legte er auch einen heitren Einfall. Als Kant sorgfältig bewiesen hatte, daß die beiden genannten Planeten alles aufgezehrt und sich zugeeignet hätten, was nur in diesen Räumen zu finden gewesen von Materie, sagte jener scherzhaft nach seiner Art: »Warum sollte es nicht auch unsichtbare Welten geben?« Und hat er nicht vollkommen wahr gesprochen? Sind die neu entdeckten Planeten nicht der ganzen Welt unsichtbar, außer den wenigen Astronomen, denen wir auf Wort und Rechnung glauben müssen?

Einer neuen Wahrheit ist nichts schädlicher als ein alter Irrtum.

Die Menschen sind durch die unendlichen Bedingungen des Erscheinens dergestalt obruiert, daß sie das eine Urbedingende nicht gewahren können.

»Wenn Reisende ein sehr großes Ergötzen auf ihren Bergkletereien empfinden, so ist für mich etwas Barbarisches, ja Gottloses in dieser Leidenschaft. Berge geben uns wohl den Begriff von Naturgewalt, nicht aber von Wohltätigkeit der Vorsehung. Zu welchem Gebrauch sind sie wohl dem Menschen? Unternimmt er, dort zu wohnen, so wird im Winter eine Schneelawine, im Sommer ein Bergrutsch sein Haus begraben oder fortschieben; seine Herden schwemmt der Gießbach weg, seine Kornscheuern die Windstürme. Macht er sich auf den Weg, so ist jeder Aufstieg die Qual des Sisyphus, jeder Niederstieg der Sturz Vulkans; sein Pfad ist täglich von Steinen verschüttet, der Gießbach unwegsam für Schiffahrt. Finden auch seine Zwergherden notdürftige Nahrung, oder sammelt er sie ihnen kärglich: entweder die Elemente entreißen sie ihm oder wilde Bestien. Er führt ein einsam-kümmerlich Pflanzenleben wie das Moos auf einem Grabstein, ohne Bequemlichkeit und ohne Gesellschaft. Und diese Zickzackkämme, diese widerwärtigen Felsenwände, diese ungestalteten Granitpyramiden, welche die schönsten Weltbreiten mit den Schrecknissen des Nordpols bedecken, wie sollte sich ein wohlwollender Mann daran gefallen und ein Menschenfreund sie preisen?«

Auf diese heitere Paradoxie eines würdigen Mannes wäre zu sagen, daß, wenn es Gott und der Natur gefallen hätte, den Urgebirgsknoten von Nubien durchaus nach Westen bis an das große Meer zu entwickeln und fortzusetzen, ferner diese Gebirgsreihe einigemal von Norden nach Süden zu durchschneiden, sodann Täler entstanden sein würden, worin gar mancher Urvater Abraham ein Kanaan, mancher Albert Julius eine Felsenburg würde gefunden haben, wo denn seine Nachkommen, leicht mit den Sternen rivalisierend, sich hätten vermehren können.

Steine sind stumme Lehrer, sie machen den Beobachter stumm, das Beste, was man von ihnen lernt, ist nicht mitzuteilen.

Was ich recht weiß, weiß ich nur mir selbst; ein ausgesprochenes Wort fördert selten, es erregt meistens Widerspruch, Stocken und Stillstehen.

Die Kristallographie, als Wissenschaft betrachtet, gibt zu ganz eigenen Ansichten Anlaß. Sie ist nicht produktiv, sie ist nur sie selbst und hat keine Folgen, besonders nunmehr da man so manche isomorphische Körper angetroffen hat, die sich ihrem Gehalte nach ganz verschieden erweisen. Da sie eigentlich nirgends anwendbar ist, so hat sie sich in dem hohen Grade in sich selbst ausgebildet. Sie gibt dem Geist eine gewisse beschränkte Befriedigung und ist in ihren Einzelheiten so mannigfaltig, daß man sie unerschöpflich nennen kann; deswegen sie auch vorzügliche Menschen so entschieden und lange an sich festhält.

Etwas Mönchisch-Hagestolzenartiges hat die Kristallographie und ist daher sich selbst genug. Von praktischer Lebenseinwirkung ist sie nicht; denn die köstlichen Erzeugnisse ihres Gebiets, die kristallinischen Edelsteine, müssen erst zugeschliffen werden, ehe wir unsere Frauen damit schmücken können.

Ganz das Entgegengesetzte ist von der Chemie zu sagen, welche von der ausgebreitetsten Anwendung und von dem grenzenlosesten Einfluß aufs Leben sich erweist.

Der Begriff vom Entstehen ist uns ganz und gar versagt; daher wir, wenn wir etwas werden sehen, denken, daß es schon dagewesen sei. Deshalb das System der Einschachtelung uns begreiflich vorkommt.

Wie manches Bedeutende sieht man aus Teilen zusammensetzen: man betrachte die Werke der Baukunst; man sieht manches sich regel- und unregelmäßig anhäufen. Daher ist uns der atomistische Begriff nah und bequem zur Hand; deshalb wir uns nicht scheuen, ihn auch in organischen Fällen anzuwenden.

Wer den Unterschied des Phantastischen und Ideellen, des Gesetzlichen und Hypothetischen nicht zu fassen weiß, der ist als Naturforscher in einer üblen Lage.

Es gibt Hypothesen, wo Verstand und Einbildungskraft sich an die Stelle der Idee setzen.

Man tut nicht wohl, sich allzulange im Abstrakten aufzuhalten. Das Esoterische schadet nur, indem es exoterisch zu werden trachtet. Leben wird am besten durchs Lebendige belehrt.

ÜBER DIE SPIRALTENDENZ
DER VEGETATION

Vorarbeit · Aphoristisch

Wenn ein Fall in der Naturbetrachtung vorkommt, der uns stutzig macht, wo wir unsre gewöhnliche Vorstellungs- und Denkweise nicht ganz hinlänglich finden, um solchen zu bewältigen, so tun wir wohl uns umzusehn, ob nicht in der Geschichte des Denkens und Begreifens schon etwas Ähnliches verhandelt worden.

Diesmal wurden wir nur an die Homoiomerien des Anaxagoras erinnert, obgleich ein solcher Mann zu seiner Zeit sich begnügen mußte dasselbige durch dasselbige zu erklären. Wir aber, auf Erfahrung gestützt, können schon etwas dergleichen zu denken wagen.

Lassen wir beiseite, daß eben diese Homoiomerien sich bei urelementaren einfachen Erscheinungen eher anwenden lassen; allein hier haben wir auf einer hohen Stufe wirklich entdeckt, daß spirale Organe durch die ganze Pflanze im kleinsten durchgehen, und wir sind zugleich von einer spiralen Tendenz gewiß, wodurch die Pflanze ihren Lebensgang vollführt und zuletzt zum Abschluß und Vollkommenheit gelangt.

Lehnen wir also jene Vorstellung nicht ganz als ungenügend ab und beherzigen dabei: was ein vorzüglicher Mann einmal denken konnte, hat immer etwas hinter sich, wenn wir das Ausgesprochene auch nicht gleich uns zuzueignen und anzuwenden wissen.

Nach dieser neu eröffneten Ansicht wagen wir nun Folgendes auszusprechen: Hat man den Begriff der Metamorphose vollkommen gefaßt, so achtet man ferner, um die Ausbildung der Pflanze näher zu erkennen, zuerst auf die vertikale Tendenz. Diese ist anzusehen wie ein geistiger Stab, welcher das Dasein begründet und solches auf lange Zeit zu erhalten fähig ist. Dieses Lebensprinzip manifestiert sich in den Längenfa-

Parkmauer
Feder mit Tusche, Bisterlavierung

sern, die wir als biegsame Fäden zu dem mannigfaltigsten
Gebrauch benutzen; es ist dasjenige, was bei den Bäumen das
Holz macht, was die einjährigen, zweijährigen aufrecht erhält,
ja selbst in rankenden kriechenden Gewächsen die Ausdehnung von Knoten zu Knoten bewirkt.

Sodann aber haben wir die Spiralrichtung zu beobachten,
welche sich um jene herumschlingt.

Das vertikal aufsteigende System bewirkt bei vegetabili-
scher Bildung das Bestehende, seinerzeit Solideszierende, Ver-
harrende; die Faden bei vorübergehenden Pflanzen, den größten Anteil am Holz bei dauernden.

Das Spiralsystem ist das Fortbildende, Vermehrende,

Ernährende, als solches vorübergehend, sich von jenem gleichsam isolierend. Im Übermaß fortwirkend, ist es sehr bald hinfällig, dem Verderben ausgesetzt; an jenes angeschlossen, verwachsen beide zu einer dauernden Einheit als Holz oder sonstiges Solide.

Keins der beiden Systeme kann allein gedacht werden; sie sind immer und ewig beisammen; aber im völligen Gleichgewicht bringen sie das Vollkommenste der Vegetation hervor.

Da das Spiralsystem eigentlich das Nährende ist und Auge nach Auge sich in demselben entwickelt, so folgt daraus, daß übermäßige Nahrung demselben zugeführt, ihm das Übergewicht über das vertikale gibt, wodurch das Ganze seiner Stütze, gleichsam seines Knochenbaus beraubt, in übermäßiger Entwicklung der Augen sich übereilt und verliert.

So zum Beispiel hab ich die geplatteten, gewundenen Eschenzweige, welche man in ihrer höchsten Abnormität Bischofsstäbe nennen kann, niemals an ausgewachsenen hohen Bäumen gefunden, sondern an geköpften, wo den neuen Zweigen von dem alten Stamm übermäßige Nahrung zugeführt wird.

Auch andere Monstrositäten, die wir zunächst umständlicher vorführen werden, entstehen dadurch, daß jenes aufrechtstrebende Leben mit dem spiralen aus dem Gleichgewicht kommt, von diesem überflügelt wird, wodurch die Vertikalkonstruktion geschwächt und an der Pflanze, es sei nun das fadenartige System oder das Holz hervorbringende, in die Enge getrieben und gleichsam vernichtet wird, indem das spirale, von welchem Augen und Knospen abhängen, beschleunigt, der Zweig des Baums abgeplattet und, des Holzes ermangelnd, der Stengel der Pflanze aufgebläht und sein Inneres vernichtet wird; wobei denn immer die spirale Tendenz zum Vorschein kommt und sich im Winden und Krümmen und Schlingen darstellt. Nimmt man sich Beispiele

vor Augen, so hat man einen gründlichen Text zu Auslegungen.

Die Spiralgefäße, welche längst bekannt und deren Existenz
völlig anerkannt ist, sind also eigentlich nur als einzelne, der
ganzen Spiraltendenz subordinierte Organe anzusehen; man
hat sie überall aufgesucht und fast durchaus, besonders im
Splint gefunden, wo sie sogar ein gewisses Lebenszeichen von
sich geben; und nichts ist der Natur gemäßer, als daß sie das,
was sie im Ganzen intentioniert, durch das Einzelnste in
Wirksamkeit setzt.

Diese Spiraltendenz, als Grundgesetz des Lebens, muß
daher allererst bei der Entwicklung aus dem Samen sich
hervortun. Wir wollen sie zuerst beachten, wie sie sich bei den
Dikotyledonen manifestiert, wo die ersten Samenblätter entschieden gepaart erscheinen; denn obgleich bei diesen Pflanzen
nach dem Dikotyledonenpaar abermals ein Pärchen schon
mehr gebildeter Blätter sich übers Kreuz lagert und auch wohl
eine solche Ordnung eine zeitlang fortgehen mag, so ist es
doch offenbar, daß bei vielen das aufwärts folgende Stengel-
blättchen und das potentia oder actu hinter ihnen wohnende
Auge sich mit einer solchen Sozietät nicht wohl verträgt,
sondern immer eins dem andern vorzueilen sucht, woraus
denn die allerwunderbarsten Stellungen entspringen und
zuletzt, durch eilige Annäherung aller Teile einer solchen
Reihe, die Annäherung zur Fruktifikation in der Blüte und
zuletzt die Entwicklung der Frucht erfolgen muß.

An der Calla entwickeln sich sehr bald die Blattrippen zu
Blattstielen, runden sich nach und nach, bis sie endlich ganz
gerundet als Blumenstiel hervortreten. Die Blume ist offenbar
ein Blattende, das alle grüne Farbe verloren hat, und indem
seine Gefäße, ohne sich zu verästeln, vom Ansatz zur Peripherie gehen, sich von außen nach innen um den Kolben windet,
welcher nun die vertikale Stellung als Blüten- und Fruchtstand
behauptet.

Die Vertikaltendenz äußert sich von den ersten Anfängen

des Keimens an; sie ist es, wodurch die Pflanze in der Erde wurzelt und zugleich sich in die Höhe hebt. Inwiefern sie ihre Rechte im Verfolg des Wachstums behauptet, wird wohl zu beachten sein, indem wir die rechtwinklige, alterne Stellung der dikotyledonischen Blätterpaare ihr durchaus zuschreiben, welches jedoch problematisch erscheinen möchte, da eine gewisse spirale Einwirkung im Fortsteigen nicht zu leugnen sein wird. Auf alle Fälle, wie sie sich auch möchte zurückgezogen haben, tritt sie im Blütenstande hervor, da sie die Achse jeder Blumengestaltung bildet, am deutlichsten aber im Kolben und in der Spatha sich manifestiert.

Die Spiralgefäße, welche den vegetabilen Organismus allgemein durchdringen, sind durch anatomische Forschungen, so wie die Abweichung ihrer Gestalt nach und nach ins klare gesetzt worden. Von ihnen, als solchen, ist gegenwärtig nicht zu handeln, da selbst angehende Pflanzenfreunde durch Kompendien davon unterrichtet sind und der zunehmende Kenner sich durch Hauptwerke, auch wohl durch Anschauung der Natur selbst, belehren kann.

Daß diese Gefäße den Pflanzenorganismus beleben, war längst vermutet, ob man schon das eigentliche Wirken derselben sich nicht genug zu erklären wußte.

In der neuern Zeit nunmehr hat man ernstlich darauf gedrungen sie als selbst lebendige anzuerkennen und darzustellen; hievon mag folgender Aufsatz ein Zeugnis geben.

Edinbourgh new philosophical Journal
October – December 1828 (Seite 21)
Über die allgemeine Gegenwart der Spiralgefäße in dem Pflanzenbau
etc. durch David Don

»Man hat allgemein geglaubt, daß man die Spiralgefäße selten in den Teilen der Fruktifikation finde, aber wiederholte Beobachtungen überzeugten mich, daß man ihnen fast in jedem Teile des Pflanzenbaus begegnet. Ich fand sie in dem Kelch, der

Krone, den Staubfäden, dem Griffel der Scabiosa atro-purpurea und Phlox, in dem Kelch und den Kronenblättern des Geranium sanguineum, in dem Perianthium von Sisyrinchium striatum, in den Kapseln und dem Stiel der Nigella hispanica; auch sind sie in dem Pericarpium der Onagrarien, Kompositen und Malvazeen gegenwärtig.

Zu diesen Betrachtungen bin ich durch die geistreichen Bemerkungen des Herrn Lindley geführt worden, die er in der letzten Nummer des Botanical Register mitteilt: über den Bau der Samen der Collomia, welche er durch ein Geflecht von Spiralgefäßen eingewickelt uns darstellt. Diese Gefäße in den Polemoniazeen scheinen analog zu sein den Haaren oder Pappus, mit welchen die Samen gewisser Bignoniazeen, Apozineen und Malvazeen versehen sind. Aber fernere Beobachtungen wären noch nötig, ehe wir schließen können, daß es wahrhafte Spiralgefäße seien. Spiralgefäße sind sehr häufig in den Stengeln der Urtica nivea, Centaurea atro-purpurea, Heliopsis laevis, Helianthus altissimus, Aster Novi Belgii und salicifolius, in welchen allen sie dem nackten Auge sichtbar sind, und wonach diese Pflanzen den Liebhabern der Botanik als auffallende Beispiele der Spiralgefäße zu empfehlen wären. Die Stengel, auf zarte Weise der Länge nach gespalten und mit einem kleinen Keil am obern Ende auseinander gehalten, zeigen diese Gefäße viel deutlicher als bei einem Querbruch. Manchmal findet man diese Gefäße ihren Sitz habend in der Höhlung (pith) sowohl in Malope trifida als im Heliopsis laevis; aber man kann ihren Ursprung zwischen den Holzfasern gar wohl verfolgen. In der äußern Rinde hat man keine Spur gefunden, aber in dem Splint der innern Rinde des Pinus finden sie sich sowohl als in dem Albumen. Es ist mir jedoch nie gelungen sie in den Blättern dieses Geschlechts zu entdekken noch auch des Podocarpus, und sie scheinen überhaupt seltner in den Blättern von immergrünen Bäumen vorzukommen. Die Stengel und Blätter der Polemoniazeen, Irideen und Malvazeen sind gleichfalls mit Spiralgefäßen häufig versehen, doch aber kommen sie wohl nirgends so häufig vor als in den Compositae. Selten sind sie in Cruciferae, Leguminosae und Gentianeae.

Öfters hab ich bemerkt, wenn ich die Spiralgefäße von den jungen mächtigen Schößlingen krautartiger Pflanzen absonderte, daß sie sich heftig bewegten. Diese Bewegung dauerte einige Sekunden und schien mir eine Wirkung des Lebensprinzips zu sein, dem ähnlich, welches in der tierischen Haushaltung stattfindet, und nicht eine bloß mechanische Aktion.

Indem ich zwischen meinem Finger einen kleinen Abschnitt der Rinde von Urtica nivea hielt, den ich soeben von dem lebenden Stamm getrennt hatte, ward meine Aufmerksamkeit auf eine besondere spiralähnliche Bewegung augenblicklich angezogen. Der Versuch ward öfter mit andern Teilen der Rinde wiederholt, und die Bewegung war in jedem Fall der ersten gleich. Es war offenbar die Wirkung einer zusammenziehenden Gewalt der lebenden Fiber, denn die Bewegung hörte auf, nachdem ich die Stückchen Rinde einige Minuten in der Hand gehalten hatte. Möge diese kurze Notiz die Aufmerksamkeit der Naturforscher auf dieses sonderbare Phänomen hinleiten. «

Bulletin des sciences naturelles Nro. 2
Février 1829, p. 242

Lupinus polyphyllus. Eine neue Art, welche Herr Douglas im Nordwesten von Amerika gefunden hat. Sie ist krautartig, lebhaft-kräftig und nähert sich Lupinus perennis et Nootkatensis, ist aber in allen Dimensionen größer und die Stengelblätter, an Zahl elf bis fünfzehn, lanzettförmig, auch findet sich noch einiger Unterschied von jenen in der Bildung des Kelches und der Krone.

Durch diese Pflanze veranlaßt, macht Herr Lindley aufmerksam, daß ihr Blütenstand ein bedeutendes Beispiel gibt zugunsten nachfolgender Theorie: daß nämlich alle Organe einer Pflanze wirklich im Wechsel gestellt sind, und zwar in einer spiralen Richtung um den Stengel her, der die gemeinsame Achse bildet, und dieses gelte, selbst wenn es auch nicht überall genau zutreffen sollte.

Recherches anatomiques et physiologiques sur la structure intime des animaux et des végétaux, et sur leur mobilité; par M. H. Dutrochet 1824 (S. Revue française 1830. Nro. 16. pag. 100 sq.)

»Vorzüglich auf die Sensitive, welche im höchsten Grad die Phänomene der Reizbarkeit und Beweglichkeit der Pflanzen darstellt, hat der Autor seine Erfahrungen gerichtet. Das eigentliche Prinzip der Bewegung dieser Pflanze ruht in der Aufschwellung, welche sich an der Base des Blattstieles befindet, und an der Einfügung der Blätter durch die pinnules. Dieses Wülstchen wird gebildet durch die Entwicklung des Rinden-Parenchyms und enthält eine große Menge kugeliger Zellen, deren Wände mit Nervenkörperchen bedeckt sind; dergleichen sind auch sehr zahlreich in den Stengelblättern, und man findet sie häufig wieder in dem Safte, welcher abfließt, wenn man einen jungen Zweig der Sensitive wegschneidet.

Die Entwicklung aber des Rinden-Parenchyms, welches den bedeutendsten Anteil an dem Wülstchen der Sensitive hat, umgibt eine Mitte, die durch einen Röhrenbündel gebildet wird. Es war bedeutend zu erfahren, welcher der beiden Teile das eigentliche Organ der Bewegung sei; das Parenchym war weggenommen, das Blatt fuhr fort zu leben, aber es hatte die Fähigkeit verloren sich zu bewegen. Diese Erfahrung zeigt also, daß in dem Rindenteil der Aufblähung die Beweglichkeit vorhanden ist, welche man, wenigstens durch ihre Funktionen, dem Muskularsystem der Tiere vergleichen kann.

Herr Dutrochet hat überdies erkannt, daß kleine hievon abgeschnittene Teile, ins Wasser geworfen, sich auf die Weise bewegen, daß sie eine krumme Linie beschreiben, deren tiefe Seite jederzeit sich nach dem Mittelpunkt des Wülstchens richtet. Diese Bewegung belegt er mit dem allgemeinen

Namen der Inkurvation, welche er ansieht als das Element aller Bewegungen, welche in den Vegetabilien, ja in den Tieren vorgehen. Diese Inkurvation zeigt sich übrigens auf zwei verschiedene Weisen; die erste nennt der Verfasser oszillierende Inkurvation, also benannt, weil sie einen Wechsel von Beugung und Anziehung bemerken läßt; die zweite aber, die fixe Inkurvation, welche keinen solchen Wechsel von Bewegungen zeigt, jene ist die, die man in der Sensitive bemerkt, und diese bemerkt man in den Vrillen und in den schlänglichen Stengeln der Konvolveln, der Clematis, der Bohnen und so weiter. Aus diesen Beobachtungen schließt Herr Dutrochet, daß die Reizbarkeit der Sensitive aus einer vitalen Inkurvation ihren Ursprung nehme.«

Vorstehende, diese Angelegenheit immer mehr ins klare setzende Äußerungen kamen mir dennoch später zur Kenntnis, als ich schon an den viel weiter schauenden Ansichten unsres teuren Ritter von Martius lebhaften Anteil genommen hatte. In zweien nach Jahresfrist aufeinander folgenden Vorlesungen hatte er in München und Berlin sich umständlich und deutlich genug hierüber erklärt. Ein freundlicher Besuch desselben, als er von dem letztern Orte zurückkam, gewährte mir in dieser schwierigen Sache eine mündliche Nachweisung, welche sich durch charakteristische, wenn schon flüchtige Zeichnung noch mehr ins klare setzte. Die in der Isis, Jahrgang 1828 und 1829 abgedruckten Aufsätze wurden mir nun zugänglicher, und die Nachbildung eines an jenem Orte vorgewiesenen Modells ward mir durch die Geneigtheit des Forschers und zeigte sich zur Versinnlichung, wie Kelch, Krone und die Befruchtungswerkzeuge entstehen, höchst dienlich.

Auf diese Weise war die wichtige Angelegenheit auf den Weg einer praktisch-didaktischen Ausarbeitung und Anwendung geführt, und wenn der immer fortschreitende Mann, wie er mir vertrauen wollen, um die Anfänge einer solchen allgemeinen Tendenz zu entdecken, sich bis zu den ersten

Elementen der Wissenschaft, zu den Akotyledonen gewendet hat, so werden wir den ganzen Umfang der Lehre, von ihm ausgearbeitet, nach und nach zu erwarten haben.

Ich erlaube mir indessen, nach meiner Weise in der mittlern Region zu verharren und zu versuchen, wie durch allgemeine Betrachtung der Anfang mit dem Ende und das Erste mit dem Letzten, das Längstbekannte mit dem Neuen, das Feststehende mit dem Zweifelhaften in Verbindung zu bringen sei. Für diesen Versuch darf ich wohl, da er nicht abzuschließen, sondern bloß zu fördern die Absicht hat, den Anteil der edlen Naturforscher mir erbitten.

Wir mußten annehmen: es walte in der Vegetation eine allgemeine Spiraltendenz, wodurch, in Verbindung mit dem vertikalen Streben, aller Bau, jede Bildung der Pflanzen nach dem Gesetze der Metamorphose vollbracht wird.

Die zwei Haupttendenzen also, oder wenn man will, die beiden lebendigen Systeme, wodurch das Pflanzenleben sich wachsend vollendet, sind das Vertikalsystem und das Spiralsystem, keins kann von dem andern abgesondert gedacht werden, weil eins durch das andere nur lebendig wirkt. Aber nötig ist es zur bestimmteren Einsicht, besonders aber zu einem deutlichern Vortrag, sie in der Betrachtung zu trennen, und zu untersuchen, wo eins oder das andere walte, da es denn bald, ohne seinen Gegensatz zu überwältigen, von ihm überwältigt wird, oder sich ins gleiche stellt, wodurch uns die Eigenschaften dieses unzertrennlichen Paares desto anschaulicher werden müssen.

Das Vertikalsystem, mächtig, aber einfach, ist dasjenige, wodurch die offenbare Pflanze sich von der Wurzel absondert und sich in gerader Richtung gegen den Himmel erhebt; es ist vorwaltend bei Monokotyledonen, deren Blätter schon sich aus geraden Fasern bilden, die unter gewissen Bedingungen sich leicht voneinander trennen und als starke Fäden zu mancherlei Gebrauch haltbar sind. Wir dürfen hier nur der Phormium tenax gedenken; und so sind die Blätter der Palme durchgängig aus geraden Fasern bestehend, welche nur in frühster Jugend zusammenhängen, nachher aber, den Gesetzen der Metamorphose gemäß, in sich selbst getrennt und durch fortgesetzten Wachstum vervielfältigt erscheinen.

Aus den Blättern der Monokotyledonen entwickeln sich öfters unmittelbar die Stengel, indem das Blatt sich aufbläht und zur hohlen Röhre wird, alsdann aber tritt an der Spitze desselben schon die Achsenstellung dreier Blattspitzen und also die Spiraltendenz hervor, woraus sodann der Blumen- und Fruchtbüschel sich erhebt, wie solcher Fall im Geschlechte der Allien sich ereignet.

Merklich jedoch ist die Vertikaltendenz auch über die Blume hinaus, und des Blüten- und Fruchtstandes sich bemächtigend. Der gerad aufsteigende Stengel der Calla aethiopica zeigt oben seine Blattnatur zugleich mit der Spiraltendenz, indem sich die Blume einblättrig um die Spitze windet, durch welche jedoch die blüten- und fruchttragende Säule vertikal hervorwächst. Ob nun um diese Säule, nicht weniger um die der Arum, des Mais und anderer, sich die Früchte in spiraler Bewegung aneinander schließen, wie es wahrscheinlich ist, möge fernerhin untersucht werden.

Auf alle Fälle ist diese Kolumnartendenz als Abschluß des Wachstums wohl zu beachten.

Denn wir treffen, indem wir uns bei den Dikotyledonen umsehen, diese Vertikaltendenz, wodurch die sukzessive Entwicklung der Stengelblätter und Augen in einer Folge begünstigt wird, mit dem Spiralsystem, wodurch die Fruktifikation abgeschlossen werden sollte, im Konflikt; eine durchgewachsene Rose gibt hievon das schönste Zeugnis.

Dagegen haben wir eben in dieser Klasse die entschiedensten Beispiele von einer durchgesetzten Vertikaltendenz und möglichster Beseitigung der gegenteiligen Einwirkung. Wir wollen nur von dem gewöhnlichsten Lein reden, welcher durch die entschiedenste Vertikalbildung sich zur allgemeinen Nutzbarkeit qualifiziert. Die äußere Hülle und der innere Faden steigen stracks und innigst vereint hinauf; man gedenke, welche Mühe es kostet, eben diese Spreu vom Faden zu sondern, wie unverweslich und unzerreißbar derselbe ist, wenn die äußere Hülle, selbst mit dem größten Widerstreben, den durch die Natur bestimmten Zusammenhang aufgeben soll. Zufällig hat sich das Rösten der Pflanze einen ganzen Winter unter dem Schnee fortgesetzt, und der Faden ist dadurch nur schöner und dauerhafter geworden.

Überhaupt aber, was braucht es mehr Zeugnis, da wir ja unser ganzes Leben hindurch von Leinwand umgeben sind, welche durch Waschen und Wiederwaschen, durch Bleichen und Wiederbleichen endlich das elementare Ansehen reiner irdischer Materien als ein blendendes Weiß gewinnt und wiedergewinnt.

Hier nun, auf dem Scheidepunkt, wo ich die Betrachtung der Vertikaltendenz zu verlassen und mich zu der Spirale zu wenden gedenke, begegnet mir die Frage: ob die alterne Stellung der Blätter, die wir an dem emporwachsenden Stengel der Dikotyledonen bemerken, diesem oder jenem System angehöre? Und ich will gestehen, daß mir scheine, als ob sie jenem, dem Vertikalsystem, zuzuschreiben sei, und daß eben durch diese Art des Hervorbringens das Streben nach der Höhe in senkrechter Richtung bewirkt werde. Diese Stellung nun kann in einer gewissen Folge, unter gegebenen Bedingungen und Einflüssen, von der Spiraltendenz ergriffen werden, wodurch aber jene unbeständig erscheint und zuletzt gar unmerklich wird, ja verschwindet.

Doch wir treten nun auf den Standpunkt, wo wir die Spiraltendenz ohne weiteres gewahr werden.

Ob wir gleich oben die so viel beobachteten Spiralgefäße zu betrachten abgelehnt haben, ob wir sie gleich als Homoiomerien oder das Ganze verkündende und konstituierende Teile zu schätzen wußten, so wollen wir doch hier nicht unterlassen, der elementaren mikroskopischen Pflanzen zu gedenken, welche als Oszillarien bekannt und uns durch die Kunst höchst vergrößert dargestellt worden; sie erweisen sich durchaus schraubenförmig und ihr Dasein und Wachstum in solcher merkwürdigen Bewegung, daß man zweifelhaft ist, ob man sie nicht unter die Tiere zählen solle. Wie denn die erweiterte Kenntnis und tiefere Einsicht in die Natur uns erst vollkommen von dem allen vergönnten, grenzenlosen und unverwüstlichen Leben ein entschiedeneres Anschauen gewähren wird; daher wir denn oberwähntem Beobachter gar gerne glauben

Akanthusvolute, Kapitelle
Bleistift, Feder mit Tinte

wollen, daß die frische Rinde einer Nessel ihm eine besondere spirale Bewegung angedeutet habe.

Um uns nun aber zur eigentlichen Spiraltendenz zu wenden, so verweisen wir auf obiges, was von unserm Freunde von Martius ausgeführt worden, welcher diese Tendenz in ihrer Machtvollkommenheit als Abschluß des Blütenstandes dargestellt, und begnügen uns einiges hierher Gehörige, teils auf das Allgemeine, teils auf das Intermediäre bezüglich, beizubringen, welches methodisch vorzutragen erst künftigen denkenden Forschern möchte anheimgegeben sein.

Auffallend ist das Übergewicht der Spiraltendenz bei den Konvolveln, welche von ihrem ersten Ursprung an weder steigend noch kriechend ihre Existenz fortsetzen können, sondern genötigt sind, irgendein Gradaufsteigendes zu suchen, woran sie immerfort sich windend hin in die Höhe klimmen können.

Gerade aber diese Eigenschaft gibt Gelegenheit, unsern Betrachtungen durch ein sinnliches Beispiel und Gleichnis zu Hilfe zu kommen.

Man trete zur Sommerzeit vor eine im Gartenboden eingesteckte Stange, an welcher eine Winde von unten an sich fortschlängelnd in die Höhe steigt, sich festanschließend ihren lebendigen Wachstum verfolgt. Man denke sich nun Konvolvel und Stange, beide gleich lebendig, aus einer Wurzel aufsteigend, sich wechselsweise hervorbringend und so unaufhaltsam fortschreitend. Wer sich diesen Anblick in ein inneres Anschauen verwandeln kann, der wird sich den Begriff sehr erleichtert haben. Die rankende Pflanze sucht das außer sich, was sie sich selbst geben sollte und nicht vermag.

Das Spiralsystem ist für den ersten Augenblick offenbarer in den Dikotyledonen. Solches in den Monokotyledonen und weiter hinab aufzusuchen, bleibt vorbehalten.

Wir haben die rankende Konvolvel gewählt. Gar manches andere dergleichen wird sich finden.

Nun sehen wir jene Spiraltendenz in den Gäbelchen, in den Vrillen.

Diese erscheinen auch wohl an den Enden zusammengesetzter Blätter, wo sie ihre Tendenz, sich zu rollen, gar wohl manifestieren.

Die eigentlichen, völlig blattlosen Vrillen sind als Zweige anzusehen, denen die Solideszenz abgeht, die voll Saft und biegsam eine besondere Irritabilität zeigen.

Vrille der Passionsblume, sich für sich selbst zusammenrollend.

Andere müssen durch äußern Reiz angeregt und aufgefordert werden.

Mir ist der Weinstock das höchste Musterbild.

Man sehe, wie die Gäbelchen sich ausstrecken, von irgendwoher eine Berührung suchend; irgendwo angelehnt, fassen sie, klammern sie sich an.

Es sind Zweige, dieselbigen welche Trauben tragen.

Einzelne Beeren findet man wohl an den Böcklein.

Merkwürdig ist es, daß der dritte Knoten an der Weinranke keine Vrille hervorbringt; wohin das zu deuten sei, ist uns nicht klar geworden.

Die Spiralgefäße betrachten wir als die kleinsten Teile, welche dem Ganzen, dem sie angehören, vollkommen gleich sind, und, als Homoiomerien angesehen, ihm ihre Eigenheiten mitteilen und von demselben wieder Eigenschaft und Bestimmung erhalten. Es wird ihnen ein Selbstleben zugeschrieben, die Kraft sich an und für sich einzeln zu bewegen und eine gewisse Richtung anzunehmen. Der vortreffliche Dutrochet nennt sie eine vitale Inkurvation. Diesen Geheimnissen näher zu treten, finden wir uns hier weiter nicht aufgefordert.

Gehen wir ins Allgemeine zurück: das Spiralsystem ist abschließend, den Abschluß befördernd.

Und zwar auf gesetzliche vollendende Weise.

Sodann aber auch auf ungesetzliche, voreilende und vernichtende Weise.

Wie die gesetzliche wirke, um Blumen, Blüten und Keime zu bilden, hat unser hochbelobter von Martius umständlich ausgeführt. Dieses Gesetz entwickelt sich unmittelbar aus der Metamorphose, aber es bedurfte eines scharfsinnigen Beobachters, um es wahrzunehmen und darzustellen. Denn wenn wir uns die Blume als einen herangezogenen, als um eine Achse sich umherschlängelnden Zweig denken, dessen Augen hier in die Enge der Einheit gebracht werden, so folgt daraus, daß sie hintereinander und nacheinander im Kreise sich einfinden und sich also einfach oder vervielfacht umeinander ordnen müssen.

Die unregelmäßige Spiralwirkung ist als ein übereilter unfruchtbarer Abschluß zu denken: irgendein Stengel, ein Zweig, ein Ast, wird in den Zustand versetzt, daß der Splint, in welchem eigentlich das Spiralleben wirksam ist, vorwaltend zunimmt und daß die Holz- oder sonstige Dauerbildung nicht stattfinden kann.

Nehmen wir einen Eschenzweig vor uns, der sich in diesem Fall befindet; der Splint, der durch das Holz nicht auseinander gehalten wird, drängt sich zusammen und bewirkt eine flache vegetabilische Erscheinung; zugleich zieht sich das ganze Wachstum zusammen und die Augen, welche sich sukzessiv entwickeln sollten, erscheinen nun gedrängt und endlich gar in ungetrennter Reihe; indessen hat sich das Ganze gebogen; das übrig gebliebene Holzhafte macht den Rücken, und die einwärts gekehrte, einem Bischofsstabe ähnliche Bildung stellt eine höchst merkwürdige abnorme Monstrosität vor.

Wie wir uns nun aus dem Bisherigen überzeugen können: das eigentliche Pflanzenleben werde durch die Spiraltendenz vorzüglich gefördert, so läßt sich auch nachweisen, daß die Spur derselben in dem Fertigen, Dauernden zurückbleibe.

Die in ihrer völligen Freiheit herunterhangenden frischen Fadenzweige des Lycium europaeum zeigen nur einen geraden fadenartigen Wuchs. Wird die Pflanze älter, trockner, so bemerkt man deutlich, daß sie sich von Knoten zu Knoten zu einer Windung hinneigt.

Sogar starke Bäume werden im Alter von solcher Richtung ergriffen; hundertjährige Kastanienbäume findet man an der Belvedereschen Chaussee stark gewunden und die Starrheit der geradaufsteigenden Tendenz auf die sonderbarste Weise besiegt.

In dem Park hinter Belvedere finden sich drei schlanke, hochgewachsene Stämme von Crataegus torminalis, Adelsbeere, so deutlich von unten bis oben spiralgewandt, daß es nicht zu verkennen ist. Diese empfiehlt man besonders dem Beobachter.

Blumen, die vor dem Aufblühen gefaltet und spiral sich entwickelnd vorkommen; andere, die beim Vertrocknen eine Windung zeigen.

Pandanus odoratissimus windet sich spiral von der Wurzel auf.

Ophrys spiralis windet sich dergestalt, daß alle Blüten auf eine Seite kommen.

Die Flora subterranea gibt uns Anlaß, ihre en échiquier gereihten Augen als aus einer sehr regelmäßigen Spiraltendenz hervorgehend zu betrachten.

An einer Kartoffel, welche auf eines Fußes Länge gewachsen war, die man an ihrer dicksten Stelle kaum umspannen konnte, war von dem Punkte ihres Ansatzes an aufs deutlichste eine Spiralfolge der Augen bis auf ihren höchsten Gipfel von der Linken zur Rechten hinaufwärts zu bemerken.

Bei den Farnen ist bis an ihre letzte Vollendung alles Treiben, vom horizontalliegenden Stamme ausgehend, seitlich nach oben gerichtet, Blatt und Zweig zugleich, deshalb auch die Fruchtteile tragend und aus sich entwickelnd. Alles was wir Farn nennen, hat seine eigentümliche spiralige Entwicklung. In immer kleinere Kreise zusammengerollt erscheinen die Zweige jenes horizontalliegenden Stockes und rollen sich auf, in doppelter Richtung, einmal aus der Spirale der Rippe, dann aber aus den eingebogenen Fiedern der seitlichen Richtung von der Rippe, die Rippchen nach außen.

Siehe Reichenbach: Botanik für Damen, Seite 288.

Die Birke wächst gleich vom untersten Stammende an, und zwar ohne Ausnahme, spiralförmig in die Höhe. Spaltet man den Stamm nach seinem natürlichen Wachstum, so zeigt sich die Bewegung von der Linken zur Rechten bis in den Gipfel, und eine Birke, welche 60 bis 80 Fuß Höhe hat, dreht sich ein-, auch zweimal der ganzen Länge nach um sich herum. Das weniger oder mehr Spirale, behauptet der Böttcher, entstehe daher, wenn ein Stamm der Witterung mehr oder minder ausgesetzt sei; denn ein Stamm, der frei stehe, zum Exempel außen an einer Brane, die besonders der Westseite ausgesetzt ist, manifestiere die Spiralbewegung weit augenfälliger und deutlicher, als bei einem Stamme, welcher im Dickicht des Holzes wachse. Vornehmlich aber kann diese Spiralbewegung an den sogenannten Reifbirken wahrgenommen werden. Eine junge Birke, die zu Reifen verbraucht werden soll, wird inmitten getrennt; folgt das Messer dem Holze, so wird der Reif unbrauchbar: denn er dreht sich, wie bei älteren Stämmen schon bemerkt worden, ein- auch zweimal um sich herum. Deswegen braucht der Böttcher auch eigene Instrumente, dieselben gut und brauchbar zu trennen; und dies gilt auch von seiten der Scheite des älteren Holzes, welches zu Dauben oder sonst verbraucht wird: denn bei Trennung desselben müssen Keile von Eisen angewendet werden, die das Holz mehr schneiden als spalten, sonst wird es unbrauchbar.

Daß das Wetter, Wind, Regen, Schnee große Einwirkung auf die Entwicklung der Spiralbewegung haben mag, geht daraus hervor, daß eben diese Reifbirken, aus dem Dickicht geschlagen, weit weniger der Spiralbewegung unterworfen sind als die, so einzeln und nicht durch Gebüsch und größere Bäume stehen.

Herr Oberlandjägermeister von Fritsch äußerte Ende August in Ilmenau, als die Spiraltendenz zur Sprache kam, daß unter den Kiefern Fälle vorkämen, wo der Stamm von unten bis oben eine gedrehte, gewundene Wirkung annehme; man habe geglaubt, da man dergleichen Bäume an der Brane gefunden, eine äußere Wirkung durch heftige Stürme sei die Veranlassung; man finde aber dergleichen auch in den dichtesten Forsten und es wiederhole sich der Fall nach einer gewissen Proportion, so daß man ein bis etwa anderthalb Prozent im ganzen das Vorkommen rechnen könnte.

Solche Stämme würden in mehr als einer Hinsicht beachtet, indem das Holz derselben nicht wohl, zu Scheiten geschnitten, in Klaftern gelegt werden könnte; auch ein solcher Stamm zu Bauholz nicht zu brauchen sei, weil seine Wirkung immer fortdauernd durch ein heimliches Drehen eine ganze Kontignation aus ihren Fugen zu rücken die Gewalt habe.

Aus dem vorigen erhellt, daß während dem Austrocknen des Holzes die Krümmung sich fortsetzt und sich bis zu einem hohen Grade steigert, wie wir im vorigen gar manche durch

Vertrocknung zuerst entstehende und sichtbar werdende Spiralbewegung erkennen werden.

Die vertrockneten Schoten des Lathyrus furens, nach vollkommen abgeschlossener Reife der Frucht, springen auf und rollen sich jede nach auswärts streng zusammen. Bricht man eine solche Schote auf, ehe sie vollkommen reif ist, so zeigt sich gleichfalls diese Schraubenrichtung, nur nicht so stark und nicht so vollkommen.

Die gerade Richtung ähnlicher Pflanzenteile wird verschiedentlich gleichermaßen abgelenkt. Die Schoten der im feuchten Sommer wachsenden Schwertbohnen fangen an sich zu winden, einige schneckenartig, andere in vollkommener Spirale.

Die Blätter der italienischen Pappel haben sehr zarte, straffe Blattstiele. Diese, von Insekten gestochen, verlieren ihre gerade Richtung und nehmen die spiralige alsobald an, in zwei oder auch mehreren Windungen.

Schwillt das Gehäus des eingeschlossenen Insekts hiernach auf, so drängen sich die Seiten des erweiterten Stiels dergestalt aneinander, daß sie zu einer Art von Vereinigung gelangen. Aber an diesen Stellen kann man das Nest leicht auseinander brechen und die frühere Gestaltung des gewundenen Stiels gar wohl bemerken.

Pappus am Samen des Erodium gruinum, der bis zur völligen Reife und Vertrocknung vertikal an der Stütze, um welche die Samen versammelt sind, sich strack gehalten, nunmehr aber sich schnell elastisch ringelt und sich dadurch selbst umherwirft.

Wir haben zwar abgelehnt, von den Spiralgefäßen als solchen besonders zu handeln, finden uns aber doch genötigt, noch weiter zu der mikroskopischen Elementarbotanik zurückzugehen und an die Oszillarien zu erinnern, deren ganze Existenz spiral ist. Merkwürdiger vielleicht sind noch die unter den Namen Salmacis aufgeführten, wo die Spirale aus lauter sich berührenden Kügelchen besteht.

Solche Andeutungen müssen aufs leiseste geschehen, um uns an die ewige Kongruenz zu erinnern.

Wenn man die Stiele des Löwenzahns an einem Ende aufschlitzt, die beiden Seiten des hohlen Röhrchens sachte voneinander trennt, so rollt sich jede in sich nach außen und hängt in Gefolg dessen als eine gewundene Locke spiralförmig zugespitzt herab, woran sich die Kinder ergötzen und wir dem tiefsten Naturgeheimnis näher treten.

Da diese Stengel hohl und saftig sind, folglich ganz als Splint angesehen werden können, die Spiraltendenz aber dem Splint als dem lebendig Fortschreitenden angehört, so wird uns hier zugleich mit der strackesten vertikalen Richtung noch das verborgenste Spiralbestreben vor die Augen gebracht. Vielleicht gelänge es durch genauere, auch wohl mikroskopische Behandlung das Verflechten der Vertikal- und Spiraltextur näher kennen zu lernen.

Ein glückliches Beispiel, wie beide Systeme, mit denen wir uns beschäftigen, sich nebeneinander höchst bedeutend entwickeln, gibt uns die Vallisneria, wie wir solche aus den neuesten Untersuchungen des Kustoden am königlichen botanischen Garten zu Mantua, Paolo Barbieri, kennen lernen. Wir geben seinen Aufsatz auszugsweise übersetzt, mit unsern eingeschalteten und angefügten Bemerkungen, insofern wir den beabsichtigten Zwecken dadurch näher zu treten hoffen.

Die Vallisneria wurzelt im Grunde eines nicht allzu tiefen stehenden Wassers, sie blüht in den Monaten Juni, Juli und August, und zwar in getrennten Geschlechtern. Das männliche Individuum zeigt sich auf einem grad aufstrebenden Schaft, welcher, sobald er die Oberfläche des Wassers erreicht, an seiner Spitze eine vierblättrige (vielleicht dreiblättrige) Scheide bildet, worin sich die Fruchtwerkzeuge angeheftet an einem konischen Kolben befinden.

Wenn die Stamina noch nicht genugsam entwickelt sind, so ist die Hälfte der Scheide leer, und beobachtet man sie alsdann mikroskopisch, so findet man, daß die innere Feuchtigkeit sich regt, um das Wachstum der Scheide zu befördern, und zu gleicher Zeit im Stiele sich kreisförmig bewegend zum Kolben, der die Stamina trägt, hinaufstrebt, wodurch Wachstum und Ausdehnung des Kolbens zugleich mit dem Wachstum der Befruchtungswerkzeuge bezweckt wird.

Durch diese Zunahme des Kolbens jedoch ist die Scheide nicht mehr hinreichend, die Stamina zu umhüllen; sie teilt sich daher in vier Teile, und die Fruchtwerkzeuge, sich von dem Kolben zu Tausenden ablösend, verbreiten sich schwimmend auf dem Wasser, anzusehen wie silberweiße Flocken, welche sich nach dem weiblichen Individuum gleichsam bemühen und bestreben. Dieses aber steigt aus dem Grunde der Wasser, indem die Federkraft seines spiralen Stengels nachläßt, und eröffnet sodann auf der Oberfläche eine dreigeteilte Krone, worin man drei Narben bemerkt. Die auf dem Wasser schwimmenden Flocken streuen ihren Staminalstaub gegen jene Stigmen und befruchten sie; ist dieses geleistet, so zieht sich der Spiralstengel des Weibchens unter das Wasser zurück, wo nun die Samen, in einer zylindrischen Kapsel enthalten, zur endlichen Reife gelangen.

Alle die Autoren, welche von der Vallisneria gesprochen haben, erzählten die Art der Befruchtung auf verschiedene Weise. Sie sagten, der ganze Komplex der männlichen Blume löse sich los von dem kurzen, unter dem Wasser beharrlichen Stengel, von welchem er sich durch heftige Bewegung absondere und befreie. Unser Beobachter versuchte Knospen der männlichen Blumen von ihrem Stengel abzulösen und fand, daß keine auf dem Wasser hin und wider schwamm, daß alle vielmehr zu Grunde sanken. Von größerer Bedeutung aber ist die Struktur, wodurch der Stengel mit der Blume verbunden wird. Hier ist keine Artikulation zu sehen, welche sich doch bei allen Pflanzenorganen findet, die sich trennen lassen. Derselbe Beobachter untersuchte die silberweißen Flocken und erkannte sie als eigentliche Antheren; indem er den Kolben leer von allen solchen Gefäßen fand, so bemerkte er an denselben zarte Fäden, woran noch einige Antheren befestigt waren, die auf einem kleinen dreigeteilten Diskus ruhten, welches gewiß die dreigeteilten Korollen sind, worin die Antheren eingeschlossen waren.

Indem wir nun dieses merkwürdige, vielleicht an anderen Pflanzen sich wiederholende Beispiel der Betrachtung nachdenkender Naturforscher empfehlen, so können wir nicht unterlassen, diese augenfällige Erscheinung, einiges wiederholend, ferner zu besprechen.

Die Vertikaltendenz ist hier dem männlichen Individuum eigen; der Stengel steigt ohne weiteres gerade in die Höhe, und wie er die Oberfläche des Wassers erreicht, entwickelt sich unmittelbar die Scheide aus dem Stengel selbst, genau mit ihm verbunden, und hüllt den Kolben ein, nach Analogie der Calla und ähnlicher.

Wir werden dadurch das Märchen los von einem Gelenke, das ganz unnatürlich zwischen dem Stengel und der Blume angebracht, ihr die Möglichkeit verschaffen sollte sich abzulösen und lüstern auf die Freite zu gehen. An Luft und Licht und ihren Einflüssen entwickelt sich erst die männliche Blüte, aber fest mit ihrem Stengel verbunden; die Antheren springen von ihren Stielchen und schwimmen lustig auf dem Wasser umher. Indessen mildert der Spiralstengel des Weibchens seine Federkraft, die Blume erreicht die Oberfläche des Wassers, entfaltet sich und nimmt den befruchtenden Einfluß auf. Die bedeutende Veränderung, welche nach der Befruchtung in allen Pflanzen vorgeht und welche immer etwas auf Erstarrung hindeutet, wirkt auch hier. Die Spiralität des Stengels wird angestrengt, und dieser bewegt sich wieder zurück, wie er gekommen ist, worauf denn der Same zur Reife gedeiht.

Gedenken wir an jenes Gleichnis, das wir oben von Stab und Konvolvel gewagt haben, gehen wir einen Schritt weiter und vergegenwärtigen uns die Rebe, die sich um den Ulmbaum schlingt, so sehen wir hier das Weibliche und Männliche, das Bedürftige, das Gewährende nebeneinander in vertikaler und

spiraler Richtung von der Natur unsern Betrachtungen empfohlen.

Kehren wir nun ins Allgemeinste zurück und erinnern an
das, was wir gleich anfangs aufstellten: das vertikal- sowie das
spiralstrebende System sei in der lebendigen Pflanze aufs
innigste verbunden, sehen wir nun hier jenes als entschieden
männlich, dieses als entschieden weiblich sich erweisen: so
können wir uns die ganze Vegetation von der Wurzel auf
androgynisch insgeheim verbunden darstellen; worauf denn in
Verfolg der Wandlungen des Wachstums die beiden Systeme
sich im offenbaren Gegensatz auseinander sondern, und sich
entschieden einander gegenüberstellen, um sich in einem
höhern Sinne wieder zu vereinigen.

Weimar, im Herbst 1831

WIEDERFINDEN

Ist es möglich! Stern der Sterne,
Drück ich wieder dich ans Herz!
Ach! was ist die Nacht der Ferne
Für ein Abgrund, für ein Schmerz.
Ja du bist es! meiner Freuden
Süßer, lieber Widerpart;
Eingedenk vergangner Leiden
Schaudr ich vor der Gegenwart.

Als die Welt im tiefsten Grunde
Lag an Gottes ewger Brust,
Ordnet' er die erste Stunde
Mit erhabner Schöpfungslust,
Und er sprach das Wort: Es werde!
Da erklang ein schmerzlich Ach!
Als das All, mit Machtgebärde,
In die Wirklichkeiten brach.

Auf tat sich das Licht! So trennte
Scheu sich Finsternis von ihm,
Und sogleich die Elemente
Scheidend auseinander fliehn.
Rasch, in wilden wüsten Träumen,
Jedes nach der Weite rang,
Starr, in ungemeßnen Räumen,
Ohne Sehnsucht, ohne Klang.

Stumm war alles, still und öde,
Einsam Gott zum erstenmal!
Da erschuf er Morgenröte,
Die erbarmte sich der Qual;
Sie entwickelte dem Trüben
Ein erklingend Farbenspiel,
Und nun konnte wieder lieben
Was erst auseinander fiel.

Und mit eiligem Bestreben
Sucht sich was sich angehört,
Und zu ungemeßnem Leben
Ist Gefühl und Blick gekehrt.
Sei's Ergreifen, sei es Raffen,
Wenn es nur sich faßt und hält!
Allah braucht nicht mehr zu schaffen,
Wir erschaffen seine Welt.

So, mit morgenroten Flügeln,
Riß es mich an deinen Mund,
Und die Nacht mit tausend Siegeln
Kräftigt sternenhell den Bund.
Beide sind wir auf der Erde
Musterhaft in Freud' und Qual,
Und ein zweites Wort: Es werde!
Trennt uns nicht zum zweitenmal.

VERSUCH EINER WITTERUNGSLEHRE

Einleitendes und Allgemeines

Das Wahre, mit dem Göttlichen identisch, läßt sich niemals von uns direkt erkennen: wir schauen es nur im Abglanz, im Beispiel, Symbol, in einzelnen und verwandten Erscheinungen; wir werden es gewahr als unbegreifliches Leben und können dem Wunsch nicht entsagen, es dennoch zu begreifen.

Dieses gilt von allen Phänomenen der faßlichen Welt, wir aber wollen diesmal nur von der schwer zu fassenden Witterungslehre sprechen.

Die Witterung offenbart sich uns, insofern wir handelnde, wirkende Menschen sind, vorzüglich durch Wärme und Kälte, durch Feuchte und Trockne, durch Maß und Übermaß solcher Zustände, und das alles empfinden wir unmittelbar, ohne weiteres Nachdenken und Untersuchen.

Nun hat man manches Instrument ersonnen, um eben jene uns täglich anfechtenden Wirkungen dem Grade nach zu versinnlichen; das Thermometer beschäftigt jedermann, und wenn er schmachtet oder friert, so scheint er in gewissem Sinne beruhigt, wenn er nur sein Leiden nach Réaumur oder Fahrenheit dem Grade nach aussprechen kann.

Nach dem Hygrometer wird weniger gesehen. Nässe und Dürre nehmen wir täglich und monatlich auf, wie sie eintreten. Aber der Wind beschäftigt jedermann; die vielen aufgesteckten Fahnen lassen einen jeden wissen, woher er komme und wohin er gehe; jedoch was es eigentlich im ganzen heißen solle, bleibt hier, wie bei den übrigen Erscheinungen, ungewiß.

Merkwürdig ist es aber, daß gerade die wichtigste Bestimmung der atmosphärischen Zustände von dem Tagesmenschen am allerwenigsten bemerkt wird; denn es gehört eine kränkliche Natur dazu, um gewahr zu werden, es gehört schon

Böengewölk, Aprilschauer
(Cumulonimbus) *Bleistift, Tusche*

eine höhere Bildung dazu, um diejenige atmosphärische Veränderung zu beobachten, die uns das Barometer anzeigt.

Diejenige Eigenschaft der Atmosphäre daher, die uns so
lange verborgen blieb, da sie bald schwerer bald leichter, in
einer Folgezeit an demselbigen Ort oder zu gleicher Zeit an
verschiedenen Orten, und zwar in verschiedenen Höhen, sich
manifestiert, ist es, die wir denn doch in neuerer Zeit immer an
der Spitze aller Witterungsbeobachtungen sehen und der auch
wir einen besondern Vorzug einräumen.

Hier ist nun vor allen Dingen der Hauptpunkt zu beachten:
daß alles, was ist oder scheint, dauert oder vorübergeht, nicht
ganz isoliert, nicht ganz nackt gedacht werden dürfe; eines
wird immer noch von einem anderen durchdrungen, begleitet,
umkleidet, umhüllt; es verursacht und erleidet Einwirkungen,
und wenn so viele Wesen durcheinander arbeiten, wo soll am
Ende die Einsicht, die Entscheidung herkommen, was das
Herrschende, was das Dienende sei, was voranzugehen be-

stimmt, was zu folgen genötigt werde? Dieses ists, was die große Schwierigkeit alles theoretischen Behauptens mit sich führt, hier liegt die Gefahr: Ursache und Wirkung, Krankheit und Symptom, Tat und Charakter zu verwechseln.

Da bleibt nun für den ernst Betrachtenden nichts übrig, als daß er sich entschließe, irgendwo den Mittelpunkt hinzusetzen und alsdann zu sehen und zu suchen, wie er das übrige peripherisch behandle. Ein solches haben auch wir gewagt, wie sich aus dem folgenden weiter zeigen wird.

Eigentlich ist es denn die Atmosphäre, in der und mit der wir uns gegenwärtig beschäftigen. Wir leben darin als Bewohner der Meeresufer, wir steigen nach und nach hinauf bis auf die höchsten Gebirge, wo es zu leben schwer wird; allein mit Gedanken steigen wir weiter, wir wagten den Mond, die Mitplaneten und ihre Monde, zuletzt die gegeneinander unbeweglichen Gestirne als mitwirkend zu betrachten, und der Mensch, der alles notwendig auf sich bezieht, unterläßt nicht, sich mit dem Wahne zu schmeicheln, daß wirklich das All, dessen Teil er freilich ausmacht, auch einen besondern merklichen Einfluß auf ihn ausübe.

Daher wenn er auch die astrologischen Grillen, als regiere der gestirnte Himmel die Schicksale der Menschen, verständig aufgab, so wollte er doch die Überzeugung nicht fahren lassen, daß, wo nicht die Fixsterne, doch die Planeten, wo nicht die Planeten, doch der Mond die Witterung bedinge, bestimme und auf dieselbe einen regelmäßigen Einfluß ausübe.

Alle dergleichen Einwirkungen aber lehnen wir ab; die Witterungserscheinungen auf der Erde halten wir weder für kosmisch noch planetarisch, sondern wir müssen sie nach unseren Prämissen für rein tellurisch erklären.

Wiederaufnahme

Hiernach werden also zwei Grundbewegungen des lebendigen Erdkörpers angenommen und sämtliche barometrische

Erscheinungen als symbolische Äußerung derselben betrachtet.

Zuerst deutet uns die sogenannte Oszillation auf eine gesetzmäßige Bewegung um die Achse, wodurch die Umdrehung der Erde hervorgebracht wird, woraus denn Tag und Nacht erfolgt. Dieses Bewegende senkt sich in vierundzwanzig Stunden zweimal und erhebt sich zweimal, wie solches aus mannigfaltigen bisherigen Beobachtungen hervorgeht; wir versinnlichen sie uns als lebendige Spirale, als belebte Schraube ohne Ende; sie bewirkt als anziehend und nachlassend das tägliche Steigen und Fallen des Barometers unter der Linie; dort, wo die größte Erdmasse sich umrollt, muß sie am bemerklichsten sein, gegen die Pole sich vermindern, ja Null werden, wie auch schon von Beobachtern ausgesprochen ist. Diese Rotation hat auf die Atmosphäre entschiedenen Einfluß; Klarheit und Regen erscheinen tagtäglich abwechselnd, wie die Beobachtungen unter dem Äquator deutlich beweisen.

Die zweite allgemein bekannte Bewegung, die wir einer vermehrten oder verminderten Schwerkraft gleichfalls zuschreiben und sie einem Ein- und Ausatmen vom Mittelpunkte gegen die Peripherie vergleichen, diese darzutun haben wir das Steigen und Fallen des Barometers als Symptom betrachtet.

Bändigen und Entlassen der Elemente

Indem wir nun Vorstehendes unablässig durchzudenken, anzuwenden und zu prüfen bemüht sind, werden wir durch manches eintretende Ereignis immer weiter geführt; man lasse uns daher in Betracht des Gesagten und Ausgeführten noch Folgendes vortragen.

Es ist offenbar, daß das, was wir Elemente nennen, seinen eigenen wilden wüsten Gang zu nehmen immerhin den Trieb hat. Insofern sich nun der Mensch den Besitz der Erde ergriffen hat und ihn zu erhalten verpflichtet ist, muß er sich zum

Widerstand bereiten und wachsam erhalten. Aber einzelne Vorsichtsmaßregeln sind keineswegs so wirksam, als wenn man dem Regellosen das Gesetz entgegenzustellen vermöchte, und hier hat uns die Natur aufs herrlichste vorgearbeitet, und zwar indem sie ein gestaltetes Leben dem Gestaltlosen entgegensetzt.

Die Elemente daher sind als kolossale Gegner zu betrachten, mit denen wir ewig zu kämpfen haben, und sie nur durch die höchste Kraft des Geistes, durch Mut und List, im einzelnen Fall bewältigen.

Die Elemente sind die Willkür selbst zu nennen; die Erde möchte sich des Wassers immerfort bemächtigen und es zur Solideszenz zwingen, als Erde, Fels oder Eis, in ihren Umfang nötigen. Ebenso unruhig möchte das Wasser die Erde, die es ungern verließ, wieder in seinen Abgrund reißen. Die Luft, die uns freundlich umhüllen und beleben sollte, rast auf einmal als Sturm daher, uns niederzuschmettern und zu ersticken. Das Feuer ergreift unaufhaltsam, was von Brennbarem, Schmelzbarem zu erreichen ist. Diese Betrachtungen schlagen uns nieder, indem wir solche so oft bei großem, unersetzlichem Unheil anzustellen haben. Herz und Geist erhebend ist dagegen, wenn man zu schauen kommt, was der Mensch seinerseits getan hat, sich zu waffnen, zu wehren, ja seinen Feind als Sklaven zu benutzen.

Das Höchste jedoch, was in solchen Fällen dem Gedanken gelingt, ist: gewahr zu werden, was die Natur in sich selbst als Gesetz und Regel trägt, jenem ungezügelten, gesetzlosen Wesen zu imponieren. Wie viel ist nicht davon zu unserer Kenntnis gekommen! Hier dürfen wir nur des Nächsten gedenken.

Die erhöhte Anziehungskraft der Erde, von der wir durch das Steigen des Barometers in Kenntnis gesetzt sind, ist die Gewalt, die den Zustand der Atmosphäre regelt und den Elementen ein Ziel setzt; sie widersteht der übermäßigen Wasserbildung, den gewaltsamsten Luftbewegungen; ja, die

Elektrizität scheint dadurch in der eigentlichsten Indifferenz gehalten zu werden.

Niederer Barometerstand hingegen entläßt die Elemente, und hier ist vor allen Dingen zu bemerken, daß die untere Region der Kontinental-Atmosphäre Neigung habe, von Westen nach Osten zu strömen; Feuchtigkeit, Regengüsse, Wellen, Wogen, alles zieht milder oder stürmischer ostwärts, und wo diese Phänomene unterwegs auch entspringen mögen, so werden sie schon mit der Tendenz, nach Osten zu dringen, geboren.

Hiebei deuten wir noch auf einen wichtigen bedenklichen Punkt: wenn nämlich das Barometer lange tief gestanden hat und die Elemente des Gehorsams ganz entwöhnt sind, so kehren sie nicht alsobald bei erhöhter Barometerbewegung in ihre Grenzen zurück; sie verfolgen vielmehr noch einige Zeit das vorige Gleis, und erst nach und nach, wenn der obere Himmel schon längst zu ruhiger Entschiedenheit gekommen, gibt sich das in den untern Räumen Aufgeregte in das erwünschte Gleichgewicht. Leider werden wir auch von dieser letzten Periode zunächst betroffen und haben besonders als Meeranwohner und Schiffahrende großen Schaden davon. Der Schluß des Jahres 1824, der Anfang des gegenwärtigen gibt davon die traurigste Kunde; West und Südwest erregen, begleiten die traurigsten Meeres- und Küstenereignisse.

Ist man nun einmal auf dem Wege, seine Gedanken ins Allgemeine zu richten, so findet sich kaum eine Grenze; gar geneigt wären wir daher, das Erdbeben als entbundene tellurische Elektrizität, die Vulkane als erregtes Elementarfeuer anzusehen und solche mit den barometrischen Erscheinungen im Verhältnis zu denken. Hiemit aber trifft die Erfahrung nicht überein; diese Bewegungen und Ereignisse scheinen besondern Lokalitäten, mit mehr oder minderer Wirkung in die Ferne, ganz eigens anzugehören.

Hat man sich vermessen, wie man wohl gelegentlich verführt wird, ein größeres oder kleineres wissenschaftliches Gebäude aufzuführen, so tut man wohl, zu Prüfung desselben sich nach Analogien umzusehen; befolg ich aber diesen Rat im gegenwärtigen Falle, so finde ich, daß die vorstehende Ausführung derjenigen ähnelt, welche ich bei dem Vortrag der Farbenlehre gebraucht.

In der Chromatik nämlich setze ich Licht und Finsternis einander gegenüber; diese würden zueinander in Ewigkeit keinen Bezug haben, stellte sich nicht die Materie zwischen beide; diese sei nun undurchsichtig, durchsichtig oder gar belebt, so wird Helles und Dunkles an ihr sich manifestieren und die Farbe sogleich in tausend Bedingungen an ihr entstehen.

Ebenso haben wir nun Anziehungskraft und deren Erscheinung, Schwere, an der einen Seite, dagegen an der andern Erwärmungskraft und deren Erscheinen, Ausdehnung, als unabhängig einander gegenübergestellt; zwischen beide hinein setzten wir die Atmosphäre, den von eigentlich sogenannten Körperlichkeiten leeren Raum, und wir sehen, je nachdem obgenannte beide Kräfte auf die feine Luftmaterialität wirken, das, was wir Witterung nennen, entstehen und so das Element, in dem und von dem wir leben, aufs mannigfaltigste und zugleich gesetzlichste bestimmt.

Anerkennung des Gesetzlichen

Bei dieser, wie man sieht, höchst komplizierten Sache glauben wir daher ganz richtig zu verfahren, daß wir uns erst am Gewissesten halten; dies ist nun dasjenige, was in der Erscheinung in gleichmäßigem Bezug sich öfters wiederholt und auf eine ewige Regel hindeutet. Dabei dürfen wir uns nur nicht irremachen lassen, daß das, was wir als zusammenwirkend, als

Sonnenbeschienene Berglandschaft,
dahinter Schönwettergewölk
Bleistift, blau und violett aquarelliert

übereinstimmend betrachtet haben, auch zuzeiten abzuwei-
chen und sich zu widersprechen scheint. Besonders ist solches
nötig in Fällen wie dieser, wo man, bei vielfältiger Verwick-
lung, Ursache und Wirkung so leicht verwechselt, wo man
Korrelate als wechselseitig bestimmend und bedingend
ansieht. Wir nehmen zwar ein Witterungs-Grundgesetz an,
achten aber desto genauer auf die unendlichen physischen,
geologischen, topographischen Verschiedenheiten, um uns
die Abweichungen der Erscheinung wo möglich deuten zu
können. Hält man fest an der Regel, so findet man sich auch
immer in der Erfahrung zu derselben zurückgeführt; wer das
Gesetz verkennt, verzweifelt an der Erfahrung, denn im
allerhöchsten Sinne ist jede Ausnahme schon in der Regel
begriffen.

Während man mit dem Wagestück, wie vorstehender Aufsatz, beschäftigt ist, kann man nicht unterlassen, sich auf mancherlei Weise selbst zu prüfen, und es geschieht dies am allerbesten und sichersten, wenn man in die Geschichte zurücksieht.

Alle Forscher, wenn man auch nur bei denjenigen stehen bleibt, welche nach der Wiederherstellung der Wissenschaften gearbeitet haben, fanden sich genötigt, mit demjenigen, was die Erfahrung ihnen dargebracht, so gut als möglich zu gebaren. Die Summe des wahrhaft Bekannten ließ in ihrer Breite gar manche Lücken, welche denn, weil jeder zum Ganzen strebt, bald mit Verstand, bald mit Einbildungskraft auszufüllen dieser und jener bemüht war. Wie die Erfahrung wuchs, wurde das, was die Einbildungskraft gefabelt, was der Verstand voreilig geschlossen hatte, sogleich beseitigt; ein reines Faktum setzte sich an die Stelle, und die Erscheinungen zeigten sich nach und nach immer mehr wirklich und zu gleicher Zeit harmonischer. Ein einziges Beispiel stehe hier statt aller.

Von dem frühesten Unterricht meiner Lehrjahre bis auf die neuern Zeiten erinnere ich mich gar wohl, daß der große und unproportionierte Raum zwischen Mars und Jupiter jedermann auffallend gewesen und zu gar mancherlei Auslegungen Gelegenheit gegeben. Man sehe unseres herrlichen Kants Bemühungen, sich über dieses Phänomen einigermaßen zu beruhigen.

Hier lag also ein Problem, man darf sagen am Tage, denn der Tag selbst verbarg, daß sich hier mehrere kleine Gestirne um sich selbst bewegten und die Stelle eines größeren dem Raum angehörigen Gestirns auf die wundersamste Weise angenommen hatten.

Dergleichen Probleme liegen zu Tausenden innerhalb des Kreises der Naturforschung, und sie würden sich früher auflösen, wenn man nicht zu schnell verführe, um sie durch Meinungen zu beseitigen und zu verdüstern.

Indessen behauptet alles, was man Hypothese nennt, ihr altes Recht, wenn sie nur das Problem, besonders wenn es gar keiner Auflösung fähig scheint, einigermaßen von der Stelle schiebt und es dahin versetzt, wo das Beschauen erleichtert wird. Ein solches Verdienst hatte die antiphlogistische Chemie; es waren dieselben Gegenstände, von denen gehandelt wurde, aber sie waren in andere Stellen, in andere Reihen gerückt, so daß man ihnen auf neue Weise von andern Seiten beikommen konnte.

Was meinen Versuch betrifft: die Hauptbedingungen der Witterungslehre für tellurisch zu erklären und einer veränderlichen pulsierenden Schwerkraft der Erde die atmosphärischen Erscheinungen in gewissem Sinne zuzuschreiben, so ist er von derselben Art. Die völlige Unzulänglichkeit, so konstante Phänomene den Planeten, dem Monde, einer unbekannten Ebbe und Flut des Luftkreises zuzuschreiben, ließ sich Tag für Tag mehr empfinden, und wenn ich die Vorstellung darüber nunmehr vereinfacht habe, so kann man dem eigentlichen Grund der Sache sich um so viel näher glauben.

Denn ob ich gleich mir nicht einbilde, daß hiemit alles gefunden und abgetan sei, so bin ich doch überzeugt: wenn man auf diesem Wege die Forschungen fortsetzt und die sich hervortuenden nähern Bedingungen und Bestimmungen genau beobachtet, so wird man auf etwas kommen, was ich selbst weder denke noch denken kann, was aber sowohl die Auflösung dieses Problems als mehrerer verwandten mit sich führen wird.

HOWARDS EHRENGEDÄCHTNIS

Wenn Gottheit Camarupa, hoch und hehr,
Durch Lüfte schwankend wandelt leicht und schwer,
Des Schleiers Falten sammelt, sie zerstreut,
Am Wechsel der Gestalten sich erfreut,
Jetzt starr sich hält, dann schwindet wie ein Traum,
Da staunen wir und traun dem Auge kaum.

Nun regt sich kühn des eignen Bildens Kraft,
Die Unbestimmtes zu Bestimmtem schafft;
Da droht ein Leu, dort wogt ein Elefant,
Kameles Hals, zum Drachen umgewandt,
Ein Heer zieht an, doch triumphiert es nicht,
Da es die Macht am steilen Felsen bricht;
Der treuste Wolkenbote selbst zerstiebt,
Eh er die Fern' erreicht, wohin man liebt.

Er aber, Howard gibt mit reinem Sinn,
Uns neuer Lehre herrlichsten Gewinn;
Was sich nicht halten, nicht erreichen läßt,
Er faßt es an, er hält zuerst es fest;
Bestimmt das Unbestimmte, schränkt es ein,
Benennt es treffend! – Sei die Ehre dein! –
Wie Streife steigt, sich ballt, zerflattert, fällt,
Erinnre dankbar Deiner sich die Welt.

Stratus

Wenn von dem stillen Wasserspiegel-Plan
Ein Nebel hebt den flachen Teppich an,
Der Mond, dem Wallen des Erscheins vereint,
Als ein Gespenst Gespenster bildend scheint,
Dann sind wir alle, das gestehn wir nur,

Erquickt', erfreute Kinder, o Natur!
Dann hebt sichs wohl am Berge, sammlend breit
An Streife Streifen, so umdüsterts weit
Die Mittelhöhe, beidem gleich geneigt,
Obs fallend wässert, oder luftig steigt.

Kumulus

Und wenn darauf zu höhrer Atmosphäre
Der tüchtige Gehalt berufen wäre,
Steht Wolke hoch, zum herrlichsten geballt,
Verkündet, festgebildet, Machtgewalt,
Und, was Ihr fürchtet und auch wohl erlebt,
Wies oben drohet, so es unten bebt.

Zirrus

Doch immer höher steigt der edle Drang!
Erlösung ist ein himmlisch leichter Zwang.
Ein Aufgehäuftes, flockig löst sichs auf,
Wie Schäflein tripplend, leichtgekämmt zu Hauf.
So fließt zuletzt was unten leicht entstand
Dem Vater oben still in Schoß und Hand.

Nimbus

Nun laßt auch niederwärts, durch Erdgewalt
Herabgezogen was sich hoch geballt,
In Donnerwettern wütend sich ergehn,
Heerscharen gleich entrollen und verwehn! –
Der Erde tätig-leidendes Geschick!
Doch mit dem Bilde hebet euren Blick:
Die Rede geht herab, denn sie beschreibt,
Der Geist will aufwärts, wo er ewig bleibt.

Goethe zu Howards Ehren

Die drei ersten Strophen waren bisher nicht gedruckt und sind nur durch ein günstiges Ereignis in unsere Hände gekommen. – Goethe hatte bemerkt, daß wirklich etwas an seinem Gedicht zu Ehren Howards mangle und schrieb, um solches aufzuklären und zu vollenden, drei Strophen als Einleitung.

In der ersten Strophe wird die indische Gottheit, Camarupa (wearer of shapes at will) als das geistige Wesen dargestellt, welches nach eigener Lust, die Gestalten beliebig zu verwandeln, auch hier sich wirksam erweist, die Wolken bildet und umbildet.

In der zweiten Strophe wird sodann die Funktion der menschlichen Einbildungskraft vorgetragen, welche nach eingebornem Trieb allem ungebildeten Zufälligen jederzeit irgendeine notwendige Bildung zu geben trachtet, welches wir denn auch daran erkennen, daß sie sich die Wolken gern als Tiere, streitende Heere, Festungen und dergleichen denkt, wie solches Shakespeare einigemal glücklich benutzt hat. Die gleiche Operation nehmen wir an fleckigen Mauern und Wänden öfters vor und glauben da und dort wo nicht regelmäßige Gestalten, doch Zerrbilder zu erblicken. Zugleich wird auf Megha Dhuta, den Wolkenboten, angespielt, indem dieses herrliche Gedicht in allen seinen Teilen hierher gehört.

Und so wird denn in der dritten Strophe, damit nichts vermißt werde, Howards Name ausgesprochen, und sein Verdienst anerkannt, daß er eine Terminologie festgestellt, an die wir uns, beim Einteilen und Beschreiben atmosphärischer Phänomene durchaus halten können.

Diese Benennungsweise nun ist angekündigt und ausgesprochen in der vorletzten Zeile, wie folgt:

Wie Streife steigt	Sich ballt	Zerflattert	Fällt
Stratus	Kumulus	Zirrus	Nimbus

Und wenn wir unterschieden haben,
Dann müssen wir lebendige Gaben
Dem Abgesonderten wieder verleihen
Und uns eines Folge-Lebens erfreuen.

So wenn der Maler, der Poet,
Mit Howards Sondrung wohl vertraut,
Des Morgens früh, am Abend spät,
Die Atmosphäre prüfend schaut,

Da läßt er den Charakter gelten;
Doch ihm erteilen luftige Welten
Das Übergängliche, das Milde,
Daß er es fasse, fühle, bilde.

AUS DEM NACHLASS

Über Natur und Naturwissenschaft

Begriff ist Summe, Idee Resultat der Erfahrung; jene zu ziehen, wird Verstand, dieses zu erfassen, Vernunft erfordert.

Was man Idee nennt: das, was immer zur Erscheinung kommt und daher als Gesetz aller Erscheinungen uns entgegentritt.

Nur im Höchsten und im Gemeinsten trifft Idee und Erscheinung zusammen; auf allen mittlern Stufen des Betrachtens und Erfahrens trennen sie sich. Das Höchste ist das Anschauen des Verschiednen als identisch; das Gemeinste ist die Tat, das aktive Verbinden des Getrennten zur Identität.

Was uns so sehr irre macht, wenn wir die Idee in der Erscheinung anerkennen sollen, ist, daß sie oft und gewöhnlich den Sinnen widerspricht.

Das Kopernikanische System beruht auf einer Idee, die schwer zu fassen war und noch täglich unseren Sinnen widerspricht. Wir sagen nur nach, was wir nicht erkennen noch begreifen.

Die Metamorphose der Pflanzen widerspricht gleichfalls unsren Sinnen.

Das Erhabene, durch Kenntnis nach und nach vereinzelt, tritt vor userm Geist nicht leicht wieder zusammen, und so werden wir stufenweise um das Höchste gebracht, was uns gegönnt war, um die Einheit, die uns in vollem Maß zur Mitempfindung des Unendlichen erhebt, dagegen wir bei vermehrter Kenntnis immer kleiner werden. Da wir vorher mit dem Ganzen als Riesen standen, sehen wir uns als Zwerge gegen die Teile.

Es ist ein angenehmes Geschäft, die Natur zugleich und sich selbst zu erforschen, weder ihr noch seinem Geiste Gewalt anzutun, sondern beide durch gelinden Wechseleinfluß miteinander ins Gleichgewicht zu setzen.

Sich den Objekten in der Breite gleichstellen heißt lernen; die Objekte in ihrer Tiefe auffassen heißt erfinden.

Türmende Haufenwolken
auf Haufenwolkenschicht mit dunkleren
Wolkenstreifen
Bleistift, Tusch- und Sepialavierung

Was man erfindet, tut man mit Liebe, was man gelernt hat, mit Sicherheit.

Was ist denn das Erfinden? Es ist der Abschluß des Gesuchten.

Was ist der Unterschied zwischen Axiom und Enthymem? Axiom: was wir von Haus aus, ohne Beweis anerkennen; Enthymem: was uns an viele Fälle erinnert und das zusammenknüpft, was wir schon einzeln erkannten.

Die Freude des ersten Gewahrwerdens, des sogenannten Entdeckens kann uns niemand nehmen. Verlangen wir aber auch Ehre davon, die kann uns sehr verkümmert werden; denn wir sind meistens nicht die Ersten.

Was heißt auch erfinden, und wer kann sagen, daß er dies oder jenes erfunden habe? Wie es denn überhaupt, auf Priorität zu pochen, wahre Narrheit ist; denn es ist nur bewußtloser Dünkel, wenn man sich nicht redlich als Plagiarier bekennen will.

Mit den Ansichten, wenn sie aus der Welt verschwinden, gehen oft die Gegenstände selbst verloren. Kann man doch im höheren Sinne sagen, daß die Ansicht der Gegenstand sei.

Es ist viel mehr schon entdeckt, als man glaubt.

Da die Gegenstände durch die Ansichten der Menschen erst aus dem Nichts hervorgehoben werden, so kehren sie, wenn sich die Ansichten verlieren, auch wieder ins Nichts zurück: Rundung der Erde, Platos Bläue.

Es sind zwei Gefühle die schwersten zu überwinden: gefunden zu haben, was schon gefunden ist, und nicht gefunden zu sehen, was man hätte finden sollen.

Denken ist interessanter als Wissen, aber nicht als Anschauen.

Das Wissen beruht auf der Kenntnis des zu Unterscheidenden, die Wissenschaft auf der Anerkennung des nicht zu Unterscheidenden.

Das Wissen wird durch das Gewahrwerden seiner Lücken, durch das Gefühl seiner Mängel zur Wissenschaft geführt, welche vor, mit und nach allem Wissen besteht.

Im Wissen und Nachsinnen ist Falsches und Wahres. Wie das sich nun das Ansehn der Wissenschaft gibt, so wird's ein wahrlügenhaftes Wesen.

Wir würden unser Wissen nicht für Stückwerk erklären, wenn wir nicht einen Begriff von einem Ganzen hätten.

Die Wissenschaften so gut als die Künste bestehen in einem überlieferbaren (realen), erlernbaren Teil und in einem unüberlieferbaren (idealen), unlernbaren Teil.

In der Geschichte der Wissenschaften hat der ideale Teil ein ander Verhältnis zum realen als in der übrigen Weltgeschichte.

Geschichte der Wissenschaften: der reale Teil sind die Phänomene, der ideale die Ansichten der Phänomene.

Vier Epochen der Wissenschaften:
kindliche:
poetische, abergläubische
empirische:
forschende, neugierige
dogmatische:
didaktische, pedantische
ideelle:
methodische, mystische

»Nur die gegenwärtige Wissenschaft gehört uns an, nicht die vergangne noch die zukünftige.«

Im sechzehnten Jahrhundert gehören die Wissenschaften nicht diesem oder jenem Menschen, sondern der Welt. Diese hat sie, besitzt sie pp., der Mensch ergreift nur den Reichtum.

Die Wissenschaften zerstören sich auf doppelte Weise selbst: durch die Breite, in die sie gehen, und durch die Tiefe, in die sie sich versenken.

Alles, was man (in Wissenschaften) fordert, ist so ungeheuer, daß man recht gut begreift, daß gar nichts geleistet wird.

Was die Wissenschaften am meisten retardiert, ist, daß diejenigen, die sich damit beschäftigen, ungleiche Geister sind.

Der Fehler schwacher Geister ist, daß sie im Reflektieren sogleich vom Einzelnen ins Allgemeine gehen, anstatt daß man nur in der Gesamtheit das Allgemeine suchen kann.

In der Geschichte der Naturforschung bemerkt man durchaus, daß die Beobachter von der Erscheinung zu schnell zur Theorie hineilen und dadurch unzulänglich, hypothetisch werden.

Man datiert von Baco von Verulam eine Epoche der Erfahrungs-Naturwissenschaften. Ihr Weg ist jedoch durch theoretische Tendenzen oft durchschnitten und ungangbar gemacht worden. Genau besehen, kann und soll man von jedem Tag eine neue Epoche datieren.

Das Jahrhundert ist vorgerückt; jeder Einzelne aber fängt doch von vorne an.

Jeden Tag hat man Ursache, die Erfahrung aufzuklären und den Geist zu reinigen.

Da diejenigen, welche wissenschaftliche Versuche anstellen, selten wissen, was sie eigentlich wollen und was dabei herauskommen soll, so verfolgen sie ihren Weg meistenteils mit großem Eifer; bald aber, da eigentlich nichts Entschiedenes entstehen will, so lassen sie die Unternehmung fahren und suchen sie sogar andern verdächtig zu machen.

Nachdem man in der zweiten Hälfte des siebzehnten Jahrhunderts dem Mikroskop so unendlich viel schuldig geworden war, so suchte man zu Anfang des achtzehnten Jahrhunderts dasselbe geringschätzig zu behandeln.

Nachdem man in der neuern Zeit die meteorologischen Beobachtungen auf den höchsten Grad der Genauigkeit getrieben hatte, so will man sie nunmehr aus den nördlichen Gegenden verbannen und will sie nur dem Beobachter unter den Tropen zugestehen.

Ward man doch auch des Sexualsystems, das, im höhern Sinne genommen, so großen Wert hat, überdrüssig und wollt' es verbannt wissen! Geht es doch mit der alten Kunstgeschichte ebenso, in der man seit fünfzig Jahren sich gewissenhaft zu üben und die Unterschiede der aufeinander folgenden Zeiten einzusehen sich auf das genauste bestrebt hat! Das soll nun alles vergebens gewesen und alles aufeinander folgende als identisch und ununterscheidbar anzusehen sein.

Nach unserm Rat bleibe jeder auf dem eingeschlagenen Wege und lasse sich ja nicht durch Autorität imponieren, durch allgemeine Übereinstimmung bedrängen und durch Mode hinreißen.

Autorität: ohne sie kann der Mensch nicht existieren, und doch bringt sie ebensoviel Irrtum als Wahrheit mit sich. Sie verewigt im einzelnen, was einzeln vorübergehen wollte, lehnt ab und läßt vorübergehen, was festgehalten werden sollte, und ist hauptsächlich Ursache, daß die Menschheit nicht vom Flecke kommt.

Der gemeine Wissenschäftler hält alles für überlieferbar und fühlt nicht, daß die Niedrigkeit seiner Ansichten ihm sogar das eigentlich Überlieferbare nicht fassen läßt.

Das Unzulängliche widerstrebt mehr, als man denken sollte, dem Auslangenden.

Vor zwei Dingen kann man sich nicht genug in acht nehmen: beschränkt man sich in seinem Fache, vor Starrsinn, tritt man heraus, vor Unzulänglichkeit.

Wenn in Wissenschaften alte Leute retardieren, so retrogradieren junge. Alte leugnen die Vorschritte, wenn sie nicht mit ihren früheren Ideen zusammenhängen; junge, wenn sie der Idee nicht gewachsen sind und doch auch etwas Außerordentliches leisten möchten.

Es ist ihnen wohl Ernst, aber sie wissen nicht, was sie mit dem Ernst machen sollen.

Von dem, was sie verstehen, wollen sie nichts wissen.

In New York sind neunzig verschiedene christliche Konfessionen, von welchen jede auf ihre Art Gott und den Herrn bekennt, ohne weiter aneinander irre zu werden. In der Naturforschung, ja in jeder Forschung müssen wir es so weit bringen; denn was will das heißen, daß jedermann von Liberalität spricht und den andern hindern will, nach seiner Weise zu denken und sich auszusprechen?

Alle Individuen und, wenn sie tüchtig sind und auf andre wirken, ihre Schulen sehen das Problematische in den Wissenschaften als etwas an, wofür oder wogegen man streiten soll, eben als wenn es eine andre Lebenspartei wäre, anstatt daß das Wissenschaftliche eine Auflösung, Ausgleichung oder eine Aufstellung unausgleichbarer Antinomien fordert. In diesem Falle ist auch Aguilonius.

Wenn jemand spricht, er habe mich widerlegt, so bedenkt er

nicht, daß er nur eine Ansicht der meinigen entgegen aufstellt; dadurch ist ja noch nichts ausgemacht. Ein Dritter hat eben das Recht und so ins Unendliche fort.

Bei wissenschaftlichen Streitigkeiten nehme man sich in acht, die Probleme nicht zu vermehren.

In Wissenschaften, sowie auch sonst, wenn man sich über das Ganze verbreiten will, bleibt zur Vollständigkeit am Ende nichts übrig, als Wahrheit für Irrtum, Irrtum für Wahrheit gelten zu machen. Er kann nicht alles selbst untersuchen, muß sich an Überlieferung halten und, wenn er ein Amt haben will, den Meinungen seiner Gönner frönen. Mögen sie die sämtlichen akademischen Lehrer hiernach prüfen!

Das wäre wohl der werteste Professor der Physik, der die Nichtigkeit seines Kompendiums und seiner Figuren, gegen die Natur und gegen die höhern Forderungen des Geists gehalten, durchaus zur Anschauung bringen könnte.

Nicht alles Wünschenswerte ist erreichbar, nicht alles Erkennenswerte erkennbar.

Derjenige, der sich mit Einsicht für beschränkt erklärt, ist der Vollkommenheit am nächsten.

Die Menschen, da sie zum Notwendigen nicht hinreichen, bemühen sich ums Unnütze.

Das Tier wird durch seine Organe belehrt; der Mensch belehrt die seinigen und beherrscht sie.

Anaxagoras lehrt, daß alle Tiere die tätige Vernunft haben, aber nicht die leidende, die gleichsam der Dolmetscher des Verstandes ist.

Die Alten vergleichen die Hand der Vernunft.

Die Vernunft ist die Kunst der Künste, die Hand die Technik alles Handwerks.

Die Sinne trügen nicht, das Urteil trügt.

Der Mensch ist genugsam ausgestattet zu allen wahren irdischen Bedürfnissen, wenn er seinen Sinnen traut und sie dergestalt ausbildet, daß sie des Vertrauens wert bleiben.

Man leugnet dem Gesicht nicht ab, daß es die Entfernung der Gegenstände, die sich neben- und übereinander befinden, zu schätzen wisse; das Hintereinander will man nicht gleichmäßig zugestehen.

Und doch ist dem Menschen, der nicht stationär, sondern beweglich gedacht wird, hierin die sicherste Lehre durch Parallaxe verliehen.

Die Lehre von dem Gebrauch der korrespondierenden Winkel ist, genau besehen, darin eingeschlossen.

Kant beschränkt sich mit Vorsatz in einen gewissen Kreis und deutet ironisch immer darüber hinaus.

Man hat sich lange mit der Kritik der Vernunft beschäftigt; ich wünschte eine Kritik des Menschenverstandes. Es wäre eine wahre Wohltat fürs Menschengeschlecht, wenn man dem Gemeinverstand bis zur Überzeugung nachweisen könnte, wie weit er reichen kann, und das ist gerade soviel, als er zum Erdenleben vollkommen bedarf.

»Genau besehen, ist alle Philosophie nur der Menschenverstand in amphigurischer Sprache. «

Der Menschenverstand, der eigentlichst aufs Praktische angewiesen ist, irrt nur alsdann, wenn er sich an die Auflösung
höherer Probleme wagt; dagegen weiß aber auch eine höhere
Theorie sich selten in den Kreis zu finden, wo jener wirkt und
west.

Die Dialektik ist die Ausbildung des Widersprechungsgeistes,
welcher dem Menschen gegeben, damit er den Unterschied
der Dinge erkennen lerne.

Eine tätige Skepsis: welche unablässig bemüht ist, sich selbst
zu überwinden, um durch geregelte Erfahrung zu einer Art
von bedingter Zuverlässigkeit zu gelangen.

Das Allgemeine eines solchen Geistes ist die Tendenz: zu
erforschen, ob irgendeinem Objekt irgendein Prädikat wirklich zukomme, und geschieht diese Untersuchung in der
Absicht, das als geprüft Gefundene in praxi mit Sicherheit
anwenden zu können.

Der lebendige begabte Geist, sich in praktischer Absicht ans
Allernächste haltend, ist das Vorzüglichste auf Erden.

Je weiter man in der Erfahrung fortrückt, desto näher kommt
man dem Unerforschlichen; je mehr man die Erfahrung zu
nutzen weiß, desto mehr sieht man, daß das Unerforschliche
keinen praktischen Nutzen hat.

Das schönste Glück des denkenden Menschen ist, das Er-
forschliche erforscht zu haben und das Unerforschliche ruhig
zu verehren.

Wir leben innerhalb der abgeleiteten Erscheinungen und wissen keineswegs, wie wir zur Urfrage kommen sollen.

Alles ist einfacher, als man denken kann, zugleich verschränkter, als zu begreifen ist.

Es ist das Eigne zu bemerken, daß der Mensch sich mit dem einfachen Erkennbaren nicht begnügt, sondern auf die verwikkelteren Probleme losgeht, die er vielleicht nie erfassen wird. Jenes einfache Faßliche ist durchaus anwendbar und nützlich und kann uns ein ganzes Leben durch beschäftigen, wenn es uns genügt und belebt.

Man erkundige sich ums Phänomen, nehme es so genau damit als möglich und sehe, wie weit man in der Einsicht und in praktischer Anwendung damit kommen kann, und lasse das Problem ruhig liegen. Umgekehrt handeln die Physiker: sie gehen gerade aufs Problem los und verwickeln sich unterwegs in soviel Schwierigkeiten, daß ihnen zuletzt jede Aussicht verschwindet.

Deshalb hat die Petersburger Akademie auf ihre Preisfrage keine Antwort erhalten; auch der verlängerte Termin wird nichts helfen. Sie sollte jetzt den Preis verdoppeln und ihn demjenigen versprechen, der sehr klar und deutlich vor Augen legte, warum keine Antwort eingegangen ist und warum sie nicht erfolgen konnte. Wer dies vermöchte, hätte jeden Preis wohl verdient.

Schon jetzt erklären die Meister der Naturwissenschaften die Notwendigkeit monographischer Behandlung und also das Interesse an Einzelheiten. Dies aber ist nicht denkbar ohne eine Methode, die das Interesse an der Gesamtheit offenbart; hat man das erlangt, so braucht man freilich nicht in Millionen Einzelnheiten umherzutasten.

Zur Methode wird nur der getrieben, dem die Empirie lästig wird.

Cartesius schrieb sein Buch De Methodo einige Male um, und wie es jetzt liegt, kann es uns doch nichts helfen. Jeder, der eine Zeitlang auf dem redlichen Forschen verharrt, muß seine Methode irgend einmal umändern.

Das neunzehnte Jahrhundert hat alle Ursache, hierauf zu achten.

So ganz leere Worte wie die von der Dekomposition und Polarisation des Lichts müssen aus der Physik hinaus, wenn etwas aus ihr werden soll. Doch wäre es möglich, ja es ist wahrscheinlich, daß diese Gespenster noch bis in die zweite Hälfte des Jahrhunderts hinüberspuken.

Man nehme das nicht übel. Eben dasjenige, was niemand zugibt, niemand hören will, muß desto öfter wiederholt werden.

Wer das Falsche verteidigen will, hat alle Ursache, leise aufzutreten und sich zu einer feinen Lebensart zu bekennen. Wer das Recht auf seiner Seite fühlt, muß derb auftreten: ein höfliches Recht will gar nichts heißen.

Zum Ergreifen der Wahrheit braucht es ein viel höheres Organ als zur Verteidigung des Irrtums.

Alle Hypothesen hindern den 'Αναϑεωρισμός, das Wiederbeschauen, das Betrachten der Gegenstände, der fraglichen Erscheinungen von allen Seiten.

Hypothesen sind Gerüste, die man vor dem Gebäude aufführt, und die man abträgt, wenn das Gebäude fertig ist. Sie sind dem Arbeiter unentbehrlich; nur muß er das Gerüste nicht für das Gebäude ansehn.

Wenn man den menschlichen Geist von einer Hypothese befreit, die ihn unnötig einschränkte, die ihn zwang, falsch oder halb zu sehen, falsch zu kombinieren, anstatt zu schauen zu grübeln, anstatt zu urteilen zu sophistisieren, so hat man ihm schon einen großen Dienst erzeigt. Er sieht die Phänomene freier, in anderen Verhältnissen und Verbindungen an, er ordnet sie nach seiner Weise, und er erhält wieder die Gelegenheit, selbst und auf seine Weise zu irren, eine Gelegenheit, die unschätzbar ist, wenn er in der Folge bald dazu gelangt, seinen Irrtum selbst wieder einzusehen.

Die Erscheinung ist vom Beobachter nicht losgelöst, vielmehr in die Individualität desselben verschlungen und verwickelt.

Aus dem Größten wie aus dem Kleinsten – nur durch künstlichste Mittel dem Menschen zu vergegenwärtigen – geht die Metaphysik der Erscheinungen hervor; in der Mitte liegt das Besondere, unsern Sinnen Angemessene, worauf ich angewiesen bin, deshalb aber die Begabten von Herzen segne, die jene Regionen zu mir heranbringen.

Wer kann sagen, daß er eine Neigung zur reinen Erfahrung habe? Was Baco dringend empfohlen hatte, glaubte jeder zu tun, und wem gelang es?

Wer ein Phänomen vor Augen hat, denkt schon oft drüber hinaus; wer nur davon erzählen hört, denkt gar nichts.

Die Phänomene sind nichts wert, als wenn sie uns eine tiefere reichere Einsicht in die Natur gewähren oder wenn sie uns zum Nutzen anzuwenden sind.

Die Konstanz der Phänomene ist allein bedeutend; was wir dabei denken, ist ganz einerlei.

Kein Phänomen erklärt sich an und aus sich selbst; nur viele, zusammen überschaut, methodisch geordnet, geben zuletzt etwas, das für Theorie gelten könnte.

Theorie und $\begin{cases} \text{Erfahrung} \\ \text{Phänomen} \end{cases}$ stehen gegeneinander in beständigem Konflikt. Alle Vereinigung in der Reflexion ist eine Täuschung; nur durch Handeln können sie vereinigt werden.

Etwas Theoretisches populär zu machen, muß man es absurd darstellen. Man muß es erst selbst ins Praktische einführen; dann gilt's für alle Welt.

Man sagt gar gehörig: das Phänomen ist eine Folge ohne Grund, eine Wirkung ohne Ursache. Es fällt dem Menschen so schwer, Grund und Ursache zu finden, weil sie so einfach sind, daß sie sich dem Blick verbergen.

Der denkende Mensch irrt besonders, wenn er sich nach Ursach' und Wirkung erkundigt: sie beide zusammen machen das unteilbare Phänomen. Wer das zu erkennen weiß, ist auf dem rechten Wege zum Tun, zur Tat.

Das genetische Verfahren leitet uns schon auf bessere Wege, ob man gleich damit auch nicht ausreicht.

Der eingeborenste Begriff, der notwendigste, von Ursach' und Wirkung, wird in der Anwendung die Veranlassung zu unzähligen, sich immer wiederholenden Irrtümern.

Ein großer Fehler, den wir begehen, ist, die Ursache der Wirkung immer nahe zu denken wie die Sehne dem Pfeil, den sie fortschnellt, und doch können wir ihn nicht vermeiden, weil Ursache und Wirkung immer zusammengedacht und also im Geiste angenähert werden.

Die nächsten faßlichen Ursachen sind greiflich und eben deshalb am begreiflichsten; weswegen wir uns gern als mechanisch denken, was höherer Art ist.

Indem wir der Einbildungskraft zumuten, das Entstehen statt des Entstandenen, der Vernunft, die Ursache statt der Wirkung zu reproduzieren und auszusprechen, so haben wir zwar beinahe nichts getan, weil es nur ein Umsetzen der $\left\{\begin{array}{l}\text{Anschauung} \\ \text{Vorstellung}\end{array}\right.$ ist, aber genug für den Menschen, der vielleicht im Verhältnis $\left\{\begin{array}{l}\text{zur} \\ \text{gegen die}\end{array}\right.$ Außenwelt nicht mehr leisten kann.

Es gibt jetzt eine böse Art, in den Wissenschaften abstrus zu sein: man entfernt sich vom gemeinen Sinne, ohne einen höhern aufzuschließen, transzendiert, phantasiert, fürchtet lebendiges Anschauen, und wenn man zuletzt ins Praktische will und muß, wird man auf einmal atomistisch und mechanisch.

Der Granit verwittert auch sehr gern in Kugel- und Eiform; man hat daher keineswegs nötig, die in Norddeutschland häufig gefundenen Blöcke solcher Gestalten wegen als im Wasser hin- und hergeschoben und durch Stoßen und Wälzen enteckt und entkantet zu denken.

Fall und Stoß: dadurch die Bewegung der Weltkörper erklären zu wollen, ist eigentlich ein versteckter Anthropomorphismus; es ist des Wanderers Gang über Feld. Der aufgehobene Fuß sinkt nieder, der zurückgebliebene strebt vorwärts und fällt, und immer so fort vom Ausgehen bis zum Ankommen.

Wie wäre es, wenn man auf demselben Weg den Vergleich von dem Schrittschuhfahren hernähme, wo das Vorwärtsdringen dem zurückbleibenden Fuße obliegt, indem er zugleich die Obliegenheit übernimmt, noch eine solche Anregung zu geben, daß sein nunmehriger Hintermann auch wieder eine Zeitlang sich vorwärtszubewegen die Bestimmung erhält?

Das Zurückführen der Wirkung auf die Ursache ist bloß ein historisches Verfahren, zum Beispiel die Wirkung, daß ein Mensch getötet, auf die Ursache der losgefeuerten Büchse.

Induktion habe ich zu stillen Forschungen bei mir selbst nie gebraucht, weil ich zeitig genug deren Gefahr empfand.

Dagegen aber ist mir's unerträglich, wenn ein anderer sie gegen mich brauchen, mich durch eine Art Treibejagen mürbe machen und in die Enge schließen will.

Mitteilung durch Analogien halt' ich für so nützlich als angenehm: der analoge Fall will sich nicht aufdringen, nichts beweisen; er stellt sich einem andern entgegen, ohne sich mit ihm zu verbinden. Mehrere analoge Fälle vereinigen sich nicht zu geschlossenen Reihen, sie sind wie gute Gesellschaft, die immer mehr anregt als gibt.

Irren heißt, sich in einem Zustande befinden, als wenn das Wahre gar nicht wäre; den Irrtum sich und andern entdecken, heißt rückwärts erfinden.

Die Kreise des Wahren berühren sich unmittelbar; aber in den Intermundien hat der Irrtum Raum genug, sich zu ergehen und zu walten.

Die Natur bekümmert sich nicht um irgendeinen Irrtum; sie selbst kann nicht anders als ewig recht handeln, unbekümmert, was daraus erfolgen möge.

Die Natur füllt mit ihrer grenzenlosen Produktivität alle Räume. Betrachten wir nur bloß unsre Erde: alles, was wir bös, unglücklich nennen, kommt daher, daß sie nicht allem Entstehenden Raum geben, noch weniger ihm Dauer verleihen kann.

Alles, was entsteht, sucht sich Raum und will Dauer; deswegen verdrängt es ein anderes vom Platz und verkürzt seine Dauer.

Das Lebendige hat die Gabe, sich nach den vielfältigsten Bedingungen äußerer Einflüsse zu bequemen und doch eine gewisse errungene entschiedene Selbständigkeit nicht aufzugeben.

Man gedenke der leichten Erregbarkeit aller Wesen, wie der mindeste Wechsel einer Bedingung, jeder Hauch gleich in den Körpern Polarität manifestiert, die eigentlich in ihnen allen schlummert.

Spannung ist der indifferent scheinende Zustand eines energischen Wesens in völliger Bereitschaft, sich zu manifestieren, zu differenzieren, zu polarisieren.

Die Vögel sind ganz späte Erzeugnisse der Natur.

Natur hat zu nichts gesetzmäßige Fähigkeit, was sie nicht gelegentlich ausführte und zu Tage brächte.

Nicht allein der freie Stoff, sondern auch das Derbe und Dichte drängt sich zur Gestalt: ganze Massen sind von Natur und Grund aus kristallinisch; in einer gleichgültigen formlosen Masse entsteht durch stöchiometrische Annäherung und Übereinandergreifen die porphyrartige Erscheinung, welche durch alle Formationen durchgeht.

Die schönste Metamorphose des unorganischen Reiches ist, wenn beim Entstehen das Amorphe sich ins Gestaltete verwandelt. Jede Masse hat hiezu Trieb und Recht. Der Glimmerschiefer verwandelt sich in Granaten und bildet oft Gebirgsmassen, in denen der Glimmer beinahe ganz aufgehoben ist und nur als geringes Bindungsmittel sich zwischen jenen Kristallen befindet.

Die Mineralienhändler beklagen sich, daß sich Liebhaberei zu ihrer Ware in Deutschland vermindere, und geben der eindringlichen Kristallographie die Schuld. Es mag sein; jedoch in einiger Zeit wird gerade das Bestreben, die Gestalt genauer zu erkennen, auch den Handel wieder beleben, ja gewisse Exemplare kostbarer machen.

Kristallographie sowie Stöchiometrie vollendet auch den Oryktognosten; ich aber finde, daß man seit einiger Zeit in der Lehrmethode geirrt hat. Lehrbücher zu Vorlesungen und zugleich zum Selbstgebrauch, vielleicht gar als Teile zu einer wissenschaftlichen Enzyklopädie sind nicht zu billigen; der Verleger kann sie bestellen, der Schüler nicht wünschen.

Lehrbücher sollen anlockend sein; das werden sie nur, wenn sie die heiterste zugänglichste Seite des Wissens und der Wissenschaft hinbieten.

Alle Männer vom Fach sind darin sehr übel dran, daß ihnen nicht erlaubt ist, das Unnütze zu ignorieren.

»Wir gestehen lieber unsre moralischen Irrtümer, Fehler und Gebrechen als unsre wissenschaftlichen.«

Das kommt daher, weil das Gewissen demütig ist und sich sogar in der Beschämung gefällt; der Verstand aber ist hochmütig, und ein abgenötigter Widerruf bringt ihn in Verzweiflung.

Daher kommt, daß offenbarte Wahrheiten erst im stillen zugestanden werden, sich nach und nach verbreiten, bis dasjenige, was man hartnäckig geleugnet hat, endlich als etwas ganz Natürliches erscheinen mag.

Unwissende werfen Fragen auf, welche von Wissenden vor tausend Jahren schon beantwortet sind.

Bei Erweiterung des Wissens macht sich von Zeit zu Zeit eine Umordnung nötig; sie geschieht meistens nach neueren Maximen, bleibt aber immer provisorisch.

Männer vom Fach bleiben im Zusammenhange; dem Liebhaber dagegen wird es schwerer, wenn er die Notwendigkeit fühlt nachzufolgen.

Deswegen sind Bücher willkommen, die uns sowohl das neu empirisch Aufgefundene als die neubeliebten Methoden darlegen.

In der Mineralogie ist dies höchst nötig, wo die Kristallographie so große Forderungen macht, und wo die Chemie das Einzelne näher zu bestimmen und das Ganze zu ordnen unternimmt. Zwei willkommene: Leonhard und Cleaveland.

Wenn wir das, was wir wissen, nach anderer Methode oder wohl gar in fremder Sprache dargelegt finden, so erhält es einen sonderbaren Reiz der Neuheit und frischen Ansehens.

Wenn zwei Meister derselben Kunst in ihrem Vortrag voneinander differieren, so liegt wahrscheinlicherweise das unauflösliche Problem in der Mitte zwischen beiden.

Die Geognosie des Herren d'Aubuisson de Voisins, übersetzt vom Herrn Wiemann, wie sie mir zu Handen kommt, fördert mich in diesem Augenblick auf vielfache Weise, ob sie mich gleich im Hauptsinne betrübt; denn hier ist die Geognosie, welche doch eigentlich auf der lebendigen Ansicht der Weltoberfläche ruhen sollte, aller Anschauung beraubt und nicht einmal in Begriffe verwandelt, sondern auf Nomenklatur zurückgeführt, in welcher letzten Rücksicht sie freilich einem jeden und auch mir förderlich und nützlich ist.

Das Große, Überkolossale der Natur eignet man so leicht sich nicht an; denn wir haben nicht reine Verkleinerungsgläser wie wir Linsen haben, um das unendlich Kleine zu gewahren. Und da muß man doch noch Augen haben wie Carus und Nees, wenn dem Geiste Vorteil entstehen soll.

   Da jedoch die Natur im größten wie im kleinsten sich immer gleich ist und eine jede trübe Scheibe so gut die schöne Bläue darstellt wie die ganze weltüberwölkende Atmosphäre, so find' ich es geraten, auf Musterstücke aufmerksam zu sein und sie vor mir zusammenzulegen. Hier nun ist das Ungeheuere nicht verkleinert, sondern im kleinen, und ebenso unbegreiflich als im Unendlichen.

Wenn in der Mathematik der menschliche Geist seine Selbständigkeit und unabhängige Tätigkeit gewahr wird und dieser ohne weitere Rücksicht ins Unendliche zu folgen sich geneigt fühlt, so flößt er zugleich der Erfahrungswelt ein solches Zutrauen ein, daß sie es an gelegentlichen Aufforderungen nicht fehlen läßt. Astronomie, Mechanik, Schiffsbau, Festungsbau, Artillerie, Spiel, Wasserleitung, Schnitt der Bausteine, Verbesserung der Fernröhre riefen in der zweiten Hälfte des siebzehnten Jahrhunderts die Mathematik wechselweise zu Hülfe.

Die Mathematiker sind wunderliche Leute; durch das Große, was sie leisteten, haben sie sich zur Universalgilde aufgeworfen und wollen nichts anerkennen, als was in ihren Kreis paßt, was ihr Organ behandeln kann. Einer der ersten Mathematiker sagte bei Gelegenheit, da man ihm ein physisches Kapitel andringlich empfehlen wollte: »Aber läßt sich denn gar nichts auf den Kalkül reduzieren?«

Falsche Vorstellung, daß man ein Phänomen durch Kalkül oder durch Worte abtun und beseitigen könne.

Die Mathematiker sind eine Art Franzosen: redet man zu ihnen, so übersetzen sie es in ihre Sprache, und dann ist es alsobald ganz etwas anders.

Es folgt eben gar nicht, daß der Jäger, der das Wild erlegt, auch zugleich der Koch sein müsse, der es zubereitet. Zufälligerweise kann ein Koch mit auf die Jagd gehen und gut schießen; er würde aber einen bösen Fehlschuß tun, wenn er behauptete, um gut zu schießen, müsse man Koch sein. So kommen mir die Mathematiker vor, die behaupten, daß man in physischen Dingen nichts sehen, nichts finden könne, ohne Mathematiker zu sein, da sie doch immer zufrieden sein könnten, wenn man ihnen in die Küche bringt, das sie mit Formeln spicken und nach Belieben zurichten können.

Wir müssen erkennen und bekennen, was Mathematik sei, wozu sie der Naturforschung wesentlich dienen könne, wo hingegen sie nicht hingehöre, und in welche klägliche Abirrung Wissenschaft und Kunst durch falsche Anwendung seit ihrer Regeneration geraten sei.

Die große Aufgabe wäre, die mathematisch-philosophischen Theorien aus den Teilen der Physik zu verbannen, in welchen sie Erkenntnis, anstatt sie zu fördern, nur verhindern, und in welchen die mathematische Behandlung durch Einseitigkeit der Entwicklung der neuern wissenschaftlichen Bildung eine so verkehrte Anwendung gefunden hat.

Darzutun wäre, welches der wahre Weg der Naturforschung sei: wie derselbe auf dem einfachsten Fortgange der Beobachtung beruhe, die Beobachtung zum Versuch zu steigern sei und wie dieser endlich zum Resultat führe.

Hundert graue Pferde machen nicht einen einzigen Schimmel.

Diejenigen, die das einzige grundklare Licht aus farbigen Lichtern zusammensetzen, sind die eigentlichen Obskuranten.

Mondscheinszenerie
Feder mit Sepia, Tusche

Wer sich an eine falsche Vorstellung gewöhnt, dem wird jeder Irrtum willkommen sein.

Deswegen sagte man ganz richtig: »Wer die Menschen betrügen will, muß vor allen Dingen das Absurde plausibel machen.«

Licht und Geist, jenes im Physischen, dieser im Sittlichen herrschend, sind die höchsten denkbaren unteilbaren Energien.

Ich habe nichts dagegen, wenn man die Farbe sogar zu fühlen

glaubt; ihr eigenes Eigenschaftliche würde nur dadurch noch mehr betätigt.

Auch zu schmecken ist sie. Blau wird alkalisch, Gelbrot sauer schmecken. Alle Manifestationen der Wesenheiten sind verwandt.

Und gehört die Farbe nicht ganz eigentlich dem Gesicht an?

Skizziertes, Zweifelhaftes

Organische Natur: ins Kleinste lebendig; Kunst: ins Kleinste empfunden.

> Konflikte
> Sprünge der Natur und Kunst.
> Eintretender Genius zur rechten Zeit.
> Element genugsam vorbereitet.
> Nicht roh und starr.
> Auch nicht schon verbraucht.
> Ebenso mit der Organisation.

Hier springt die Natur auch nur, insofern alles vorbereitet ist, als ein Höheres, in die Wirklichkeit Tretendes zur eminenten Erscheinung gelangen kann.

Daß die Natur, die uns zu schaffen macht, gar keine Natur mehr ist, sondern ein ganz anderes Wesen als dasjenige, womit sich die Griechen beschäftigten.

Die Griechen nannten Entelecheia ein Wesen, das immer in Funktion ist.

Die Griechen, wenn sie beschrieben oder erzählten, sprachen weder von Ursache noch von Resultat, sondern trugen die äußere Erscheinung vor.

Auch in der Naturwissenschaft machten sie keine Versuche wie wir, sondern hielten sich an den einzelnen Erfahrungsfällen.

Die Funktion ist das Dasein, in Tätigkeit gedacht.

Alle Wirksamkeit ist stärker am Mittelpunkt als gegen die Peripherie zu. Raum zwischen Mars und Jupiter.

Urphänomene: ideal, real, symbolisch, identisch.
Empirie: unbegrenzte Vermehrung derselben, Hoffnung der Hülfe daher, Verzweiflung an Vollständigkeit.
Urphänomen

> ideal als das letzte Erkennbare,
> real als erkannt,
> symbolisch, weil es alle Fälle begreift,
> identisch mit allen Fällen.

Ersparnis der Erfahrung,
Sündflut der Erfahrung,
Dinge, wovon man nicht reden würde, wenn man wüßte, wovon die Rede ist.

Wie das Unbedingte sich selbst bedingen und so das Bedingte zu seinesgleichen machen kann.

Daß das Bedingte zugleich unbedingt sei. Welches unbegreiflich ist, ob wir es gleich alle Tage erfahren.

Bei Naturforschung auf Anordnung, auf System auszugehen, hinderlich und förderlich.

Alles, was im Subjekt ist, ist im Objekt und noch etwas mehr.
Alles, was im Objekt ist, ist im Subjekt und noch etwas mehr.
Wir sind auf doppelte Weise verloren oder geborgen:

Gestehen wir dem Objekt sein Mehr zu,
Pochen wir auf unser Subjekt.

Jede [Erscheinung] ist zugänglich wie ein planum inclinatum, das bequem zu ersteigen ist, wenn der hintere Teil des Keiles schroff und unerreichbar dasteht.

Perspektivische Gesetze: die mit so großem Sinn als Richtigkeit die Welt auf das Auge des Menschen und seinen Standpunkt beziehen und dadurch möglich machen, daß jedes sonderbare verworrne Gedräng von Gegenständen in ein reines ruhiges Bild verwandelt werden kann.

Alle Verhältnisse der Dinge wahr. Irrtum allein in dem Menschen. An ihm nichts wahr, als daß er irrt, sein Verhältnis zu sich, zu andern, zu den Dingen nicht finden kann.

Wissen: das Bedeutende der Erfahrung, das immer ins Allgemeine hinweist.

Geschichte der Wissenschaft: Was muß zu allen Zeiten den Menschen von Haus aus interessieren?
   Wie hat man nach und nach gesucht, sich davon Rechenschaft zu geben oder sich zu beruhigen?
   Geschichte des Wissens: Was ist dem Menschen nach und nach bekannt geworden?
   Wie hat er sich dabei und damit benommen?

Niederträchtigkeit der mittlern Zeit bis ins sechzehnte Jahrhundert, treffliche Menschen wie Aristoteles, Hippokrates durch dumme Märchen lächerlich und verhaßt zu machen.

Unglücklich ist immer derjenige, der sich in Korporationen einläßt. Von Humboldt darf von allem nichts melden, als was in Paris gilt. Was soll denn da aus dem werden, was wir Wissen und Wissenschaft nennen? In hundert Jahren wird es ganz anders aussehen.

Redensarten, wodurch das, was das Genie in einer Folge und aus einer Folge entdeckt, als etwas einzelnes und wo nicht Zufälliges, doch Unzusammenhangendes angesprochen wird.

Nicht bloß Barbaren mit Feuer und Schwert, nicht bloß Pfaffenobskurantismus: die Gelehrten selbst sind solche barbarische Obskuranten, die etwas, das pp.

Bei den Kontroversen darauf zu sehen, wer das Punctum saliens getroffen.

Mathematik sich immer mit dem . . . und Würdigen beschäftigend. Verglichen mit dem Wollen und Dichten.

Mathematik, die auf Konviktion, Überführung ausgeht, weshalb gute Köpfe sich an ihr ärgern.

Man hört, nur die Mathematik sei gewiß; sie ist es nicht mehr als jedes andere Wissen und Tun. Sie ist gewiß, wenn sie sich klüglich nur mit Dingen abgibt, über die man gewiß werden und insofern man darüber gewiß werden kann.

Das ist eben das Hohe der Mathematik, daß ihre Methode gleich zeigt, wo ein Anstoß ist. Fanden sie doch dem Gang der himmlischen Körper nicht ihre Rechnungen gemäß und wendeten sich daher auf die Annahme[?] der Störungen und diese Störungen noch immer zu viel oder zu wenig.

In diesem Sinne kann man die Mathematik als die höchste und sicherste Wissenschaft ansprechen.
    Aber wahr kann sie nichts machen, als was wahr ist.

Was hat denn der Mathematiker für ein Verhältnis zum Gewissen, was doch das höchste, das würdigste Erbteil der Menschen ist, eine inkommensurable, bis ins Feinste wirkende, sich selber spaltende und wieder verbindende Tätigkeit? Und Gewissen ist's vom Höchsten bis ins Geringste. Gewissen ist's, wer das kleinste Gedicht gut und vortrefflich macht.

Wenn diese Hoffnungen sich verwirklichen, daß die Menschen sich mit allen ihren Kräften, mit Herz und Geist, mit Verstand und Liebe vereinigen und voneinander Kenntnis nehmen, so wird sich ereignen, woran jetzt noch kein Mensch denken kann. Die Mathematiker werden sich gefallen lassen, in diesen allgemeinen sittlichen Weltbund als Bürger eines bedeutenden Staates aufgenommen zu werden, und nach und nach sich des Dünkels entäußern, als Universalmonarchen über alles zu herrschen; sie werden sich nicht mehr beigehen lassen, alles für nichtig, für inexakt, für unzulänglich zu erklären, was sich nicht dem Kalkül unterwerfen läßt.

Alle Kristallisationen sind ein realisiertes Kaleidoskop.

Von denen selbst, die sich mit meiner Vorstellungsart befreundeten, ist keiner über mich [bricht ab]
... Es ist daher das beste, wenn wir bei Beobachtungen soviel als möglich uns der Gegenstände und beim Denken darüber soviel als möglich uns unsrer selbst bewußt sind.

BRIEFWECHSEL
ÜBER DEN REGENBOGEN

1. Goethe an Sulpiz Boisserée

Für Ihren werten Brief im allgemeinen und zum allerschönsten dankend, will ich nur eiligst die wichtige Frage wegen des Regenbogens zu erwidern anfangen. Hier ist mit Worten nichts ausgerichtet, nichts mit Linien und Buchstaben; unmittelbare Anschauung ist not und eigenes Tun und Denken. Schaffen Sie sich also augenblicklich eine hohle Glaskugel a, etwa fünf Zoll, mehr oder weniger, im Durchmesser, wie sie Schuster und Schneider überall brauchen, um das Lampenlicht auf den Punkt ihrer Arbeit zu konzentrieren, füllen solche mit Wasser durch das Hälschen und verschließen sie durch den Stöpsel b, stellen sie auf ein festes Gestelle gegen ein verschlossenes Fenster d, treten alsdann mit dem Rücken gegen das Fenster gekehrt in e, etwas zur Seite, um das in der Rückseite der Kugel sich präsentierende umgekehrte verkleinerte Fensterbild zu schauen, fixieren solches und bewegen sich ganz wenig nach Ihrer rechten Hand zu, wo Sie denn sehen werden, daß die Glastafeln zwischen den Fensterleisten sich verengen

und zuletzt, von den dunkeln Kreuzen völlig zusammengedrängt, mit einer schon vorher bemerkbaren Farbenerscheinung verschwinden, und zwar ganz am äußersten Rande g, die rote Farbe glänzend zuletzt.

Diese Kugel entfernen Sie nicht aus Ihrer Gegenwart, sondern betrachten sie hin- und hergehend beim hellsten Sonnenschein, abends bei Licht; immer werden Sie finden, daß ein gebrochenes Bild an der einen Seite der Kugel sich abspiegelt und so, nach innen gefärbt, sich, wie Sie Ihr Auge nach dem Rande zu bewegen, verengt und bei nicht ganz deutlichen mittlern Farben entschieden rot verschwindet.

Es ist also ein Bild und immer ein Bild, welches refrangiert und bewegt werden muß; die Sonne selbst ist hier weiter nichts als ein Bild. Von Strahlen ist gar die Rede nicht; sie sind eine Abstraktion, die erfunden wurde, um das Phänomen in seiner größten Einfalt allenfalls darzustellen, von welcher Abstraktion aber fortoperiert, auf welche weiter gebaut oder vielmehr aufgehäuft, die Angelegenheit zuletzt ins Unbegreifliche gespielt worden. Man braucht die Linien zu einer Art von mathematischer Demonstration; sie sagen aber wenig oder gar nichts, weil von Massen und Bildern die Rede ist, wie man sie nicht darstellen und also im Buche nicht brauchen kann.

Haben Sie das angegebene ganz einfache Experiment recht zu Herzen genommen, so schreiben Sie mir, auf welche Weise es Ihnen zusagt, und wir wollen sehen, wie wir immer weiter schreiten, bis wir es endlich im Regenbogen wiederfinden.

Mehr nicht für heute, damit Gegenwärtiges als das Notwendigste nicht aufgehalten werde.

Weimar, den 11. Januar 1832

2. Erwiderung

Die Glaskugel, verehrtester Freund, steht nun schon seit vielen Tagen vor meinen Augen, und ich habe noch nicht dazu gelangen können, Ihnen zu sagen, was ich darin gesehen.

Ihrem Rat gemäß habe ich sie bei gewöhnlichem Tageslicht wie bei Sonnen- und Kerzenlicht vielfach betrachtet, und immer habe ich bei der Bewegung meines Auges nach der Seite gesehen, daß das hintere Bild des Fensters, der Sonne oder der

Kerze am Rande der Kugel rot verschwindet. Beim Sonnen- und Kerzenlicht habe ich bemerkt, daß das hintere Bild sich auch nach der Seite in der Kugel bei h abspiegelt und daß die Farben erscheinen, wenn man so weit zur Seite schreitet, daß beide Bilder sich (bei g) übereinander schieben, und zwar löst sich die ganze Erscheinung in Rot auf, sobald beide Bilder sich decken; bei fernerem Fortschreiten verschwindet damit das Phänomen.

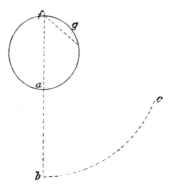

Es ist offenbar, daß bei dem gewöhnlichen Tageslicht das- selbe vorgeht, nur erscheint hierbei das zweite Spiegelbild h nicht recht deutlich, weil das Fenster ein zu großes Bild macht und daher das zweite Spiegelbild bei diesem Experiment auf der gebogenen Kugelfläche sich in einen unförmlichen Licht- schimmer auflöst. Die Sonnenscheibe und die Kerzenflamme hingegen erscheinen in ganz entschiedenen Bildern. Man sieht das vordere a, welches sich bei dem Zurseiteschreiten nur wenig bewegt, und die beiden hintern Bilder f und h, welche sich, je nachdem man fortschreitet, gegeneinander bewegen und endlich farbig übereinander schieben, bis sie sich gänzlich decken und rot verschwinden.

Ferner habe ich die Kugel auf die Erde gestellt und das Bild der Sonne oder der danebengestellten Kerze darauf fallen lassen, indem ich im rechten Winkel nahe an die Kugel trat.

Das weiße Bild a erschien dann nicht weit von dem Hals der Kugel f, und in b zeigte sich ein farbiges Spektrum, welches bei der Bewegung nach d blau und bei der Bewegung nach e rot verschwand. Um das Experiment am bequemsten zu machen, stellte ich mich in die Nähe eines Tisches, auf dessen Ecke ich mich stützen konnte, so daß ich stehen bleiben durfte und nur den Oberleib nach den beiden Seiten hin oder leise vorwärts und rückwärts zu bewegen brauchte. Das Spektrum scheint auch hier nicht auf einem einfachen Bilde zu beruhen, welches durch einen Teil der Glaskugel gebrochen wird, sondern es scheint, daß man hier gleich zwei übereinander geschobene Bilder sieht; denn als ich das Experiment mit Kerzenlicht machte, zeigten sich nach dem Verschwinden des blauen Lichts zwei auseinandergehende schwache Bilder. Daß ich dieses beim Sonnenlicht nicht gesehen, mag daher rühren, weil bei dem weißeren Licht der Sonne die reflektierten Spiegelbil-

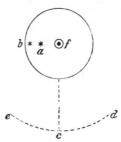

der im Gegensatz gegen das sehr glänzende Spektrum weniger ansprechend erscheinen, als bei dem orangefarbenen Kerzenlicht.

Genug, ich habe mich mit der Glaskugel vielfältig befreundet und erkenne darin einen sehr belehrenden Repräsentanten des Regentropfens, so daß die Gedanken nun schon zum Regenbogen eilen. Ich halte sie zurück, um Ihrer Belehrung nicht vorzugreifen, die mir erst die gehörige Sicherheit zum Weiterschreiten geben oder mir zeigen wird, daß ich auf dem

Weg des Irrtums bin. Es wird mich unendlich freuen, wenn Sie mich über diese wunderbar anziehende Naturerscheinung einmal zur Klarheit bringen. Was die gewöhnlichen Naturforscher darüber zu sagen wissen, ist gar unbefriedigend.

München, am 2. Februar 1832   Sulpiz Boisserée

Goethe an Sulpiz Boisserée

Es ist ein großer Fehler, dessen man sich bei der Naturforschung schuldig macht, wenn wir hoffen, ein kompliziertes Phänomen als solches erklären zu können, da schon viel dazu gehört, dasselbe auf seine ersten Elemente zurückzubringen; es aber durch alle verwickelten Fälle mit eben der Klarheit durchführen zu wollen, ist ein vergebenes Bestreben. Wir müssen einsehen lernen, daß wir dasjenige, was wir im Einfachsten geschaut und erkannt, im Zusammengesetzten supponieren und glauben müssen. Denn das Einfache verbirgt sich im Mannigfaltigen, und da ist's, wo bei mir der Glaube eintritt, der nicht der Anfang, sondern das Ende alles Wissens ist.

Der Regenbogen ist ein Refraktionsfall, und vielleicht der komplizierteste von allen, wozu sich noch Reflexion gesellt. Wir können uns also sagen, daß das Besondere dieser Erscheinung alles, was von dem Allgemeinen der Refraktion und Reflexion erkennbar ist, enthalten muß.

Nehmen Sie ferner das Heft meiner Tafeln (Farbenlehre) und deren Erklärung vor sich und betrachten auf der zweiten die vier Figuren in der obersten Reihe, bezeichnet mit A, B, C, D. Lesen Sie, was Seite 744 zur Erklärung gesagt ist, und gehen Sie nun drauf los, sich mit diesen Anfängen völlig zu befreunden. Und zwar würde ich vorschlagen, zuerst die objektiven Versuche bei durchfallendem Sonnenlichte vorzunehmen.

Versehen Sie sich mit verschiedenen Linsen, besonders von bedeutendem Durchmesser und ziemlich ferner Brennweite, so werden Sie, wenn Sie Lichtmasse hindurch und auf ein

Papier fallen lassen, sehen, wie sich ein abgebildeter Kreis verengt und einen gelben, zunächst am Dunklen einen gelbroten Saum erzeugt. Wie Sie nun die Erscheinung näher betrachten, so bemerken Sie, daß sich ein sehr heller Kreis an den farbigen anschließt, aus der Mitte des Bildes jedoch sich ein graulich dunkler Raum entwickelt. Dieser läßt nun nach dem Hellen zu einen blauen Saum sehen, welcher violett das mittlere Dunkel umgrenzt, welches sich hinter dem Fokus über das ganze Feld ausbreitet und durchaus blau gesäumt erscheint.

Lassen Sie sich diese Phänomene auf das wiederholteste angelegen sein, so werden Sie alsdann zu weiteren Fortschritten hingerissen werden.

Hängen Sie nunmehr Ihre mit Wasser gefüllte Kugel (die Sie als eine gesetzlich aufgeblasene Linse ansehen können) ins freie Sonnenlicht, stellen Sie sich alsdann, gerade wie in meiner Zeichnung des ersten Versuchs angegeben ist, schauen Sie in die Kugel, so werden Sie statt jenes reflektierten Fensters die auf die Kugel fallende Lichtmasse in einen Kreis zusammengezogen sehen, indessen derselbige Kreis durch das Glas durchgeht, um hinter der äußern Fläche einen Brennpunkt zu suchen. Der Kreis aber innerhalb der Kugel, welcher durch Reflexion und Refraktion nunmehr in Ihr Auge kommt, ist der eigentliche Grund jener Zurückstrahlung, wodurch der Regenbogen möglich werden soll.

Bewegen Sie sich nunmehr, wie in den andern bisherigen Fällen, so werden Sie bemerken, daß, indem Sie eine schiefere Stellung annehmen, der Kreis sich nach und nach oval macht, bis er sich dergestalt zusammenzieht, daß er Ihnen zuletzt auf der Seite sichtbar zu werden scheint und endlich als ein roter Punkt verschwindet. Zugleich, wenn Sie aufmerksam sind, werden Sie bemerken, daß das Innere dieses rotgesäumten Kreises dunkel ist und mit einem blauvioletten Saum, welcher mit dem Gelben des äußeren Kreises zusammentreffend zuerst das Grüne hervorbringt, sich sodann als Blau manifestiert und zuletzt bei völligem Zusammendrängen als Rot erscheint.

Dabei müssen Sie sich nicht irre machen lassen, daß noch ein paar kleine Sonnenbilder sich an den Rand des Kreises gesellen, die ebenfalls ihre kleineren Höfe um sich haben, die denn auch bei oben bemerktem Zusammenziehen ihr Farbenspiel gleichfalls treiben und deren zusammengedrängte Kreise, als an ihren nach außen gekehrten halben Rändern gleichfalls rot, das Rot des Hauptkreises kurz vor dem Verschwinden noch erhöhen müssen. Haben Sie alles dieses sich bekannt und durch wiederholtes Schauen ganz zu eigen gemacht, so werden Sie finden, daß doch noch nicht alles getan ist, wobei ich denn auf den allgemein betrachtenden Anfang meiner unternommenen Mitteilung hinweisen muß, Ihnen Gegenwärtiges zur Beherzigung und Ausübung bestens empfehlend, worauf wir denn nach und nach in unsern Andeutungen fortzufahren und des eigentlichen reinen Glaubens uns immer würdiger zu machen suchen werden.

Nun aber denken Sie nicht, daß Sie diese Angelegenheit jemals los werden. Wenn sie Ihnen das ganze Leben über zu schaffen macht, müssen Sie sichs gefallen lassen. Entfernen Sie die Kugel den Sommer über nicht aus Ihrer Nähe, wiederholen Sie an ihr die sämtlichen Erfahrungen, auch jene mit Linsen und Prismen: es ist immer eins und ebendasselbe, das aber in Labyrinthen Versteckens spielt, wenn wir täppisch, hypothetisch, mathematisch, linearisch, angularisch danach zu greifen wagen. Ich kehre zu meinem Anfang zurück und spreche noch aus, wie folgt.

Ich habe immer gesucht, das möglichst Erkennbare, Wißbare, Anwendbare zu ergreifen, und habe es zu eigener Zufriedenheit, ja auch zu Billigung anderer darin weit gebracht. Hiedurch bin ich für mich an die Grenze gelangt, dergestalt daß ich da anfange zu glauben, wo andere verzweifeln, und zwar diejenigen, die vom Erkennen zu viel verlangen und, wenn sie nur ein gewisses dem Menschen Beschiedenes erreichen können, die größten Schätze der Menschheit für nichts achten. So wird man aus dem Ganzen ins Einzelne und aus dem Einzelnen ins Ganze getrieben, man mag wollen oder nicht.

> Für freundliche Teilnahme dankbar,
> Fortgesetzte Geduld wünschend,
> Ferneres Vertrauen hoffend.

Weimar, den 25. Februar 1832

ANSCHAUENDES DENKEN

Liegt darin nicht ein Widerspruch? Denken wir nicht in Begriffen, während wir mit den Sinnen anschauen. Muß das Denken nicht vom Gegenständlichen sich lösend abstrahieren, um reine Erkenntnis zu werden? Oder soll es nur heißen, daß beides sich ergänzen müsse, da Anschauung ohne Begriffe blind wäre, Begriffe ohne Anschauung leer blieben?

Sind nicht die exakten Wissenschaften einig darin, daß ihre Fortschritte nur möglich waren, weil sie sich von der Anschaulichkeit der Sinnenwelt völlig getrennt hatten, um eine in sich geschlossene rein logische Welt der Beziehungen, Funktionen und Gesetze zu errichten? Bedeutet anschauendes Denken nicht, jene Entwicklung rückgängig machen zu wollen, von der mathematisch gesicherten Erkenntnis zurück zur vagen Ähnlichkeit der Gestalten, zur Sympathie oder Antipathie der Kräfte der Natur und zur hierarchischen Ordnung der Geschöpfe des Kosmos zurückzukehren?

Daraus kann vielleicht Poesie entstehen, und Goethes Schriften zur Naturwissenschaft, deren Wirkung immer zwischen Bewunderung, die allein noch keine Forschung in Gang setzt, und heftiger Ablehnung der Fachleute schwankte, erhielten oft zum Troste dafür, daß man sie so ganz nicht ernst nehmen wollte, die Anerkennung, sie seien doch sehr gut geschrieben. Das aber wollte ihr Autor am wenigsten erreichen. Er hatte lange beobachtet, mühselige Versuche unternommen und endlich Erkenntnisse gewonnen, die er mitteilen wollte. Und daß er gut schreiben konnte, hatte er oft genug unter Beweis gestellt, in Werken aber, die auch nicht zum Prunke gedacht waren, sondern mit welchen er sich etwas von der Seele schreiben mußte.

Es war ihm ernst mit seiner Arbeit, und wenn man die amtliche Tätigkeit seines langen Lebens, die literarische und zeichnerische Produktion und schließlich die Naturforschung voneinander trennen und ihren Zeitaufwand veranschlagen könnte, so würde man nicht ohne Erstaunen bemerken, daß der Naturforschung die meiste Zeit und die nachhaltigste Mühe gegolten habe. Das sagt freilich über die Bedeutung dieser Arbeit noch gar nichts aus.

War es ein vielfältiger, nicht ganz ergebnisloser Zeitvertreib wie die Schritte auf dem Felde der bildenden Kunst, für welche Goethe selbst den Begriff der »falschen Tendenz« gebrauchte? »Woran aber«, fragt Eckermann einmal, »soll man sehen und wissen, daß eine Tendenz eine falsche sei?« »Die falsche Tendenz«, antwortete Goethe, »ist nicht produktiv, und wenn sie es ist, so ist das Hervorgebrachte von keinem Wert. Dieses an andern gewahr zu werden, ist nicht so gar schwer, aber an sich selber, ist ein eigenes Ding und will eine große Freiheit des Geistes.«

Solcherlei Studien wie Goethes Zeichnen mögen köstliche Früchte bringen, ohne doch bedeutend zu sein und in die Folge zu wirken. Den Vorteil dieser Bemühungen faßt Goethe bescheiden-stolz in das Wort: »Ich habe an Einsicht gewonnen.« Wäre es denkbar, daß die naturwissenschaftlichen Schriften entsprechend weniger durch Ergebnisse wirkten als vielmehr dadurch, daß sie der literarischen Produktion eine dichterische Anschauung der Natur und der menschlichen Seele erwarben?

Wie auch immer die Ergebnisse von Goethes Naturforschung eingeschätzt werden mögen – diese Schätzung schwankte und wird auch weiterhin unterschiedlich sein – die Beurteilung sollte nicht zu Fehlschlüssen führen. Gesteht man dem Zwischenkieferknochen, der Urpflanze und der Farbenlehre in physiologischer Hinsicht als Entdeckungen hohe Bedeutung zu, so folgte daraus noch lange nicht, daß die entsprechenden Schriften wert wären, auch heute noch und wieder gelesen zu werden. Gewöhnlich bleibt ein Satz in den Lehrbüchern und die Darlegung der Umstände überließe man den Fachhistorikern. Wären hingegen die Entdeckungen ein wenig abstrus, neben den Bahnen der damaligen Disziplinen und in der Folge auch von anderen gemacht worden, so wäre der Verweis auf die sprachliche Schönheit ihrer Darstellung ein schwaches Argument.

Als die naturwissenschaftliche Forschung selbst den Problemen noch näher stand, die Goethe beschäftigten, fehlte es nicht an heftiger Ablehnung. Keiner der großen Naturwissenschaftler seiner Epoche war bereit, über Freundlichkeiten für den berühmten Dilettanten hinaus gemeinsame Sache mit ihm zu machen. Danach mochte man das eine oder andere als glücklichen Fund anerkennen, mit dem Vorbehalt jedoch, daß es nicht nach der Weise der geltenden Methode gewonnen wurde. Und es gehörte schon das Bewußtsein eigener Genialität dazu, ein olympisches Verwandtschaftsgefühl und Überhobensein über die Kämpfe des Tages, wenn Helmholtz hohe Anerkennung bezeugte, während andere dem orakelnden Orphiker das endgültige Urteil vom Richterstuhl mathematisch-physikalischer Exaktheit aus zu sprechen sich wenig weise bemüßigt fühlten.

Die Rettungsversuche verliefen kaum weniger glücklich. Eine Kritik der Moderne, Mißtrauen, Überdruß und Angst in einem, – die Kritik an der Sinnentleerung der exakten Naturwissenschaften, das Mißtrauen gegenüber der Entseelung der mechanischen Welterklärung, Überdruß an dem Wuchern des Details bei Verlust des Ganzen und die Angst vor der Übermacht der Technik erblickte in Goethe den letzten Halbgott der Naturanschauung vor dem Sündenfall der modernen Wissenschaft. Oder Naturwissenschaftler, die selbst skeptisch wurden bei der grenzenlosen Parzellierung der Forschung, die den alten Begriff der Natur nicht mehr zu fassen und ihre eignen Ergebnisse dem gemeinen Menschenverstand nicht mehr mitzuteilen vermochte, erblickten voll Sehnsucht in Goethe die herrliche Spur einer verlorenen Welt.

Es ist keinem zu verwehren, ein wenig Religion aus Goethe zu holen oder Trost für eine ungeliebte, unbegriffene Gegenwart bei ihm zu suchen. Ein klassischer Autor hat mannigfachen Bedürfnissen zu dienen. Traurig dabei ist nur, daß die Wiederbelebungsversuche der einen so spärlich ausfallen und die Sehnsucht nach einer dem fragenden Menschen antwortenden Erforschung der Natur nicht die wissenschaftliche Arbeit verwandelt, sondern nur die Festreden immer sich gleich bleiben läßt. Goethes Absicht ist es nicht gewesen, friedliche und etwas blutleere Freizeitbeschäftigungen anzuregen, und noch weniger, den altgewordenen Zauberlehrlingen, denen manchesmal schon vor den Folgen ihres Tuns bange geworden ist, für Erbauliches herzuhalten.

Goethe wollte kein Einzelgänger sein oder gar der Wissenschaft sich entgegenstellen. Er wollte wirken, gemeinsam mit anderen, an der allgemeinen Aufgabe der Erkenntnis. Und wo er nicht auf Verständnis stieß, hat er seine Ansichten lange zurückgehalten, überprüft, neuen Versuchen und erneuter Darstellung unterzogen und schließlich, wenn die Anerkennung immer noch verweigert wurde, gekämpft. Er hat an Einsicht gewonnen nicht nur, wie es seine Absicht war, im Reich der Natur, sondern ganz gegen seinen Willen auch in die Gesetzlichkeiten der Menschenwelt. Hier plötzlich wurde er, den man gern als altständisch-konservativ charakterisiert, zum Empörer und Revolutionär. Hier erfuhr er Beiseiteschieben und Demütigung, hier lernte er die Macht der Autorität, die Erstarrung der Schulen und Zünfte, den Hochmut und die Enge der Gelehrten kennen.

Neben die Verbindlichkeit in der Anerkennung des von anderen Geleisteten, neben den freundlich-bescheidenen Ton gegenüber den Mitstrebenden, die mit ihm erkennen oder das Erkannte nutzen wollen und wobei es nie Schwierigkeiten gab, mit dem Gärtner über die Pflanze, mit dem Maler über die Farben sich zu verständigen, tritt ein neuer, scharfer Ton. Haß, Schmerz und Wut brechen aus aller Vermäntelung des durch die Kanzlei gebändigten Stils hervor. Zynische Einsicht in den nun einmal nicht veränderbaren Betrieb der Wissenschaften, wie Mephisto sie hätte äußern können, schiebt sich zwischen Ahnungen, die »zu dauernden Gedanken« befestigt werden. Da ist auch das Element zu spüren, das ihn mit der Naturforschung nicht zur Ruhe kommen ließ, auch nachdem das dichterische Vermächtnis abgeschlossen und buchstäblich versiegelt worden war. Unabschließbar treibt ihn ein Erkenntnisdrang bis in die letzten Tage, als müsse seine mächtige Entelechie sich selbst beweisen, daß sie nicht aufhören werde, wenn der Leib, der sie getragen, zerfallen ist.

Der Empörer wiederum mäßigt sich selbst durch den amtlichen Protokollanten. Er legt Rechenschaft ab von der Kontinuität lebenswieriger Pflichterfüllung, der stetigen Beobachtung, dem sich Bereiten für die großen Augenblicke, das verdiente Glück seligen Erblickens. Er glaubte Erfahrungen zu sehen, Schiller will ihn belehren, daß er mit der Urpflanze eine Idee gesehen habe, und warum schließlich auch nicht? Der Revolutionär beschwört die Solidarität mit allen, die mit ihm streben, den Dank für alles Empfangene, und auch das ist nicht unüblich. Er schreitet aus einem Wirkungskreis in den nächsten durch nahezu alle Reiche der sichtbaren Natur, Gesteine, Witterung und Wolken, Keim und Pflanze, Knochenbau und Tier, Gestalt und Typus, menschliche Physiognomie, Lehre der Farben und Töne von der Sinnesempfindung bis zum Gebilde der Kunst.

Alles nimmt er auf, wie es vor die Sinne kommt, wie es der Geist beleben und erfassen kann. Dabei scheut er auch Mikroskop und Fernrohr nicht, trotz gewisser Bedenken, und nicht einmal die Hebel und Schrauben von Versuchsanordnungen. Aber immer will er sehen beim Erkennen, sinnlich erfassen bis an die Grenzen des Übersinnlichen. Nichts wird Formel, nichts läßt sich errechnen, kein mathematisches Verfahren verwandelt die Gebilde in Zahlen und Funktionen. Hier ist eine Grenze, und das von Newton beherrschte Jahrhundert stößt ihn zurück. Genaue Beobachtung und ahnendes Erkennen von Beziehungen in Gestalt und Sinnesreaktion können die nichtexakten Naturwissenschaften wohl anerkennen. Das bleibt im Vorfeld.

Soweit wäre anschauendes Denken gut und nützlich, wenn es sich bescheiden würde mit einer beschränkten Aufgabenstellung. Vorbereitende Beobachtungen dürfte es liefern, welchen das wirklich wissenschaftliche Denken hernach Ort und Rang anweisen würde. Goethe gab sich damit aber nicht zufrieden. Richtig erkennen wollte er, was in den Wissenschaften noch nicht oder gar falsch gesehen wurde. Und darüber hinaus kommt es ihm darauf an, Grenzen und Bedingungen des Erkennens festzustellen. Daß alles Faktische schon Theorie sei, daß wir mit einer Hypothese schon und allererst beobachten, daß der Versuch Vermittler zwischen Objekt und Subjekt sei. Hier sieht die Erfahrung und Weisheit Sachverhalte, welche die Wissenschaft methodisch ausklammern und in ihren Folgen umgehen wollte.

Hier wappnet sich Goethe zum Angriff. Er hat nicht nur ein Feld zu verteidigen, die lebendige Anschauung der Natur und Ahnung ihrer inneren Gesetze. Er kann die Wissenschaft auch etwas lehren, was sie gar nicht wissen will, wo sie an ihre Grenze stößt. Diese Grenze zu überschreiten, ist Bewußtsein des eigenen Verfahrens nötig, Selbstkenntnis, Freiheit und »um uns eines gewagten Wortes zu bedienen«, Ironie. Das findet sich selten beieinander, ist aber nicht unmöglich. In der Farbenlehre spricht er es Platon und Leonardo da Vinci zu, bei der Ethik Spinoza, in der Erkenntnistheorie vermutet er es, mit mehr Ironie als Selbstkenntnis, bei Immanuel Kant. Mit der Reife des Alters und der Ausbreitung der Lektüre in geschichtliche Zeiten und exotische Ferne wächst auch die Zahl dieser Geisterschar. Keine neuesten Entdeckungen sind es, die ihm Eindruck machen, sondern das »alte Wahre«, das wiederzuerkennen aller Mühe wert ist.

Kein bescheidener Feldweg abseits der großen Heerstraße der Wissenschaft ist die Stelle, die Goethe sich selber zuerkennt, sondern eine Herausforderung der Wissenschaft im Bewußtsein, das Richtige zu tun und den Widerstrebenden Trotz bieten zu können. Kants Werk wieder zurück ins Konkrete zu führen. Im Praktischen gewissenhaft und das Höhere ahnend etwas zu vollziehen im Vertrauen auf sein Glück, womit Fichte sich über zwei Jahrzehnte hin in immer neuen Fassungen seiner Wissenschaftslehre quälte. Die Zeitgenossen spürten etwas davon, wenn sie die Energien beider bei allem äußeren Unterschied als verwandt empfanden. Und noch der reife, späte Hegel nahm Stellung dazu, wenn er von sich bekannte, Zeit seines Lebens ein Schüler Goethes gewesen zu sein.

Aber wenn das so ist, warum hat er, was er anschauend dachte, in keinem Werk zusammengefaßt? Es sind Versuche, Entwürfe, Schemata, Reflexionen, Lehrgedichte gar, aber kein Ganzes. Und wenn man es in Bezug setzt zu den poetischen Werken, auch nur andeutungsweise, erläutern jene Schriften wie ein Kommentar den Faust und die Wahlverwandtschaften, den West-östlichen Divan? Ist es Morphologie des Menschenlebens in der Geschichte, was Gestaltung, Umgestaltung heißt, und die Chemie geselliger und liebevoller Beziehungen, die manchen Angst machte, weil sie einen Standpunkt über der Moral gewinnt und reine Anschauung wird? Oder sind die Werke der Poesie umgekehrt Konkretionen und Beispiele des naturwissenschaftlichen Forschens? Und wie helfen wir uns aus der Verwirrung, wenn nicht eines das andere erläutert oder kommentiert, sondern wenn beide, die Schriften zur Naturwissenschaft und die Werke der Poesie das andeuten und umschreiben, ohne es als Werk oder gar Methode zu erfüllen, was wir suchen: das anschauende Denken?

Goethe ist fast zu seiner eigenen Überraschung ein Dichter geworden, und oft und noch lange in seinem Leben hat er sich dagegen gewehrt, darin seine Aufgabe zu sehen. Er ist nie ein Priester des Wortes, ein Ingenieur des Verses gewesen. Und daß er Naturwissenschaftler wurde, ist noch zufälliger gewesen, denn das Stadtkind, der Jurastudent hatte gar keine Beziehung zur Natur und auch keinen wissenschaftlichen Ehrgeiz. Es ist alles Mühe und Arbeit gewesen, »schwerer Dienste tägliche Bewahrung« und eine Sehnsucht, die ihn getrieben hat, das in der Antizipation in sich gefühlte Bild der Welt außer sich zu erkennen und in Werken, die er gestaltete, sich der Übermacht des Innen und Außen zu erwehren.

Eine Überzeugung leitete ihn, daß es gelingen könne, zwischen den entgegenstrebenden Kräften sich »ins Rechte« zu denken. Und das heißt auch, Gefühl und Werk, Anschauung und Erkenntnis zu vereinen, im Vertrauen darauf, daß das Wirken des Menschen in der Welt Sinn haben kann, daß in ihm die Welt zum bewundernden Anschauen ihrer selbst kommen könne. »Denn wozu dient alle der Aufwand von Sonnen und Planeten und Monden, von Sternen und Milchstraßen, von Kometen und Nebelflecken, von gewordenen und werdenden Welten, wenn sich nicht zuletzt ein glücklicher Mensch unbewußt seines Daseins erfreut?«

Horst Günther

Goethe im Insel Verlag

Goethe, Johann Wolfgang von: Insel-Goethe. 6 Bände. Herausgegeben von Emil Staiger, Walter Höllerer, Hans-J. Weitz, Norbert Miller u.a. Leinen in Kassette.
– – Sonderausgabe. Broschiert.
– Jubiläumsausgabe in sechs Bänden. Aus Anlaß des 150. Todestages am 22. März 1982. Gebunden, mit Dekorüberzug.

Einzelausgaben:
– Anschauendes Denken. Goethes Schriften zur Naturwissenschaft in einer Auswahl herausgegeben von Horst Günther. Mit Zeichnungen des Autors. it 550
– Briefe an Auguste Gräfin zu Stolberg. Herausgegeben und mit einem Nachwort von Jürgen Behrens. Mit Abbildungen und Faksimiles. IB 1015
– ›Das Tagebuch‹ Goethes und Rilkes ›Sieben Gedichte‹. Erläutert von Siegfried Unseld. IB 1000
– Dichtung und Wahrheit. Mit Bildmaterial. 3 Bde. in Kassette. it 149/150/151
– – Insel-Bibliothek. Leinen und Leder
– Die erste Schweizer Reise. it 300
– Elegie von Marienbad. September 1823. Faksimile einer Urhandschrift. Herausgegeben von Christoph Michel und Jürgen Behrens. Mit einem Geleitwort von Arthur Henkel. Faksimile und Kommentarband zusammen in Kassette. Leder
– Erfahrung der Geschichte. Historisches Denken und Geschichtsschreibung in einer Auswahl. Herausgegeben von Horst Günther. Mit Zeichnungen des Autors. it 650
– Faust. Erster Teil. Faksimile der Erstausgabe. Leder
– Faust I. Mit Illustrationen von Eugène Delacroix und einem Vorwort von Jörn Göres. it 50
– Faust. Zweiter Teil. Faksimile der Erstausgabe. Leinen und Leder
– Faust II. Mit Federzeichnungen von Max Beckmann. Mit einem Nachwort zum Text von Jörn Göres und zu den Zeichnungen von Friedhelm Fischer. it 100
– Faust. Gesamtausgabe. Leinen und Leder
– Faust. Drei Fassungen. Urfaust. Faust. Ein Fragment. Faust. Eine Tragödie. Herausgegeben mit einem Nachwort von Werner Keller. 2 Bde. it 625
– Frühes Theater. Mit einer Auswahl aus den dramaturgischen Schriften 1771–1828. Herausgegeben und mit einem Nachwort von Dieter Borchmeyer. it 675

Goethe im Insel Verlag

Goethe im Insel Verlag

Goethes Leben und Werk in Daten und Bildern. Herausgegeben von
Bernhard Gajek und Franz Götting unter Mitarbeit von Jörn Göres.
Mit 517 Abbildungen. Leinen. Sonderausgabe.

Goethe – seine äußere Erscheinung. Literarische und künstlerische
Dokumente seiner Zeitgenossen. Zusammengetragen von Emil
Schaeffer. Überprüft und ergänzt von Jörn Göres.

Johann Wolfgang Goethe. Sein Leben in Bildern und Texten.
Herausgegeben und mit einem Vorwort von Christoph Michel.
Gestaltet von Willy Fleckhaus. Mit Erläuterungen zu 500 Abbildun-
gen, einer Chronik und Register. Leinen

Goethe – warum? Eine Auslese aus Werken, Briefen und Dokumen-
ten. Herausgegeben und mit einem Nachwort von Katharina
Mommsen. it 759